JOE CRAIG

J.C.

AGENT IM FADENKREUZ

JOE CRAIG

AGENT IM FADENKREUZ

Aus dem Englischen von
Alexander Wagner

cbj

Dieses Buch ist auch als E-Book erhältlich.

Verlagsgruppe Random House FSC® N001967

7. Auflage

cbj Kinder- und Jugendbuchverlag
in der Verlagsgruppe Random House GmbH,
Neumarkter Str. 28, 81673 München

Die englische Originalausgabe erschien 2005
unter dem Titel: »Jimmy Coates – Killer«
bei HarperCollins Children's Books, einem Imprint
der Verlagsgruppe HarperCollins Ltd, London
Übersetzung: Alexander Wagner
Umschlagkonzeption: Isabelle Hirtz, Inkcraft
unter Verwendung der Abbildungen von
© Istockphoto (ParkerDeen); © Shutterstock (Ollyy; courado)
MP · Herstellung: TG
Satz: KompetenzCenter, Mönchengladbach
Druck: CPI books GmbH, Leck
ISBN 978-3-570-17393-0
Printed in Germany

www.cbj-verlag.de

KAPITEL 1

Jimmy zielte, vergewisserte sich kurz, dass seine Mutter gerade wegschaute, und feuerte. Das Kügelchen aus Schokoladenpapier erwischte seinen Vater, der grinste und das Feuer erwiderte. Dann begannen die Fernsehnachrichten und Jimmy erhob sich vom Sofa.

»Wie willst du erfahren, was in der Welt vor sich geht, wenn du dir nie die Nachrichten anschaust?«, fragte seine Mutter.

»Die sind echt öde. Außerdem muss ich noch für die Schule lernen.« Jimmy schlurfte zur Tür, doch die Stimme seines Vaters hielt ihn auf.

»Deine Mutter hat recht«, sagte er, jetzt wieder ganz der Erziehungsberechtigte. »Es ist wichtig, gut informiert zu sein, besonders in diesen Tagen.«

Jimmy fand Nachrichten eigentlich gar nicht *so* langweilig, wenn nur seine Eltern sich dabei nicht immer in die Haare bekommen hätten.

Sie brüllten sich dann jedes Mal in voller Lautstärke an, und irgendwann begann Mr Higgins von nebenan, an die Wand zu klopfen.

Deshalb verzog Jimmy sich lieber nach oben, wo seine

Schwester Georgie wieder mal vor seinem Computer hockte.

»Gehört die Westminster-Brücke jetzt eigentlich zu Westminster oder führt sie einfach nur nach Westminster?«, fragte sie ihn über die Schulter hinweg.

»Hast du schon im Internet nachgesehen?«, erwiderte Jimmy.

»Da steht nichts.«

»Warum fährst du dann nicht einfach selbst zur Westminster-Brücke?«, schlug Jimmy vor. »Vielleicht triffst du dort einen Obdachlosen, den du fragen kannst. Er verrät es dir sicher. Und wahrscheinlich wird er auch genauso müffeln wie du. Dann könnt ihr beiden echt beste Freunde werden.«

»Pass bloß auf. Ich bin immer noch größer als du und werde mit dir jederzeit fertig.«

Dummerweise hatte sie recht – denn Jimmy wartete dringend auf einen Wachstumsschub. Er schlug um sich, als Georgie ihn aufs Bett schubste und ihm eines der Kissen aufs Gesicht drückte. Als er wieder zu Atem kam, versuchte er sie abzulenken.

»Warum können Mum und Dad sich nicht einfach normal aufführen, wenn der Premierminister in den Nachrichten kommt?«

»Du bist manchmal echt dämlich, Jimmy, ehrlich. Natürlich diskutieren sie darüber, was in der Politik läuft.«

»Ja, aber sie diskutieren so laut, dass Mr Higgins deswegen an die Wand trommelt.«

»Ich hasse diesen alten Spinner«, murmelte Georgie.

Jimmy hockte sich auf sein Bett. »Warum unternehmen sie dann nicht einfach was dagegen? Anstatt immer nur darüber zu streiten.«

»Denk doch mal nach. Wir leben in einer Demokratie. Da unternimmt man nicht einfach was, das übernehmen die Politiker für einen. Bist du zurückgeblieben, oder was? Na ja, wenn du mal vierzehn bist, wirst du's vielleicht kapieren.«

»Pah.« Jimmy war klar, dass seine Schwester keinen Funken mehr Ahnung von dem hatte, was in ihrem Land los war. »Ich versteh mehr, als du denkst, und bald werde ich auch noch größer sein als du.«

»Oh nein, ich hab ja schon solche Angst. Denn wenn du mal größer bist als ich, dann kann ich DAS nicht mehr machen!« Georgie hechtete sich auf Jimmy und beide landeten erneut mit einem dumpfen Plumps auf dem Bett. Georgie bewegte sich rasch und schlang mühelos ihren Arm um seinen Hals. Dann presste sie ihre Fingerknöchel oben gegen seinen Kopf. Jimmy hatte es in den ganzen Jahren nie geschafft, sich aus Georgies Umklammerung zu lösen. Und obwohl er wusste, dass sie nur Spaß machte, tat es trotzdem weh.

Er fuchtelte wild mit den Armen und traf ein paarmal den Rücken seiner Schwester, doch das half ihm nicht weiter. Und dann, ohne zu wissen, warum, verhielt er sich für den Bruchteil einer Sekunde völlig ruhig. Plötzlich stemmte sich sein Arm blitzschnell gegen den Körper seiner Schwester und hob sie hoch. Sie verlor das Gleichgewicht und musste Jimmys Kopf loslassen. Sein Arm schleuderte sie nach hinten, Georgie landete krachend auf dem Bett und glotzte verwirrt an die Decke.

Sie waren beide verdutzt. Jimmy starrte auf seine Hände. Dann lachte er und strich sich die Haare glatt. Doch Georgie war keineswegs beeindruckt.

»Was soll das denn?«, schrie sie. Aber bevor sie ihn erneut packen konnte, war Jimmy schon aus dem Raum und rannte die Treppe hinunter. Auf halbem Wege bremste er seine Schritte und beruhigte seinen Atem.

»Was war das für ein Lärm?«, rief sein Vater, ohne aufzusehen. Jimmy hüpfte aufs Sofa und verkündete äußerst zufrieden mit sich selbst: »Ich hab beschlossen, mir die Nachrichten anzuschauen.«

»Ich habe deiner Schwester versprochen, dass sie oben ungestört arbeiten kann«, sagte sein Vater streng. Aber noch bevor Jimmy eine passende Antwort einfiel, stürmte Georgie herein.

»Wir haben nur Spaß gemacht, aber dann hat er plötzlich richtig ernst gekämpft und mich aufs Bett geschleudert.«

»Das ist gelogen!« Jimmy war bereit, sich erneut in den Kampf zu stürzen, aber da wurden sie durch ein lautes Hämmern gegen die Wand unterbrochen. Es war erstaunlich, dass ein Nachbar, der von sich behauptete, fast taub zu sein, so ein empfindliches Gehör hatte.

Jimmys Vater erhob sich schwerfällig, schlug einmal mit der Faust gegen die Wand und fuhr dann unvermindert laut fort: »Würdet ihr beide leise sein, das ist sehr wichtig!«

Sein aufgebrachter Tonfall veranlasste Jimmy und Georgie, sich hinzusetzen und zum Fernseher zu schauen. Dabei belauerten sie einander weiter aus den Augenwinkeln.

Die Nachrichten zeigten Bilder des Premierministers Ares Hollingdale, der vor seinem Amtssitz in der Downing Street herumlief, und dann Bilder eines anderen wesentlich jüngeren Mannes, der etwas weniger gepflegt wirkte. Jimmy konnte sich nicht auf das konzentrieren, was der Reporter sagte, weil er so aufgeregt wegen seiner neu entdeckten Kräfte war. Doch irgendwann beachtete er seine Schwester immer weniger und beobachtete stattdessen seine Eltern. Als der jüngere, ungepflegtere Mann auf dem Bildschirm erschien, bewegten sie sich unruhig auf ihren Sitzen. Jimmy war sich ziemlich sicher, dass sein Vater seine Mutter wütend anfunkelte, aber als er Jimmys Blick bemerkte, ließ er es wieder sein. Stattdessen wandte er sich direkt an Jimmy und sprach mit leisem, aber ernstem Tonfall.

»Du solltest dem wirklich Aufmerksamkeit schenken – möglicherweise bildet jemand eine Opposition gegen die Regierung. Niemand weiß, was noch alles in diesem Land geschehen wird.« Jimmy ließ sich das einen Augenblick durch den Kopf gehen und kam zu dem Schluss, dass ohnehin keiner genau wissen konnte, was in irgendeinem Land noch alles passieren würde.

Es war ziemlich albern, so etwas zu sagen – schließlich konnte ja niemand die Zukunft vorhersehen.

»Boah, das ist öde. Ich geh nach oben und arbeite weiter an meinem Westminster-Brücken-Aufsatz«, verkündete Georgie mit hochrotem Kopf. Jimmy fing ihren Blick auf. Sie war doch nicht ernsthaft sauer, oder? Hatte er ihr womöglich wirklich wehgetan? Das war nicht seine Absicht gewesen. Es war einfach nur ein gutes Gefühl, sie endlich mal besiegt zu haben.

Jimmys Eltern starrten sich mittlerweile wütend an, als würden sie gleich wieder anfangen zu streiten. Doch genau in diesem Augenblick klingelte es an der Tür.

Jimmys Vater hievte sich seufzend hoch.

»Erwartest du jemanden?«, fragte seine Frau. Er stand einen Moment lang da und kratzte sich am Ohr, bevor er einfach nur »Nein« sagte. Dann marschierte er hinaus zur Eingangstür.

Jimmys Vater hatte eine Kronkorken-Fabrik. Er stellte Verschlüsse für Flaschen und Büchsen her, in die verschiedenste Limonaden und Biere abgefüllt wurden. Gelegentlich kamen wichtige Kunden zu ihnen nach Hause, um zu besprechen, wie die Verschlüsse für ihre Flaschen genau aussehen sollten. Zumindest nahm Jimmy an, dass es darum bei den Gesprächen ging, die immer sehr lange und manchmal bis spät in die Nacht dauerten. Gelegentlich hörte Jimmy sie unten laut miteinander diskutieren, wenn er im Bett lag.

»Das werden doch nicht …«, begann Jimmys Mutter, doch ihr Mann hatte den Raum bereits verlassen. Sie blickte zu Jimmy. »Geh nach oben und mach dich fürs Bett fertig«, sagte sie sanft.

»Was?«, fragte Jimmy. »Es ist noch total früh. Außerdem schau ich mir grade die Nachrichten an.« Seine Mutter antwortete nicht und schaltete stattdessen den Fernseher ab. Dann lauschten beide auf das, was sich draußen an der Eingangstür abspielte.

»Oh, Sie sind das«, sagte Jimmys Vater. »Ich hatte nicht damit gerechnet, dass …«

»Können wir reinkommen, Ian?« Es war eine Männerstimme, tief und emotionslos.

»Äh, natürlich. Wir hatten Sie nicht erwartet.« Jimmys Vater klang nervös und der andere Mann unterbrach ihn.

»Danke«, sagte er. Sie hörten laute Schritte, dann wurde die Tür aufgestoßen. Der Mann, der das Zimmer betrat, war groß und kräftig, noch größer als Jimmys Vater und ganz offensichtlich in besserer Form. Er war braun gebrannt und gut aussehend, lächelte aber nur mit einer Hälfte seines Munds. Er musterte den Raum und entdeckte Jimmy.

»Hallo, junger Mann. Du musst James sein.« Während der Mann sprach, senkte er den Blick und starrte Jimmy an. Bevor Jimmy etwas erwidern konnte, sprang seine Mutter auf und schob sich rasch vor ihn.

»Bitte«, sagte sie und hob eine Hand, um die Aufmerksamkeit des Mannes abzulenken. »Setzen Sie sich. Bitte setzen Sie sich doch.«

Der Mann blickte Jimmys Mutter an und rückte

seine dünne schwarze Krawatte zurecht. Der Anzug des Mannes war ebenfalls schwarz. »Helen, wie schön Sie wiederzusehen«, sagte er. Dann ließ er sich dort nieder, wo Jimmys Vater eben noch gesessen hatte.

»Jimmy, geh nach oben«, befahl sein Vater, der nun auch hereinkam und sich ungelenk setzte.

»Nein, er kann bleiben, Ian«, widersprach der Mann im Anzug.

»Sie haben nicht …«, begann Jimmys Mutter, aber der Mann unterbrach sie.

»Wir sind wegen des Jungen da.«

Schweigen machte sich breit.

Was sollte das heißen? Meinte der Mann etwa ihn? Soweit Jimmy in diesem Augenblick dazu imstande war, ging er rasch im Kopf die letzten Tage durch, ob er sich irgendetwas hatte zuschulden kommen lassen. Aber in seiner Panik konnte er sich schlicht an gar nichts erinnern. Plötzlich bemerkte Jimmy in der Tür einen zweiten Mann. Er war genauso angezogen wie der erste, war jedoch nicht ganz so groß und braun gebrannt.

Jimmys Vater wandte sich jetzt dem zweiten Mann zu.

»Sie kommen zu früh«, sagte er. »Wir dachten …«

»Ich weiß«, unterbrach ihn der erste Mann erneut. »Das ist eine noch ganz frische Entscheidung. Wir kommen, um ihn zu holen.« Der Mann blickte einfach geradeaus, weder in Jimmys Richtung noch zu seinen Eltern. Offensichtlich wartete er darauf, dass Jimmys Eltern irgendetwas erwiderten. Und als einer der beiden schließlich etwas sagte, war es seine Mutter, und es war wohl nicht das, was der Mann erwartet hatte.

»Lauf weg, Jimmy«, sagte sie, brachte aber kaum mehr als ein Krächzen heraus. Sie umklammerte ihre Kehle und rief dann laut: »JIMMY, RENN!«

Für einen winzigen Augenblick stand Jimmy wie angewurzelt da. Alle starrten ihn an. Jimmy blickte zu seinem Vater, der nicht so verängstigt wirkte, sondern eher traurig. Die Panik in der Stimme seiner Mutter drang tief in Jimmys Innerstes. Mit einem letzten Blick zu seiner Mutter schaffte er es schließlich, sich aus seiner Erstarrung zu lösen und zur Tür zu stürzen.

Der Mann, der dort stand, hatte nicht mit einer solchen explosionsartigen Geschwindigkeit gerechnet, und als Jimmy ihn mit voller Wucht rammte, wurde er zu Boden geschleudert. Jimmy stürmte zur Eingangstür und riss sie auf. Aber was erwartete ihn da draußen? Waren dort vielleicht weitere Männer in Anzügen? Er hörte, wie sich der Mann hinter ihm keuchend wieder aufrappelte. Jimmy ließ die Eingangstür offen stehen und sprintete stattdessen die Treppe hinauf, wobei er zwei Stufen auf einmal nahm. Außer Atem erreichte er den ersten Stock und flitze in sein Zimmer.

»Na, kommst du, um dich mit deinem Sieg zu brüsten?«, brummte Georgie vom Computer aus, aber Jimmy gab keine Antwort. »Wer war unten an der Tür?« Auch darauf erwiderte er nichts. Er konnte seine Schwester kaum verstehen, so sehr rauschte das Blut in seinen

Ohren. Dann ertönten auf der Treppe die schweren Schritte eines großen Mannes. Sie trafen Jimmy mitten ins Herz.

»Ruf die Polizei«, keuchte Jimmy und hechtete unters Bett.

»Was?« Georgie schnappte nach Luft. Jimmy hörte, wie die Tür aufflog, und starrte auf zwei Paar glänzende schwarze Schuhe, die sich in seine Richtung bewegten.

»Hey, wer sind Sie?«, kreischte Georgie. »Raus hier!«

»Schaff sie nach unten«, befahl einer der Männer.

»Polizei! Hilfe!« Georgies Schreie verhallten, während sie weggeschafft wurde. Dann tauchte direkt neben Jimmy ein Gesicht auf und spähte unter das Bett. Es war der größere der beiden Männer, der sich hingekniet hatte. Seine mächtige Hand packte Jimmys Schulter und zerrte ihn unter dem Bett hervor. Während Jimmy sich aufrichtete und seinen Nacken rieb, kehrte der etwas kleinere Mann zurück. Alles war jetzt ruhig. Von unten war kein Laut zu hören. Warum half ihm denn niemand?

»Was wollen Sie von mir?«, fragte er.

»Warum läufst du weg?«, konterte der größere Mann augenblicklich.

»Ich weiß nicht, wer Sie sind«, erwiderte Jimmy.

»Und du weißt nicht, wer *du* bist.«

»Ich bin Jimmy Coates. Und ich habe nichts getan.«

»Das behauptet auch keiner, Jimmy, ich möchte nur, dass du mit uns kommst. Du kannst mir vertrauen.«

Jimmy blickte dem größeren Mann direkt in die Augen, während sich der andere Anzugtyp an der Tür postierte. Es ist etwas ausgesprochen wenig Vertrauenswürdiges an einem Mann, der sagt: »Du kannst mir vertrauen«. Seine Augen hatten die Farbe von gebürstetem Stahl. Und so wie sich sein Hemd über der Brust spannte, schien auch der Rest aus diesem Material zu sein. Jimmy starrte so entschlossen wie möglich zurück, so, als würde er nicht ohne Weiteres nachgeben. Aber das hier war kein Spiel. Echte Panik kroch in Jimmy hoch. Seine Kehle schnürte sich zusammen, und irgendetwas verhinderte, dass er richtig atmen konnte. Es sah ganz so aus, als hätte er keine Wahl und müsste mit den Männern gehen.

Möglicherweise hatte Jimmy ein wenig zu lange gezögert; die Männer in den Anzügen mussten wohl die Geduld verloren haben. Der größere der beiden schob eine Hand in sein Jackett und Jimmy erhaschte einen Blick auf ein helles Pistolenhalfter. Als die Hand des Mannes wieder auftauchte, hielt sie eine Waffe.

»Ich möchte einfach nur, dass du uns begleitest«, erklärte er kalt, aber Jimmy konnte den Blick nicht von der Waffe wenden. Er hatte noch nie eine echte gesehen, obwohl er schon davon gehört hatte, dass Polizisten in anderen Ländern Waffen trugen. Und nun war die erste Pistole, die er je in seinem Leben zu Gesicht bekam, ausgerechnet auf ihn gerichtet.

Plötzlich verwandelte sich das Gefühl nackter Angst, das sich in seinem Magen ballte. Jimmy spürte, wie eine Energiewelle in ihm aufstieg. Diese Kraft durchströmte rasch seinen ganzen Körper. Als sie seinen Kopf erreichte, hörte er auf zu denken. Sein Bewusstsein war jetzt völlig leer und die Energie in seinem Inneren übernahm das Kommando über sein Handeln. Jimmy duckte sich blitzschnell zur Seite. Nun befand er sich außerhalb der Schusslinie, und bevor der Mann erneut zielen konnte, packte Jimmy mit einer Hand die Pistole und mit der anderen das Handgelenk des Mannes. Mit einem entschlossenen Griff drehte er den Pistolenlauf in Richtung Zimmerdecke und warf gleichzeitig sein eigenes Körpergewicht gegen die Hand des Mannes. Etwas knackte laut. Die Pistole fiel zu Boden, und der Mann umklammerte mit schmerzverzerrtem Gesicht den Finger, der auf dem Abzug gelegen hatte.

Jimmy hatte sich so schnell bewegt, dass der kleinere Mann keine Zeit gehabt hatte, zu reagieren, doch jetzt stürzte er sich auf ihn. Jimmy wich seinem Zugriff aus und kickte die Pistole unters Bett. Er warf einen Blick zur Tür, aber dort war kein Durchkommen. Beide Männer versperrten ihm den Weg, und obwohl einer von ihnen verletzt war, wirkte er doch einsatzbereit. Sein halbes Lächeln hatte sich zu einer wütenden Grimasse verzerrt.

Jimmy fühlte sich, als würde er jemand anderem von außen zuschauen – als wäre er selbst gar nicht da, und das Ganze wäre ein Film oder ein superrealistisches Computerspiel. Er handelte automatisch und ohne nachzudenken, weil er vorhersah, was die beiden Männer tun würden, noch ehe sie es taten. Er beobachtete, wie sie ihr Gewicht auf dem Parkettboden verlagerten, und zum ersten Mal in seinem Leben hatte er das Gefühl, dass es ein Vorteil war, kleiner zu sein. Die beiden Männer bauten sich schwerfällig vor ihm auf, um zu verhindern, dass er aus dem Raum rannte. Jimmy machte einen unauffälligen Schritt zur Seite und warf sich dann mit vollem Schwung nach hinten, wobei er seinen Körper zu einer Kugel zusammenrollte und fest die Augen schloss. Jimmy krachte gegen die Fensterscheibe. Glassplitter flogen den beiden fassungslosen Männern entgegen und begleiteten Jimmys Sturz. Während er wie ein Stein in die Tiefe sauste, schaltete sich Jimmys Gehirn wieder ein. Es blieb ihm gerade noch genug Zeit, einen einzigen Gedanken zu fassen: Warum war er ausgerechnet aus dem Fenster gesprungen? Er wusste doch, dass darunter die gepflasterte Auffahrt lag, und jetzt würde er möglicherweise sterben oder sich zumindest jeden einzelnen Knochen im Leib brechen. Kaum hatte er diesen Gedanken zu Ende gedacht, knallte er auch schon auf den Beton.

KAPITEL 2

Jimmy rührte sich nicht. Er war auf der Schulter gelandet und hielt seine Augen fest geschlossen. Es regnete Glas auf ihn und um ihn her. Er konnte hören, wie es auf das Dach des Wagens neben ihm prasselte, und ein paar kleine Splitter trafen auch sein Gesicht. Er lag da und wartete darauf, dass der Schmerz ihn mit voller Wucht traf. Warum hatte er das Bewusstsein nicht verloren? Er hatte immer gedacht, wenn man schwer stürzt – und so ein Fall von ziemlich weit oben auf harten Beton zählte da sicher dazu –, müsste man eigentlich das Bewusstsein verlieren. Und dann dachte er: Vielleicht bin ich ja schon ohnmächtig. Vielleicht war es bereits Wochen oder Monate später, er lag im Krankenhaus, und das ganze Missverständnis mit diesen Männern in Anzügen, die ihn holen wollten, war längst aufgeklärt.

Aber ihm war klar, dass das nicht sein konnte. Er wischte ein paar kleine Glassplitter von seinen Augen und öffnete vorsichtig die Lider. Das Licht einer Straßenlaterne zwinkerte ihm zu. Er hatte keine Ahnung, warum er nicht den geringsten Schmerz spürte. Er bewegte diverse Teile seines Körpers. Alle funktionierten so, wie sie sollten.

Zuletzt rollte er den Kopf hin und her, um sicherzustellen, dass er möglicherweise nicht doch tot war. Er schaute hinauf in den Himmel, sah sein Elternhaus und das zerbrochene Fenster. *Dad wird mich umbringen*, schoss es ihm durch den Kopf. Eine Sekunde lang glaubte er Mr Higgins' knochige lange Nase zu sehen, die durch die Vorhänge des Nachbarhauses lugte, aber Jimmys Sicht war immer noch getrübt. Dann bemerkte er zwei braun gebrannte Gesichter, die durch das von Glasscherben gerahmte Loch im Fenster auf ihn herabstarrten. *Die beiden werden mich* wirklich *umbringen*, dachte er. Doch ihm blieb keine Gelegenheit, wieder in Panik zu verfallen. Diese merkwürdige Energie kroch erneut in ihm hoch und überschwemmte ihn wie ein Tsunami. Diesmal schwoll die Woge noch schneller an und überflutete seinen Kopf. Jimmy versuchte, seinen Verstand eingeschaltet zu lassen; es gefiel ihm nicht, die Kontrolle über seinen Körper an dieses merkwürdige *Was-auch-immer-es-war* zu verlieren. Womöglich hatte es dieses eine Mal tatsächlich sein Leben gerettet, aber vielleicht hätte er nächstes Mal, wenn es wieder etwas ähnlich Bescheuertes wie einen Sprung aus dem Fenster verursachte, weniger Glück.

Doch es ließ sich nicht stoppen. Jetzt, wo Jimmy wusste, dass er sich beim Sturz nicht verletzt hatte, wollte er aufspringen und so schnell wie möglich die Straße hinunterrennen. Aber er rührte sich nicht. Sein Körper blieb einfach bewegungslos liegen, bis die beiden Köpfe sich aus dem Fenster zurückgezogen hatten.

Sie kamen jetzt herunter, um ihn zu holen. *Renn endlich los, bitte*, dachte er. Doch stattdessen zog er die Ellbogen dicht an die Brust und drehte sich zweimal um die eigene Achse, bis er unter dem Wagen seines Vaters lag, der in der Auffahrt stand. Dabei spürte er die Kälte des Bodens und kleine Glassplitter blieben an ihm hängen. Unter dem Auto betastete er die Teile des Motors. Es war dunkel, aber seine Augen passten sich schnell an. Er fand eine Stelle, wo er sich mit den Fingern festklammern konnte, und allein mit der Kraft seiner Unterarme zog er den ganzen Körper nach oben. Dann hakte er seine Zehen unter ein hervorstehendes Metallblech und wartete.

Jimmy war jetzt am ganzen Körper mit Staub und Dreck bedeckt, Öl lief an seinen Armen hinunter und tropfte in sein Gesicht. Trotzdem klammerte er sich weiter fest, wartete regungslos. Dabei wurde ihm klar: Natürlich wäre es falsch gewesen, einfach wegzurennen. Die Männer wären einfach in ihren Wagen gesprungen und hätten ihn sofort eingeholt. Doch woher hatte er das gewusst? Welcher Instinkt hatte ihn dazu gebracht, einfach liegen zu bleiben und sich unter den Wagen zu rollen, sobald die Männer ihn nicht mehr im Blick hatten? Ganz zu schweigen davon, wie es ihm gelungen war, sich derart an der Unterseite des Wagens festzuklammern. Woher hatte er auf einmal diese Kraft?

Genau in dem Moment rannten die beiden Männer aus der offenen Eingangstür. Wieder konnte Jimmy nur ihre Schuhe sehen, doch diesmal war sein Versteck weniger offensichtlich.

»Dein Job war es, ihn am Verlassen des Wohnzimmers zu hindern«, rief der eine.

»Er hat seine Kraft gegen mich eingesetzt.«

»Blödsinn. Er weiß noch gar nichts darüber.«

»Und warum konnte er dir dann den Finger brechen und aus dem Fenster springen?«

»Schreib es in den Bericht.«

Jimmy fühlte sich mit jeder Sekunde verwirrter. Über was wusste er noch nichts? Dann hörte er das Knistern eines Walkie-Talkies.

»Der Junge ist flüchtig. Wir müssen eine Ringfahndung einleiten. Kein Sichtkontakt«, sagte einer der Männer. Dann sah Jimmy zwei Schuhe zum Heck des schwarzen Lieferwagens laufen, der vor dem Haus auf der Straße parkte.

»Was hast du vor?«

»Du erwartest doch nicht etwa, dass *ich* hinter ihm herschnüffle, oder?«

»Die Hunde sind in dem Fall völlig nutzlos, du Blödmann«, war die Antwort, aber da stand die Heckklappe des Lieferwagens bereits offen. Jimmy hörte Gebell und sah die Pfoten von zwei Hunden die Auffahrt heraufkommen. Dann senkten sich ihre Schnauzen auf den Boden und Jimmy sah im Laternenlicht ihre Köpfe und ihre sabbernden Mäuler. Sie trabten jeder zu einer anderen Seite des Wagens. Jimmy war sich hundert

Prozent sicher, dass man ihn entdecken würde; es war absolut unmöglich, sich vor einem Hund zu verstecken, wenn er erst mal Witterung aufgenommen hatte.

»Ich hab eine Socke von ihm mit runtergebracht«, erklärte einer der Männer. Dann zog er beide Hunde an der langen Leine zu sich her. »Hier, mein Guter. Braver Hund. Such. Such schön.«

Die Tiere umrundeten den Wagen, gelegentlich hoben sie kurz ihre Schnauzen, dann schnüffelten sie wieder am Boden. Sie bewegten sich langsam, schlichen leise wie Diebe. Einer näherte sich dem Wagen und lief dicht daran entlang. Auf der Höhe von Jimmys Gesicht blieb er stehen und schnüffelte. Jimmy hatte einmal gelesen, dass Hunde die Witterung besser aufnehmen konnten, wenn es feucht war. Der Boden unter Jimmy war definitiv nass.

»Schaff die Hunde zurück in den Transporter. Sie zerschneiden sich sonst nur die Pfoten auf den Glassplittern.« Der Hund verharrte bewegungslos. Jimmy hielt den Atem an. Dann schwang das Tier den Kopf herum und trabte weiter.

»Los, Jungs, zurück in den Transporter.« Beide Hunde entfernten sich rasch. Jimmy war erleichtert und gleichzeitig noch verdutzter. Warum hatten die Hunde seine Witterung nicht aufgenommen? Der Mann musste den Hund genau in dem Moment weggezerrt haben, in dem dieser ihn entdeckt hatte. Aber warum hatte er dann nicht angeschlagen?

Jimmy hörte Schritte und eine bekannte Stimme.

»Sind die Handschellen wirklich nötig?« Es war Jimmys Vater, der aus dem Haus trat.

»Ich fürchte, das sind sie, Ian«, erwiderte einer der Männer. Jimmy klammerte sich noch fester an den Wagen, sodass seine Knöchel ganz weiß wurden. Er sah seine Familie hinaus auf die Straße marschieren. Vorneweg die Beine seines Vaters, gefolgt von denen seiner Mutter, der man es offenbar erlaubt hatte, die Pantoffeln gegen ein paar richtige Straßenschuhe zu tauschen. Direkt hinter seinen Eltern sah er Georgies Füße in Turnschuhen. Dann folgte noch ein fremdes Paar Schuhe. Offenbar war noch ein weiterer Anzugtyp ins Haus gekommen, als Jimmy nach oben gerannt war. Der Kerl musste seine Eltern und seine Schwester im Wohnzimmer festgehalten haben, während Jimmy oben auf sich alleine gestellt gekämpft hatte.

Diese Schuhe waren ebenso schwarz und glänzend wie die Schuhe der beiden anderen Männer, aber irgendetwas an ihnen ließ Jimmy genauer hinsehen. Auf ihren Spitzen befand sich ein Muster, das er von irgendwoher kannte; er konnte sich nur nicht daran erinnern woher. Er beobachtete, wie die Schuhe sich langsam vom Haus entfernten.

Jimmy verfolgte, wie alle durch die Pfützen marschierten. Eine Glasscherbe spiegelte die vorbeigehenden Menschen seltsam verzerrt. Alle standen auf dem Kopf, und er konnte ihre Gesichter nicht genau erkennen, nur ihre Umrisse. Ihm wurde klar, dass sein Schemen jederzeit in derselben Scherbe entdeckt werden konnte, oder, falls es eine ausreichend beleuchtete Pfütze gab, sogar sein ganzes Gesicht. Doch dann sorgte die ahnungslose Georgie für die perfekte Ablenkung. Sie hob ein Bein, trat nach einem der Männer und verfehlte ihn nur knapp.

»Ich geh nicht mit Ihnen«, rief sie. Jimmy durchzuckte ein Hoffnungsfunken. Er war so froh, dass seine Schwester Widerstand leistete und dabei, ohne um ihre gute Tat zu wissen, auch noch verhinderte, dass er geschnappt wurde. »Hilfe! Polizei!«, schrie sie. *Wenn irgendjemand kämpfen kann, dann ist es Georgie,* dachte er; und erinnerte sich an die unzähligen Male, wo sie ihn auf dem Bett in den Schwitzkasten genommen hatte. Außerdem erleichterte es Jimmy, dass sie keine Furcht hatte. Das nahm ihm selbst etwas von seiner eigenen Panik. Er hoffte, sie würde weiter schreien; sicher würde sie irgendjemand hören und Hilfe rufen. Doch dann ertönte wieder die Stimme seines Vaters.

»Ist schon in Ordnung, Georgie. Wir wollen keine Schwierigkeiten machen. Sei jetzt still.«

»Nein, ich lass mich nicht von denen wegschleppen!« Sie schrie noch lauter, trat erneut um sich und landete diesmal einen harten Treffer gegen das Schienbein des Mannes, und als der sie losließ, rannte sie davon. In kürzester Zeit waren ihre Füße aus Jimmys Blickfeld verschwunden.

»Hey«, fluchte der Mann und rieb sich das Bein.

Georgie war fürs Rennen geboren. Jimmy stellte sich vor, wie ihr langes braunes Haar hinter ihr herwehte.

Er musste daran denken, wie schnell sie auf dem Schulhof geflitzt war, als sie noch dieselbe Grundschule besucht hatten. Doch obwohl sie ziemlich flink war, würde sie niemals jemanden abhängen, der sie im Auto verfolgte. Jimmy kam es so vor, als würde Georgie etwas rufen. Es klang wie: »Ich werde Jimmy helfen.«

Jetzt hatten sie wieder eine echte Chance. Vielleicht hatte jemand Georgies Schreien gehört und würde die Polizei verständigen. Möglicherweise würde sich sogar Mr Higgins angesichts dieses Notfalls dazu entschließen, nicht mehr so taub zu sein, und Hilfe herbeirufen.

»Lasst sie laufen. Wir brauchen sie nicht«, befahl der Mann, den Georgie getreten hatte.

»Alles in Ordnung mit deinem Bein?«

»Dieses kleine Miststück. Schafft die beiden hier in den Transporter. Ich folge euch mit dem Wagen.«

»Wie geht's deinem Finger?«

»Halt die Klappe und schaff sie in den Transporter. Der Junge wird nicht weit kommen.«

Jimmy fragte sich, warum sie Georgie nicht verfolgten. Waren das denn keine Entführer? Im Grunde machte es doch keinen Unterschied, welches Kind sie verschleppten. Und warum gaben sie sich dann die Mühe, seine Eltern mitzunehmen? Doch inzwischen hatte ihn ein Verdacht beschlichen, der ihn nicht wieder losließ: Etwas an ihm selbst ließ ihn offenbar zum Zielobjekt dieser bewaffneten Männer in Anzügen werden; und es hing auf irgendeine Weise mit seiner plötzlichen Fähigkeit zusammen, aus Fenstern zu springen, ohne sich dabei zu verletzen.

Jimmy wartete, bis die Motoren der Autos ansprangen. Er musste unbedingt einen Blick auf den Transporter werfen. Es war die einzige Möglichkeit herauszufinden, wer seine Eltern verschleppte.

Er ließ sich vorsichtig zu Boden sinken und rollte unter dem Auto hervor, gerade noch rechtzeitig, um einen Wagen davonfahren zu sehen. Er hatte kein Nummernschild. *Was für eine Art Auto braucht kein Nummernschild?*, fragte er sich. Es war eine schwarze Limousine mit dunkel getönten Scheiben. Vor ihr fuhr der lange schwarze Transporter. Sie schlichen mit quälender Langsamkeit, lauernd wie Katzen.

Als die Fahrzeuge am Ende der Straße abbogen, wurden ihre Flanken sichtbar. Jimmy erspähte die Silhouetten der Fahrer und vorne im Transporter einen Beifahrer. *Das muss der dritte Mann sein*, dachte er, der Anzugtyp, dem er nicht begegnet war. Auf den Scheiben der Wagen spiegelte sich das Licht der Straßenlaternen und etwas erregte Jimmys Aufmerksamkeit. Es war das Einzige an den Fahrzeugen, das nicht vollständig schwarz war. Am Heck des Transporters, direkt neben den Rücklichtern, schimmerte ein senkrechter grüner Streifen. Er war gerade breit genug, um ihn aus der Entfernung erkennen zu können, und kaum mehr als zehn Zentimeter lang. Und auch bei der schwarzen Limousine befand sich an derselben Stelle ein identischer grüner Streifen. Er blitzte nur für einen kurzen

Moment auf, sodass Jimmy im nächsten Augenblick schon wieder daran zweifelte, ob er ihn wirklich gesehen hatte. Der Lieferwagen und die Limousine bogen um die Ecke und verschwanden, als hätte es sie niemals gegeben.

Jimmy tappte zurück zum Haus. Dabei bemerkte er zum ersten Mal, dass er keine Schuhe trug. Vorsichtig suchte er einen Weg zwischen den Glasscherben, was im Dunkeln gar nicht so einfach war. Die Eingangstür war verschlossen. Natürlich dachten alle, Jimmy wäre auf der Flucht und würde irgendwo durch die Vorstädte Londons irren.

Alles schien ruhig. Auf der Straße herrschte kein Verkehr, nur das tiefe Summen der nächtlichen Stadt und das Geräusch einzelner Autos in der Ferne waren zu hören. In einem dieser Wagen befanden sich Jimmys Eltern. Dann dachte er an Georgie. Wohin sie wohl gerannt war? Hoffte sie, sie könnte ihn irgendwo finden? Jimmy zitterte und fragte sich, ob es seiner Schwester jetzt auch so bitterkalt war. Wenigstens trug sie Schuhe.

Er kletterte die Mauer neben dem Haus hinauf und beugte sich auf der anderen Seite hinab, um den Riegel der Gartenpforte zu öffnen. Die Tür schwang mit einem Knirschen auf. Er warf einen Blick über die Schulter hinweg zur Straße, konnte aber nichts entdecken. Dann betrat er den Pfad, der seitlich am Haus entlangführte. Er schien ihm düsterer als je zuvor.

Jimmy redete sich selbst gut zu, dass er keine Angst

zu haben brauchte. Schließlich war es sein eigenes Zuhause und es war niemand außer ihm da. Wenn hier irgendetwas ein Geräusch machte, dann lediglich eine streunende Katze. Er begann den Satz flüsternd zu wiederholen.

»Gibt es ein Geräusch, dann ist es eine Katze.« Während er langsam zur Rückseite des Hauses schlich, sang er den Satz leise zu der fröhlichsten Melodie, die ihm einfiel. Barfuß und ein Lied über Katzen summend fühlte er sich wie ein stümperhafter Einbrecher. Wagenschmiere schwärzte seine Wangen. Als er sein Spiegelbild in einem Seitenfenster des Hauses entdeckte, fand er es fast schon wieder lustig.

Seine Gesichtszüge wirkten seit einiger Zeit nicht mehr ganz so weich, und er hoffte, dass man ihn schon bald für etwas älter halten würde, als er war. Sein blondes Haar wurde jedes Jahr etwas dunkler und seine Schultern wurden nach und nach breiter. Jimmy schnappte sich einen Stein aus dem Kräutergarten seiner Mutter und schlug damit das Fenster ein.

Wenn es überhaupt eine richtige Methode gibt, ein Fenster einzuschlagen, dann hatte er offensichtlich die falsche gewählt. Nachher erinnerte er sich, dass sie in Fernsehfilmen immer den Ellbogen benutzten und ihn dabei mit einer Decke oder etwas Ähnlichem schützten. Jimmy dagegen hatte es mit der bloßen Hand versucht. Jetzt übersäten noch mehr Glassplitter seine Kleider und fielen auf seine unbeschuhten Füße herab. Einige hatten ihn auch im Gesicht erwischt. Glücklicherweise hatte keiner davon seine Augen getroffen. Was war aus seiner merkwürdigen Fähigkeit geworden, sich in gefährlichen Situationen zurechtzufinden? Es wäre besser, wenn sie nicht einfach wieder spurlos verschwand, obwohl er sie gerade dringend brauchte.

Er griff durch das Loch im Fenster, öffnete die Verriegelung und schob es auf. Nachdem er hineingeklettert war, ging er als Erstes zum Telefon. Es war tot. Alles, was Jimmy hörte, war das Blut, das in seinen Ohren rauschte, und sein eigener Atem. Er fand das Handy seines Vaters, aber es ließ sich nicht einschalten. Das Gehäuse war zertrümmert worden. Jimmy war klar, dass er nicht zu Hause bleiben konnte, nicht, während seine Schwester alleine da draußen auf den Straßen unterwegs war und seine Eltern in einem Transporter fortgeschafft wurden.

Er überlegte, welche Gegenstände ihm in der nächsten Zeit möglicherweise nützlich sein könnten, aber sein Herz pochte immer noch so heftig, dass er sich kaum konzentrieren konnte. Er stieg die Treppe hinauf, um seinen Rucksack zu holen. Er räumte die Bücher darin aus und stopfte stattdessen Ersatzkleidung und einen zusätzlichen Pullover hinein. Dann holte er etwas zu essen aus dem Kühlschrank: Er stopfte so viel in seine Schultasche, wie hineinpasste. Außerdem nahm er ein paar Schokoriegel und schnappte sich einen Apfel. Er öffnete den Gefrierschrank und tastete im hinteren Teil herum, bis er das Bündel Geldscheine fand, das seine Mutter dort für Notfälle und den Pizzaboten aufbewahrte. Es war mehr Geld, als er je in Händen gehalten hatte. Wieder oben im ersten Stock zwängte er seine Füße in ein paar Schuhe, wobei er immer noch die nassen Socken trug, in deren Fasern sich Glassplitter verfangen hatten.

Dann kam ihm der Gedanke, sich auf die Suche nach einer Taschenlampe zu machen. Irgendwann kniete er auf allen vieren und durchwühlte den unteren Teil des Küchenschranks, da fiel sein Blick auf sein Handgelenk. Unterhalb der linken Hand ragte eine Glasscherbe hervor. Und obwohl es kein kleiner Splitter war, spürte er keinen Schmerz. Die ganze Zeit hatte er sie übersehen: eine tödliche Glasscherbe in seinem Handgelenk.

Vorsichtig zog Jimmy sie heraus. Sie steckte tief im Fleisch, doch es blutete nicht. Erleichtert wackelte er mit den Fingern. Dann ballte er sie zur Faust. Alles schien in Ordnung. Dort wo die Glasscherbe gesteckt hatte, war ein Schnitt in seiner Haut. Aber die Wunde war nicht blutig rot, sondern darunter befand sich eine weitere Hautschicht, die irgendwie grau aussah. Er hatte sich früher häufiger geschnitten, aber nie etwas Ähnliches bemerkt. *Eigentlich hätte ich inzwischen längst verblutet sein müssen*, dachte er. Er überlegte, ob er ein Pflaster auf den Schnitt kleben sollte, drückte sogar einige Male darauf herum. Aber da er keine Schmerzen empfand, schien es ihm reine Zeitverschwendung. Er tastete nach der Taschenlampe und warf sie in seinen Rucksack. Dann ließ er sich auf einen der Küchenstühle sinken.

Im Haus war es ruhig. Jimmy war noch nie aufgefallen, wie verloren man sich in der Stille fühlen konnte. Er starrte zur Tür, und ohne es zu wollen, stellte er sich vor, wie seine Eltern lächelnd und Späße machend hereinspaziert kamen. Er hatte sich noch nie so einsam gefühlt und versuchte sich abzulenken, indem er noch einmal alles durchging, was sich seit dem abendlichen Ringkampf mit seiner Schwester ereignet hatte. Er hörte wieder die panische Stimme seiner Mutter. Sie hatte verhindern wollen, dass er in die Hände dieser Männer fiel. Aber warum hatte sein Vater diese Leute ohne Zögern ins Haus gelassen? Und später waren seine Eltern ihnen völlig ruhig gefolgt. Wenn diese Leute tatsächlich so gefährlich waren, dass Jimmy vor ihnen abhauen musste, wieso kannten seine Eltern sie dann so gut? Und warum wollte Jimmys Vater nicht um Hilfe rufen, obwohl er die Gelegenheit dazu hatte?

Jimmy war klar, dass die Männer in Anzügen auf der Suche nach ihm zurückkehren und Verstärkung mitbringen würden. Er schnappte sich seinen Rucksack und verließ das Haus. Wenn er seiner Familie helfen wollte, dann durfte er vorerst nicht wieder zurückkehren.

Jimmy schlug die Richtung ein, in die der Transporter verschwunden war. Die Vororte von London verschluckten ihn; Tausende Menschen schliefen ruhig in ihren Betten, während Jimmy an ihren Eingangstüren vorbeischlich und sich daran zu erinnern versuchte, wo sich das Polizeirevier befand. Nach einer Weile hatte er jedes Orientierungsgefühl verloren. Das Licht der

Straßenlaternen ließ die Schatten, in die er hineinwanderte, nur noch finsterer erscheinen. Wachsam hielt er nach Personen Ausschau, die schwarze Wagen mit grünen Streifen fuhren. Doch die Straßen waren menschenleer.

Jimmy gähnte so mächtig, als wolle er die gesamte Stadt verschlucken. Und er war mit seinen Gedanken so sehr bei einem warmen Schlafplatz, dass er nicht das Geringste von der dünnen, dunklen Gestalt bemerkte, der einzigen weiteren Person in den Schatten dieser Nacht. Sie hatte begonnen, ihn zu verfolgen.

KAPITEL 3

Mitchell hatte einen harten Tag hinter sich. Zweimal hätte man ihn beinahe dabei erwischt, wie er einen Geldbeutel aus jemandes Tasche klaute, und beide Male musste er alles fallen lassen und davonflitzen. Das wäre jetzt schon der dritte Tag, an dem er leer ausging. Gestern Abend war er in einen ihm bekannten Vorort gefahren, um sich die Pendler vorzunehmen, die aus der U-Bahn-Station kamen. Aber sie hingen immer in dichten Trauben zusammen, sodass es verdammt schwer war, sich unauffällig unter sie zu mischen.

Jetzt waren die Straßen total verlassen. Sie kamen Mitchell einsamer vor als je, und langsam verlor er die Hoffnung, dass er heute noch einen Fang machen würde. Doch dann dachte er an den erbärmlichen Gestank im Apartment seines Bruders und verspürte keinen Drang, so bald dorthin zurückzukehren. Außerdem wusste er genau, wie umwerfend komisch sein Bruder es finden würde, wenn er wieder einmal mit leeren Händen nach Hause zurückkehrte. Es bereitete Mitchell kein Vergnügen, ein Dieb zu sein. Seinen Bruder mochte er auch nicht sonderlich. Und am allerwenigsten gefiel es ihm, mit ihm zusammenzuleben. Doch es war der einzige Ort, wo er Unterschlupf finden konnte, bis er alt genug war und Geld hatte, um etwas Eigenes zu mieten. Doch das lag beides noch in weiter Ferne. Und sein Bruder ließ Mitchell nur unter der Bedingung bei sich wohnen, dass er für ihn stahl.

Zuerst war er ganz gut darin gewesen – Anfängerglück vermutlich. Wenn es um das schnelle Davonrennen ging, war er unschlagbar. Außerdem hatte es Vorteile, kleiner zu sein; da wurde man gern mal übersehen. Doch die letzten Tage waren echt hart gewesen. Mitchell fühlte sich müde und elend. Fast hätte er aufgegeben, doch da tauchte plötzlich jemand auf.

Mitchell hörte das leise Quietschen von Turnschuhen und wandte sich in die Richtung. In dem trüben Licht konnte er einen einzelnen gebückten Schatten mit einem Rucksack erkennen. *Sieht aus, als ob es jemand in meinem Alter ist,* dachte er. Er ging langsam näher, bemerkte dann jedoch, dass die Gestalt sich direkt auf ihn zubewegte. Mitchell sprang über eine niedrige Vorgartenmauer und duckte sich. Nur wenige Sekunden später schlurfte kaum einen Meter entfernt ein Junge mit schwarz verschmiertem Gesicht an ihm vorbei. Mitchell hätte mit Leichtigkeit den Arm ausstrecken, ihn zu Fall bringen, sich seine Tasche schnappen und wegrennen können. Genau das hätte sein Bruder getan. Doch das Risiko war zu hoch, dass dabei die Leute in den Häusern aufwachten. Mitchell war clever – viel cleverer als sein Bruder. Er beschloss, geduldig zu warten. Er wollte diesen Tag unbedingt mit einem fetten Fang abschließen. Diese Sache durfte er auf keinen Fall vermasseln. Er würde warten, bis sein Opfer in eine weniger dicht besiedelte Gegend kam. *Vielleicht ist dieser Junge ja dämlich genug, eine Abkürzung durch den Park zu nehmen*, dachte er. Lautlos schwang er sich wieder über die Mauer und schlich in sicherem Abstand seiner Beute hinterher.

Jimmy war klar, dass er das Polizeirevier so bald wie möglich erreichen musste. Wenn diese Männer immer noch nach ihm suchten, war es hier draußen auf den Straßen viel zu gefährlich. Aber jedes Mal wenn er den richtigen Weg schon gefunden zu haben glaubte, bog er um eine Ecke, und alles wirkte wieder völlig fremd. Es herrschte eine unheimliche Stille, die seine Schritte lauter dröhnen ließ, als sie es eigentlich waren. Er überlegte, ob er an eine Haustür klopfen und jemanden nach dem Weg fragen sollte. Aber diese Häuser wirkten alle so düster. Vor einem glaubte er sogar auf dem Türpfosten einen grünen Streifen zu entdecken. Doch als er näher hinschaute, entpuppte es sich als ein verwittertes Messingschild. *Ich laufe einfach noch ein bisschen*, dachte er. *Es kann nicht mehr weit sein. Irgendwann erkenne ich sicher eine der Straßen wieder.* Aber immer wenn Jimmy sich daran zu erinnern versuchte, wo er schon langgelaufen war, brachte er die ganzen Straßen durcheinander. Er war jetzt echt hundemüde; jedes Mal wenn er seine Füße anhob, fühlte es sich an, als klebten sie am Gehweg.

»Reiß dich zusammen«, flüsterte er und blieb vor dem nächsten Haus stehen. Er musterte es, als würde er etwas suchen, obwohl er keine Ahnung hatte, was. Dann trat er durch die Gartenpforte.

Genau in dem Moment nahm er aus den Augenwinkeln am Ende der Straße ein aufblitzendes Licht wahr. Jimmy dreht kaum merklich den Kopf. Es sah aus wie ein flackernder Lichtschein, der sich in einem Autofenster spiegelte – oder kam es aus dem Inneren des Autos selbst? Er redete sich gut zu, dass ihn lediglich die Erschöpfung und der Schockzustand nach den ganzen verwirrenden Ereignissen paranoid machten.

Jimmy trat langsam durch die Gartenpforte zurück auf die Straße. Er spähte mit zusammengekniffenen Augen zu dem Wagen. Als er sich drauf zubewegte, entdeckt er etwas im Seitenspiegel des Wagens: Es war der blasse, orangefarbene Punkt einer glimmenden Zigarette, die durch den eigenen Rauch verschleiert wurde. Doch in der Dunkelheit der Straße leuchtete die Glut wie eine Taschenlampe in einem finsteren Speicher. *Das hat nichts zu bedeuten*, dachte Jimmy. *Da sitzt einfach nur jemand in seinem Auto und raucht – ich bin in Sicherheit.* Aber dann ließ ihn das Geräusch einer sich öffnenden Autotür zusammenzucken. Er erstarrte. Die Zigarettenglut tanzte durch die Luft. Ein Mann hievte sich aus dem Auto, und plötzlich wurde die Stille von diversen Geräuschen zerrissen: Die eine Autotür wurde zugeschlagen, die andere öffnete sich, ein Walkie-Talkie knisterte und knackte – und zwei Männer marschierten auf Jimmy zu.

Der Fahrer schnippte seine Zigarette in den Rinnstein und beschleunigte seine Schritte. Er rannte jetzt direkt in Jimmys Richtung, doch Jimmy spürte plötzlich keine Angst mehr. Alle Müdigkeit wich aus seinem Körper, wurde verdrängt von dieser Kraft, die in ihm anschwoll. Sie durchströmte seinen Körper. Jimmy hatte immer noch keine Ahnung, was da mit ihm geschah, aber diesmal erkannte er das Gefühl wieder und wusste, es würde ihn beschützen. Seine Füße lösten sich federleicht vom Asphalt und er sprintete los.

Sein ganzer Körper hatte sich in eine Rennmaschine verwandelt – seine Arme pumpten kraftvoll, sein Kopf reckte sich konzentriert nach vorne. Er hatte sich noch nie so schnell bewegt. Ein paar Meter preschte er die Straße entlang, dann schoss er seitlich in eine schmale Gasse hinein.

Eine halbe Stunde war Mitchell dem Jungen völlig unbemerkt gefolgt. Als er stehen blieb, verharrte Mitchell ebenfalls. Und während sein Opfer ein Haus anstarrte und wirkte, als wolle er gleich darauf zugehen, duckte sich Mitchell im Schatten und überlegte, ob jetzt der richtige Augenblick gekommen war. Doch gerade als er zuschlagen wollte, bemerkte er zwei große, kräftige Männer, die aus der anderen Richtung auf den Jungen zurannten. Fassungslos richtete sich Mitchell auf – jetzt war seine einzige Chance, diese Woche noch zu retten, ruiniert, weil zwei andere Typen beschlossen hatten, dieselbe Person zu überfallen. Wie betäubt sah er zu.

Doch dann bemerkte er, dass die beiden Männer ihm nicht glichen. Sie trugen Anzüge und hatten Walkie-Talkies. Mitchell schoss der Gedanke durch den Kopf, dass dem Jungen möglicherweise Gefahr droht. Dann wurde ihm klar, dass sie nur durch die ersetzt wurde, die ihm von Mitchell selbst bis eben gedroht hatte.

Da sah Mitchell, wie der Junge explosionsartig lossprintete. *Wow,* dachte er, *der Kerl ist echt schnell.*

Die Männer schienen ebenfalls verdutzt über den rasanten Start. Sie kamen wesentlich langsamer in die Gänge, doch Mitchell konnte erkennen, dass sie geübte Läufer waren. Er wartete, bis die beiden den Anfang der Gasse erreicht hatten, dann preschte er los, so schnell er konnte. Wenn der Junge den Männern entwischte, hatte Mitchell vielleicht doch noch eine Chance auf seinen Coup.

Jimmy war verblüfft über sein eigenes Tempo. Er atmete rasch, aber regelmäßig. Kalte Luft füllte stoßweise seine Lungen. Er konnte fühlen, wie seine Muskeln perfekt zusammenspielten und sie von Blut durchpulst wurden. Irgendetwas in seinem Kopf sagte ihm, wohin er rennen musste. Er flitzte kreuz und quer durch die Seitenstraßen, stieß Mülltonnen um, sprang über niedrige Gartenmauern, als wären sie gar nicht da. Wenige Augenblicke zuvor hatte er sich noch verloren gefühlt, erschöpft und bereit aufzugeben, doch jetzt war er fast heiter. Seine

Füße federten leicht und ohne zu zögern, über die Pflastersteine. Hinter sich hörte er den unregelmäßigen Rhythmus der schwereren Schritte, der immer wieder unterbrochen wurde und dann neu einsetzte. Jimmy drehte sich nicht um. Er war noch längst nicht außer Atem und begann das Laufen zu genießen

Die beiden Männer wurden jetzt langsamer. Jimmy hörte, wie sie zurückfielen. Er lächelte. An der nächsten Ecke erreichte er eine Hauptstraße, und da erst wurde ihm klar, warum die beiden Männer ihr Tempo verlangsamt hatten. Zwei schwarze Autos schossen auf ihn zu, ihre Scheinwerfer blendeten ihn. Für einen Augenblick zögerte er, dann rannte er wieder los.

Nach ein paar Sekunden waren die Autos auf gleicher Höhe. Er schoss in eine Seitenstraße. Die Autos bogen mit ihm ab. Jimmy hüpfte über ein Vorgartentor und rannte, ohne zu wissen, wohin ihn dieser Weg führte, an der Seite eines Hauses entlang. Mit zwei Sprüngen überwand er die Gartenmauer und landete in jemandes Garten. Er trat gegen einen Fußball, der dort auf dem Rasen lag, dann stellte er fest, dass der Garten von einem hohen Zaun umgeben war. Der Zaun war mindestens doppelt so hoch wie er. Hinter ihm rüttelte jemand an der Gartentür.

Jimmy blieb nicht stehen. Er konnte einfach nicht; er hatte keine Kontrolle darüber. Er sprintete los und hob mit drei gewaltigen Sätzen vom Boden ab. Er griff nach dem oberen Rand des Zauns und packte ihn mit beiden Händen. Und bevor er das Ganze richtig kapiert hatte, schwang er sich bereits auf die andere Seite. Seine Knie gaben nach, als er landete. Er stolperte ein paar Meter weiter, bis er das Gleichgewicht wiederfand. Dann wischte er sich mit dem Ärmel den Schweiß aus dem Gesicht und blickte sich um. Vor ihm lag die dunkle Oase des Parks.

Mitchell rannte immer noch. Er sah, wie die beiden Männer vor ihm die Verfolgung aufgaben, und hielt damit alle Schwierigkeiten für beseitigt. Jetzt war er allein am Zug, konnte sich den Jungen schnappen und ihm den Rucksack abnehmen. Kein Problem. Er zischte an den beiden Männern vorbei. Sie standen vornübergebeugt da und keuchten völlig außer Atem. Er stieß auf die Hauptstraße. Erst da wurde ihm klar, wie lange er gerade gerannt war. Außerdem wurde ihm bewusst, dass er erstaunlicherweise gerade zwei erwachsene Männer überholt hatte. Möglicherweise waren sie doch nicht so gut in Form. Aber noch erstaunlicher war dieser junge Typ, wer auch immer er war, der ihnen allen davongelaufen war.

Dann bemerkte er, wie zwei Wagen die Verfolgung aufnahmen. *Jetzt hat der Junge keine Chance mehr*, dachte Mitchell. Er verharrte für eine Sekunde und beobachtete erstaunt und ein wenig beeindruckt, wie der Junge flüchtete. Nachdem er in die Seitenstraße abgetaucht war, rannte Mitchell wieder los. Der Wunsch, den Rucksack zu erbeuten, wurde nun fast von seiner Neugier überflügelt: Was ging hier vor? Er war weder sonderlich erschöpft noch außer Atem, trotzdem blieb er am Anfang der Straße, in die der Flüchtende abgebogen war, wie angewurzelt stehen, so sehr überraschte ihn der Anblick, der sich ihm dort bot.

Die beiden Wagen hatten angehalten und aus jedem sprangen lautlos vier Männer. Alle acht trugen dunkle Anzüge und sahen sich ziemlich ähnlich: etwa die gleiche Größe, das gleiche Alter und der gleiche muskulöse Körperbau. Mitchell beobachtete, wie sie in den Garten stürmten.

Als die Männer ohne den Jungen zurückkehrten, war Mitchell verwirrt. Wieso hatten sie ihn nicht geschnappt? Vorsichtig hielt er Abstand, um nicht entdeckt zu werden. Einer der Männer brabbelte etwas in ein Walkie-Talkie, sein Gesicht war ganz rot vom Rennen. Mitchell wurde klar, dass der Junge entkommen sein musste, und direkt hinter der Häuserzeile lag der Park. Dort gab es nachts keine Straßenlaternen. Deshalb war es einer von Mitchells bevorzugten Orten für Taschendiebstähle.

Er trabte zurück zur Hauptstraße und dann in Richtung Park. Wenn er schnell genug war, konnte er den Jungen einholen, wenn dieser den Park wieder verließ. Doch die anderen hatten offenbar denselben Einfall gehabt, denn sie waren wieder in ihre Wagen gestiegen und fuhren in dieselbe Richtung. Allerdings krochen sie ziemlich langsam dahin, als würden sie nach dem Weg suchen oder als wollten sie dem Jungen sogar eine Chance geben, zu entkommen.

Mitchell zog die Schultern ein, als sie vorüberrollten, zum einen wegen der Kälte und zum anderen in einer Art Reflex, um nicht gesehen zu werden. Doch sie hatten ihn bereits entdeckt. Der Lichtkegel einer Taschenlampe blendete ihn. Er blinzelte und hob die Hand, um den Lichtstrahl abzuwehren. Der Lichtkegel verharrte einen Augenblick, dann schlichen die Wagen weiter wie ein Konvoi bei einer Beerdigung. Im Davonfahren blitzten am Heck beider Wagen schmale grüne Streifen auf.

Mitchell bog um die Ecke und stellte sicher, dass die beiden Autos nicht umdrehten und ihm folgten. *In dem Rucksack des Jungen muss irgendetwas sein, das einen hohen Wert hat,* dachte Mitchell und beschleunigte seinen Schritt wieder.

Wie zu erwarten, war das Tor zum Park verschlossen, daher kletterte er seitlich daran hinauf und schwang sich hinüber. Er hatte seine Jeans schon so oft oben an den spitzen Enden der Stangen zerrissen, dass er bereits damit rechnete und es gleichgültig zur Kenntnis nahm, als es erneut geschah. Auf der anderen Seite ließ er sich ins Gras fallen, froh, dass sein Blut wieder durch die Adern zirkulierte und ihn wärmte. Er brauchte nicht lange, um den größten Teil des Parks zu durchstreifen, wobei er sich die Reichtümer ausmalte, die er bald in Händen halten würde. Er hielt Ausschau nach seinem Opfer.

Jimmy bewegte sich so wenig wie möglich und hielt den Atem an. Er lauschte, ob die Männer ihm über den

Zaun folgten, doch er konnte niemanden hören. Dann traf ihn die Müdigkeit wieder wie ein Keulenschlag. Seine Knie gaben nach, und er hockte sich hin, aber der Boden war kalt und nass, daher setzte er sich auf seinen Rucksack.

Er kannte den Park, aber obwohl es ihn erleichterte, an einem vertrauten Ort zu sein, sah es hier nachts ganz anders aus. Er fürchtete sich. Es waren jetzt nicht nur zwei Männer hinter ihm her. Es war eine ganze Truppe. In seiner Erinnerung schwollen die Geräusche der Verfolger zum Lärm einer ganzen Armee an. Wie konnte er ihnen je entkommen? Ja, wie *hatte* er ihnen überhaupt entkommen können? Er war noch nie in seinem Leben so gerannt. Selbst Georgie hätte nicht mit ihm Schritt halten können.

Nachdem er sich ein wenig abgekühlt hatte, begann er zu zittern. Er dachte wieder an die beiden Männer in dem Wagen. Sie hatten auf ihn gewartet. Aber woher hatten sie gewusst, dass er genau diese Straße entlangkommen würde? Jimmy hatte es ja nicht einmal selbst gewusst. Dann musste er plötzlich wieder daran denken, wie er unter dem Wagen in der Auffahrt vor seinem Haus gelegen und zum ersten Mal in dieser Nacht das Rauschen des Walkie-Talkies gehört hatte. »Leitet eine Ringfahndung ein«, hatte einer der Männer gesagt. Vermutlich warteten jetzt in sämtlichen Straßen rund um sein Haus diese Männer. Aber warum?

Jimmy stand auf und zog den zusätzlichen Pullover aus seinem Rucksack. Er wollte nicht im Park schlafen, aber er war todmüde und fürchtete sich davor, auf den umliegenden Straßen ein leichtes Ziel für seine Verfolger abzugeben. Er schlüpfte aus seiner Jacke und zog den Pullover über den, den er bereits trug. Dann zwängte er die Jacke über beide Pullover, hockte sich wieder auf seinen Rucksack und lehnte sich mit dem Rücken an den Zaun. Er stopfte die Hände in die Taschen, doch es gelang ihm nicht, die Augen zu schließen.

Stattdessen kramte er etwas Essen aus seiner Tasche und versuchte, sich daraus ein Sandwich zu basteln. Doch seine Hände waren zu klamm und das Brot bröselte rasch auseinander. Also kaute er auf den Bruchstücken herum. Dabei entging ihm völlig, dass er beobachtet wurde. Und plötzlich erhob sich ein Schatten vor ihm. Die dunkle Gestalt verharrte für einen Augenblick mit den Händen auf den Knien und nach Atem ringend. »Gib mir deinen Rucksack!«, keuchte sie schließlich.

KAPITEL 4

Jimmy traute seinen Ohren nicht. Er erhob sich und ließ die traurigen Reste seiner Mahlzeit fallen. In seinem Kopf herrschte totale Leere. Er öffnete leicht den Mund, aber es kam nichts heraus. Er wusste nicht, was er sagen sollte.

Mitchell blickte den sanftmütig aussehenden Jungen hart an.

»Gib mir deine Tasche«, wiederholte er. Diesmal schrie er. »Hast du gehört? Gib mir deine Tasche!«

Jimmy schaute verwirrt auf seinen Rucksack hinab. Er versuchte nicht einmal, sich über dessen Inhalt klar zu werden. Vor lauter Überraschung hatte er keine Ahnung, was er tun sollte.

Mitchell hatte jetzt die Nase voll. Das war nicht die Reaktion, die er sich erwartet hatte. Es machte ihn sogar ein wenig nervös, dass der andere nachzudenken schien, ob er ihm die Tasche tatsächlich geben sollte. Mitchell richtete sich zu seiner vollen Größe auf, überragte sein Gegenüber damit aber nur geringfügig. Seine Augen wanderten zwischen dem Jungen und seiner Tasche hin und her. Was, wenn der Junge gar nicht seine Sprache sprach? *Es gibt nur einen Weg, das herauszufinden*, dachte er.

Ungläubig den Kopf schüttelnd machte Mitchell einen schnellen Schritt nach vorn.

Jimmy bewegte sich nicht. Er stand einfach nur regungslos neben seiner Tasche. Dann hob der Dieb die Hand und stieß Jimmy beiseite. Jimmy taumelt rückwärts und fühlte einen Schmerz in der Brust, dort wo der andere ihn getroffen hatte. Aber in dem Sekundenbruchteil, in dem sein Angreifer sich vorbeugte, um den Rucksack aufzuheben, trat ihm Jimmy in die Kniekehle. Der andere taumelte nach vorn und fuhr dann wütend herum. Als er sich wieder aufrichtete, hielt er die Tasche gepackt und schlug damit nach Jimmys Kopf. Aber Jimmy war zu schnell. Er duckte sich, packte den Arm des anderen und riss ihn rasch nach unten und zu sich her. Der Dieb verlor das Gleichgewicht und stürzte. Diesmal küsste sein Gesicht den Boden, doch es war keine zärtliche Berührung. Kaum lag er flach, war Jimmy schon über ihm und stemmte den Fuß fest in seinen Nacken.

»Lass die Tasche los«, befahl er. Seine Stimme klang ruhiger als je zuvor in seinem Leben. Jimmy war überrascht über sein eigenes Tempo, seine Kraft und sein Reaktionsvermögen. Er hatte gehandelt wie jemand, der wusste, wie man einen Kampf gewinnt. Es geschah ohne großes Tamtam, es waren einfach nur äußerst effiziente Bewegungen mit durchschlagender Wirkung. Diese Gewalttätigkeit in seinem Inneren war aus dem Nichts aufgetaucht, und sie sagte ihm, was er tun sollte.

Mitchell hatte nicht die Spur einer Chance gehabt.

Sein Gesicht wurde in den kalten Staub gedrückt. Er fühlte nichts außer dem Druck in seinem Nacken, der ihm beinahe die Luft nahm. Das und die Scham. Fast noch schlimmer als sein körperliches Unbehagen war das Brennen seines verletzten Stolzes. Langsam öffnete er die Faust und ließ den Träger des Rucksacks los.

Jimmy schob ihn mit dem Fuß beiseite, behielt dabei aber den Hinterkopf seines Angreifers ständig im Blick. Im schummrigen Licht bemerkte er eine Träne in dessen Auge. Jimmy wurde sich schlagartig bewusst, was er da getan hatte, und war entsetzt über sich selbst. Bis zum heutigen Abend war ihm ein so brutales Handeln völlig fremd gewesen. Ohne dass die finstere Kraft in ihm ihn dazu zwang, stand er trotzdem weiter da und übte mit dem Fuß sanften Druck aus, damit der andere sich nicht bewegen konnte. Es verstörte Jimmy, dass er in der Lage war, schreckliche Dinge zu tun, wenn man ihn nur ein klein wenig provozierte. Dabei hätte er doch bereitwillig seinen Rucksack weggeben und sich dann auf den Weg zum Polizeirevier machen können. Aber er hatte es nicht getan.

Jimmy spürte in sich den Drang, sofort zurücktreten und sich zu entschuldigen, ja, dem Jungen vom Boden aufzuhelfen. Aber er wusste, wenn er das tat, brachte er sich nur in noch größere Gefahr. Nichts würde die Fortsetzung des Kampfes aufhalten, wenn Jimmy seinen Gegner freiließ.

»Lass mich los!«, schrie der am Boden Liegende. Das Gras dämpfte seine Worte, ebenso wie die Angst, die seine Stimme beben ließ. Jimmy wurde aus seinen Gedanken gerissen.

»In Ordnung«, sagte er, während er verzweifelt nachdachte. »Aber du musst mir helfen.«

»Was?«

»Hilf mir.«

»Nimb emblich deim Fuhf von meim Half!

»Was hast du gesagt?« Jimmy hob seinen Fuß und trat einen Schritt zurück.

»Ich hab gesagt: *Nimm endlich deinen Fuß von meinem Hals.*«

»Oh.« Zum ersten Mal konnte Jimmy dem anderen Jungen direkt ins Gesicht schauen. Der erhob sich vorsichtig, ließ Jimmy nicht aus den Augen und rieb sich unwillig den Nacken. Jimmy war überrascht, wie jung sein Angreifer war.

»Wie alt bist du?«

»Sechzehn«, erwiderte der andere.

»Du bist keine sechzehn. Du bist kleiner als meine Schwester und die ist vierzehn.« In Jimmy wuchs eine neue Selbstsicherheit. Er vertraute darauf, dass er im Fall eines neuerlichen Angriffs automatisch das Richtige zu seiner Verteidigung tun würde. Außerdem war dieser Junge sicher nicht allzu scharf darauf, noch einmal einen Fuß in seinem Nacken zu spüren.

»Na und? Vielleicht bin ich ja klein für mein Alter.«

»Du bist nie und nimmer sechzehn, so viel steht fest.« Jimmy musterte ihn genauer, als wollte er es noch einmal überprüfen.

»In Ordnung, ich bin dreizehn«, murmelte der Dieb, dessen Schmach nun komplett war. Er blickte beiseite.

»Übrigens, in meinem Rucksack ist nichts«, bemerkte Jimmy. »Nur Essen und Kleider.«

»Und warum waren dann die ganzen Männer hinter dir her?«

Jimmy suchte nach einer Antwort, doch es fiel ihm keine passende ein. Aber er war sich sicher, dass es nichts mit dem Rucksack zu tun hatte.

»Sie sind hinter mir her«, stotterte er schließlich. Es traf ihn wie ein Schock, als er sich das zum ersten Mal laut aussprechen hörte. »Sie sind hinter *mir* her«, wiederholte er. Seine Kehle schnürte sich zu und sein Magen zog sich schmerzhaft zusammen. Doch diesmal war es keine mysteriöse innere Kraft – es war die nackte Angst.

»Wie heißt du?«, fragte der Dieb.

»Jimmy.«

»Ich bin Mitchell. Hallo.«

»Ich will mich nicht prügeln«. Jimmy hatte plötzlich das Gefühl, als müsste er in Tränen ausbrechen.

Dieser Mitchell stieß ein lautes Lachen aus, warf den Kopf zurück und befühlte erneut seinen Nacken. Jimmy war verdutzt.

»Was ist daran so lustig?«

»Du Idiot. Du hast mich gerade verprügelt. Du hättest mich töten können«, knurrte Mitchell. »Da werde ich sicher nicht versuchen, mich noch mal mit dir anzulegen, oder? Idiot.«

»Sei still!«, sagte Jimmy, aber gleichzeitig jubelte ein kleiner Teil in ihm, so etwas aus dem Mund eines älteren Jungen zu hören. »Wenn du nicht wieder gegen mich kämpfen willst, dann hau ab.«

»Ich renn nicht weg. Woher weiß ich, dass du mich dann nicht jagst.«

»Ich verfolge dich nicht.«

»Ich bleibe hier. Wenn du gehen willst, dann geh. Ich kann dich ohnehin nicht einholen.« Mitchell trat einen kleinen Schritt beiseite, als wollte er Jimmy auffordern, an ihm vorbeizulaufen. Es war verlockend. Jimmy blickte hinaus in den Park, als läge da die Freiheit. Doch dann fiel ihm ein, dass dort draußen nur noch mehr Gefahren und neue Einsamkeit lauerten. Aber noch etwas anderes ließ ihn bleiben, etwas, das Mitchell gesagt hatte.

»Du hast gesehen, wie sie mich verfolgt haben?«, fragte Jimmy.

»Was? Ja. Ich hab dich beobachtet. Ich hab gesehen, wie die Männer aus dem Wagen gestiegen und auf dich losgegangen sind.«

»Du hast alles gesehen? Und du hast die ganze Zeit mit dem Tempo mithalten können?«

»Na ja, schon.« Mitchell zuckte mit den Achseln. »Keine Ahnung, aber ich schätze, ich kann eben ziemlich schnell rennen. Jedenfalls schneller als diese Typen.«

»Oh.« Jimmy dachte erneut an die Männer, die ihn verfolgt hatten. Wie war es möglich, dass zwei Kids schneller und weiter rennen konnten, als irgendeiner von denen?

»Also, gehst du jetzt endlich?« Mitchell warf den Kopf zur Seite und deutete damit in Richtung Park

»Ich brauche deine Hilfe.«

»Klar doch. Und wobei?«

»Du musst mir helfen, oder ich …« Jimmy zögerte einen Sekundenbruchteil, doch dann purzelten die Worte wie von selbst aus seinem Mund. »Oder ich renn dir hinterher und verprügele dich.« In Wahrheit fürchtete Jimmy sich davor, Mitchell schlagen zu müssen, der größer war als er selbst, wenn auch kleiner als Georgie. Es fühlte sich nicht richtig an, jemandem zu drohen; er hatte das noch nie zuvor getan.

Mitchell antwortete nicht sofort. Er schien zu überlegen, ob er das ernst nehmen sollte.

»Wobei brauchst du Hilfe?«, fragte Mitchell schließlich.

»Du sollst mich zum Polizeirevier bringen.«

»Was?« Mitchell lachte erneut, aber diesmal klang es deutlich nervöser. »Damit du denen sagen kannst, sie sollen mich verhaften? Glaubst du, ich bin bescheuert?«

»Nein, echt nicht. Du brauchst auch nicht mit mir reinzukommen, aber ich muss irgendwie diesen Männern entkommen.«

»Warum sollte ich dir helfen? Ich hab dich doch schon vor ihnen gerettet.«

»Was?«

»Ich hab dich vor diesen Männern gerettet. Sie wollten dich schnappen, aber ich hab sie aufgehalten.«

»Du hast sie nicht aufgehalten. Ich hab sie abgehängt.«

»Doch, das hab ich. Das kannst du gar nicht wissen. Weil du es nicht gesehen hast.« Mitchell sprang von einem Fuß auf den anderen, wegen der Kälte und seiner inneren Unruhe. Jimmy war klar, dass Mitchell log. Es war ziemlich offensichtlich. Aber er wollte keinen Streit. Er wollte hier weg, bevor ihn die Männer erneut aufspürten.

»Okay, meinetwegen. Danke«, seufzte Jimmy. »Und weil du mich gerettet hast, verrate ich denen auch nicht, dass du meinen Rucksack klauen wolltest. Trotzdem musst du mich jetzt zum Polizeirevier bringen.«

»Warum rufst du nicht dort an? Benutz doch dein Handy.«

Mitchell kam sich ziemlich clever vor. Sein Bruder wäre sicher beeindruckt, wenn er mit einem gut verkäuflichen Handy nach Hause kam.

»Ich hab keins«, bekannte Jimmy. Er ahnte nicht, dass ihn die Wahrheit vor dem neuerlichen Versuch eines Raubüberfalls gerettet hatte.

»Also gut, meinetwegen, gehen wir.«

Mitchell und Jimmy liefen unbehaglich schweigend durch den Park. Mitchell marschierte immer ein paar Schritte vor Jimmy. Er war es gewohnt, alleine unterwegs zu sein, und mochte das Gefühl nicht, jemanden zu begleiten. Er vergrub die Hände tief in den Taschen und ignorierte den Jungen hinter sich. Inzwischen kam es beiden ganz unwirklich vor, dass sie im Park miteinander gekämpft hatten.

Jimmy trottete hinterher. Es war eine sehr lange Nacht gewesen und sie war noch nicht vorüber. Er sehnte sich danach, die Augen zu schließen, in seinem Bett zu liegen und nach langem tiefen Schlaf wieder zu erwachen. Dann wären seine Eltern da, und natürlich auch Georgie, und alles wäre wieder in bester Ordnung – vielleicht sogar besser als früher. Sie würden immer zusammen bleiben, es gäbe keinen Streit mehr und definitiv keine Männer in Anzügen.

Während sie sich zwischen ein paar verbogenen Gitterstäben im Zaun des Parks hindurchzwängten, stellte Jimmy eine Frage, einfach um das Schweigen aufzulockern. »In welche Schule gehst du?«

Mitchell zog eine Grimasse. »Lass mich in Ruhe. Außerdem gehe ich nur zur Schule, wenn ich es will.«

»Oh.« Jimmy wartete einen Augenblick, dann versuchte er erneut sein Glück. »Hey, danke.«

»Was?« Diesmal drehte sich Mitchell um und warf Jimmy einen kurzen Blick zu.

»Danke, dass du mir den Weg zeigst. Ich hatte mich total verlaufen.«

»Ich kann nicht fassen, dass ich das tue«, schnaubte Mitchell. »Ich hätte dir eins über den Schädel braten sollen.«

»Aber du hast es nicht getan, oder?« Jimmy fühlte sich jetzt mutiger. Dass diese Männer überall lauern konnten, machte Mitchell wesentlich weniger beängstigend, und er war einfach nur froh, dass ihn jemand in die richtige Richtung führte.

An einer Straßenecke blieben sie stehen.

»Es ist gleich da unten auf der rechten Seite«, brummte Mitchell.

»Warte hier«, befahl Jimmy, bevor er ein paar unsichere Schritte hinaus auf die nächste Straße wagte. Er beugte sich weit vor, um das Polizeirevier zu erspähen, und behielt Mitchell dabei immer im Augenwinkel, falls dieser wegrennen wollte. Hatte er ihn einfach weiter in die Irre geführt? »Woher weiß ich, ob ich dir vertrauen kann?«, sagte er schließlich

»Das kannst du nicht wissen.« Mitchell schüttelte entnervt den Kopf. »Hör zu, es ist da unten, okay? Ich bring dich auf keinen Fall näher hin. Schließlich bin ich nicht deine Mutter. Also, du kannst mir glauben oder nicht, ist mir völlig egal. Ich verzieh mich jetzt.« Er kehrte Jimmy den Rücken zu und marschierte los. Dabei straffte er sich in der Erwartung, dass ihn Jimmy von hinten angreifen und zu Boden werfen würde. Er bemühte sich um einen möglichst lässigen Gang.

Vor sich sah Jimmy nur die nächtlichen Schatten, in denen sich weiß Gott was verstecken konnte. Er blickte an der Reihe geparkter Autos entlang. In jedem von ihnen konnten weitere Männer in Anzügen sitzen, die auf Jimmy lauerten. Er wollte nicht, dass ihn Mitchell verließ. Gesellschaft zu haben, war tröstlich.

»Danke noch mal«, flüsterte Jimmy.

Mitchell drehte sich nicht um. Er hob nur die Hand und hielt sie einen Augenblick hoch. Dann trabte er los und war gleich darauf verschwunden. Jimmy wartete an der Ecke und verfolgte, wie sich Mitchells Gestalt in der Finsternis auflöste. Sein Mut sank. Jetzt war er wieder alleine.

Jimmy musterte die Gegend gründlich auf alles Verdächtige hin. Doch im Moment wirkte ohnehin *alles* verdächtig. Er ging äußerst vorsichtig los, aus Angst, ein Geräusch zu machen und Aufmerksamkeit auf sich zu ziehen. Sein rascher Atem rauschte laut in seinen Ohren.

KAPITEL 5

Da war es. Kaum hundert Meter von der Stelle entfernt, an der Jimmy wie erstarrt verharrt hatte, erhob sich das Polizeirevier. Es erschien ihm tröstlich, wie es in blaues Licht getaucht ein Stück von der Straße zurückversetzt dalag. Jimmy stürmte durch die Eingangstür, als wäre es sein Elternhaus.

Er eilte durch den grell erleuchteten Eingangsbereich. Es war niemand im Raum außer dem Beamten hinter dem Tresen und einem weiteren auf einer Bank an der Tür, der seine blutige Nase befühlte und einen Eisbeutel an seine Stirn presste. Jimmy warf ihm einen Blick zu, aber der Beamte schaute rasch beiseite und tat, als würde er die Anschlagtafel studieren.

»Hallo, mein Junge. Wie kann ich dir helfen?«, fragte der Beamte hinter dem Empfangspult. Er hatte eine tiefe Stimme, die freundlich und zugleich ein wenig beängstigend klang. Vielleicht, weil der Mann fast zwei Meter groß war. Wirre Haarbüschel hingen ihm in die Stirn. Jimmy hatte noch nie zuvor mit einem Polizisten gesprochen. Die Worte verknoteten sich in seinem Mund, und er wusste nicht, wo er anfangen sollte.

»Meine Eltern … Ich war zu Hause, da kamen diese Männer. Sie haben mich verfolgt, aber das war erst später. Ich weiß nicht. Und meine Schwester auch, aber …« Dann schwieg Jimmy, weil er merkte, dass er weinte. Die Tränen strömten warm und tröstlich über sein kaltes Gesicht. Das grelle Neonlicht verschwamm vor seinen Augen und der große Polizist kam auf Jimmys Seite des Tresens.

»Das ist in Ordnung, Jimmy. Komm, setz dich.« Als Jimmy seinen Namen aus dem Mund des Polizisten vernahm, verspannte sich sein Körper wieder, und er hörte zu weinen auf. Er spürte, wie sich die gewaltige Hand des Beamten auf seinen Kopf legte. Sie führte ihn sanft, aber bestimmt zu der Bank.

»Ich bin Sergeant Atkinson«, erklärte der Polizist. Jimmy spürte den leicht schwankenden Druck der Hand gegen seinen Kopf – der Sergeant humpelte, versuchte es aber zu verbergen. Dann musste Jimmy über einen am Boden liegenden Feuerlöscher steigen und sich an einem kleinen Tisch vorbeizwängen. »Das sollte eigentlich nicht hier stehen, tut mir leid«, sagte der Beamte, während er sich herabbeugte. Mit seinem anderen starken Arm hob er den Feuerlöscher hoch und stellte ihn aufrecht neben die Tür.

Der Polizist mit dem blutverschmierten Gesicht erhob sich, als Jimmy sich setzte. Er marschierte an dem Tresen vorbei und verschwand durch eine Tür.

»Woher wissen Sie meinen Namen?« Jimmys Stimme klang kleinlaut.

»Eure Nachbarn haben angerufen und uns erzählt, was geschehen ist.«

»Mr Higgins?«

»Nein, die von gegenüber, Mr und Mrs Bourne.«

Jimmy kannte diese Nachbarn nicht. Er hatte sie noch nie gesehen. Doch bestimmt wohnte jemand in dem Haus, denn meistens stand ein Wagen in der Auffahrt, aber er hatte noch nie jemand das Haus betreten oder verlassen sehen.

»Warum bist du nicht nach drüben gegangen und hast sie um Hilfe gebeten, als das alles passiert ist?«, fragte Sergeant Atkinson.

»Ich weiß nicht, ich kenne sie ja gar nicht. Wahrscheinlich ist es mir einfach nicht eingefallen.« Jimmy überlegte, ob er das hätte tun sollen, doch es wäre zu nahe an seinem eigenen Zuhause gewesen. Ganz bestimmt wimmelte sein Haus inzwischen von den Männern im Anzug, die auf seine Rückkehr warteten. Und direkt gegenüber hätten sie ihn leicht gefunden.

»Sie hätten dir geholfen, Jimmy. Sie haben darauf gewartet, dass du zu ihnen kommst.«

»Was meinen Sie damit, sie haben gewartet? Warum haben sie nicht die Polizei gerufen? »

»Natürlich haben sie angerufen«, erklärte der Sergeant. »So haben wir von den ganzen Ereignissen erfahren. Und daher wissen wir auch, dass du sie nicht um Hilfe gebeten hast. Aber das hättest du tun sollen.« Jimmy kam sich langsam ein wenig albern vor. Trotzdem war er sicher, das Richtige getan zu haben. Es war ihm alles so gefährlich vorgekommen – er hatte einfach nur so schnell wie möglich weg vom Haus gewollt.

»Aber … wenn die Nachbarn die Polizei angerufen haben«, stammelte Jimmy, »warum sind Sie dann nicht gekommen?«

»Sind wir doch. Aber du warst schon weggerannt.« Sergeant Atkinson tätschelte Jimmys Kopf, wie um ihn zu trösten. Doch Jimmy überlegte angestrengt. Er versuchte, die Müdigkeit und die Angst beiseitezuschieben und seine Gedanken und Erinnerungen logisch zu ordnen.

»Aber ich bin doch gar nicht weggerannt. Ich war in unserem Haus«, sagte er leise und mehr zu sich selbst. Doch es entging dem Polizist nicht. Er erhob sich, um jemanden zu begrüßen, der durch die Schwingtür hinter dem Tresen kam. Es war eine junge Polizistin, die Jimmy mit einem breiten Lächeln ansah. »Ich war in unserem Haus«, wiederholte Jimmy.

Sergeant Atkinson drehte sich um und musterte ihn mit gerunzelter Stirn.

»Nein, du bist davongerannt, nachdem du aus dem Fenster gesprungen bist«, beharrte er, als würde er sich persönlich daran erinnern.

»Nachdem ich aus dem Fenster gesprungen bin? Nein, ich … Woher wissen Sie, dass ich aus dem Fenster gesprungen bin?«

»Das haben uns die Bournes berichtet. Sie haben alles genau beobachtet«, schaltete sich die Polizistin ein. Sie trug dieselbe Uniform wie die anderen, doch sie wirkte viel strahlender. Vielleicht lag es an ihrem Lächeln. »Viele Polizeibeamte haben die ganze Nacht nach dir gesucht«, erklärte sie, doch es klang, als gebe sie Jimmy dafür die Schuld.

»Aber, ich wollte doch nur ...« Jimmy unterbrach sich und überlegte, was er da gerade gehört hatte. Wenn tatsächlich so viele Polizisten nach ihm gesucht hatten, warum hatte er dann nicht einen einzigen von ihnen gesehen? Oder ihre Streifenwagen?

Die beiden Beamten blickten einander an. Jimmy erhob sich und wischte sich mit dem Ärmel über das Gesicht.

»Wer ist hinter mir her? Warum verfolgt man mich?« Langsam gewann Jimmy die Fassung wieder. Er war froh, dass er die Chance gehabt hatte zu weinen, aber jetzt war er wieder klar im Kopf. Er hob seinen Rucksack auf und verlagerte das Gewicht von einem Fuß auf den anderen. Auch das grelle Licht im Revier hatte ihn ein wenig wacher gemacht. Erneut tauschten die beiden Polizisten Blicke. Dann wandte sich die Frau an Jimmy.

»Das braucht jetzt nicht deine Sorge zu sein. Lass uns einfach ...«

»Wer ist hinter mir her? Wenn Sie es wissen, dann sagen Sie es mir.« Jimmy wollte nicht wie ein kleiner Junge behandelt werden. Er hatte bereits zu viel durchgemacht, um sich weiter mit Beschwichtigungen abspeisen zu lassen. Aber niemand antwortete ihm. »Warum erklären Sie es mir nicht?« Jimmy wurde immer ungeduldiger, auch wenn es ihm nicht leichtfiel, die

Stimme gegen einen Polizisten zu erheben. Er wartete noch einen Moment ab. Doch die Beamten schwiegen noch immer. Dann platzte es aus Jimmy heraus, und er schrie: »Warum erklären Sie es mir denn nicht?«

In dem Hinterzimmer mussten weitere Polizisten sein Schreien gehört haben, denn nun kamen sie einer nach dem anderen durch die Tür. Sie waren alle groß und kräftig und keiner von ihnen lächelte.

»Was machen die hier? Sie haben doch behauptet, alle sind draußen unterwegs und suchen nach mir?« Jimmy war sich jetzt sicher, dass hier etwas faul war. Es war ganz offensichtlich. Wenn die Nachbarn gegenüber gesehen hatten, wie er aus dem Fenster sprang, dann hätten sie auch sehen müssen, wie Jimmy sich erst unter dem Wagen versteckt hatte und dann ins Haus zurückgekehrt war.

Niemand sagte ein Wort. Der Sergeant blickt rasch in die Runde, offenbar suchte er nach einer passenden Erwiderung. Aber als er schließlich antwortete, klang es für Jimmy wenig überzeugend.

»Setz dich, Jimmy. Du bist müde und überdreht. Wir sind hier, um dir zu helfen«, plapperte er.

»Ich gehe », erklärte Jimmy und wandte sich Richtung Ausgang. »Danke für Ihre Hilfe. Aber ich komme jetzt gut alleine zurecht.« Er musterte die Polizisten im Raum. Es waren insgesamt sechs. Einer von ihnen trat zum Ausgang. Einer verschränkte die Arme und blieb vor der Schwingtür stehen. Ein weiterer schob sich hinter den Tresen und griff zum Telefonhörer.

»Ich kann zu meinen Cousins gehen, das ist kein Problem.« Jimmy versuchte die fremde Kraft zu stoppen, sie wieder zurückzudrängen, doch unaufhaltsam stieg sie in ihm empor. Diesmal wurde sie noch durch seine Wut befeuert; und Jimmy spürte, wie sie anschwoll. *Bitte,* sagte er zu sich selbst, *versuch nicht, gegen all diese Polizisten zu kämpfen. Vielleicht stehen sie ja doch auf deiner Seite.* Doch in seinem Herzen hatte er Zweifel. Und der animalische Instinkt, der in dieser Nacht sein Überleben gesichert hatte, sagte das Gleiche und übernahm immer mehr die Kontrolle über Jimmys Körper.

»Du brauchst nicht zu gehen, Jimmy. Wir kümmern uns um alles«, sagte einer der neu hinzugekommenen Polizisten, der sich mitten im Raum aufgebaut hatte.

»Wiedersehen.« Jimmy schoss so rasant los, dass seine Turnschuhe auf dem Linoleum quietschten, und er flitzte unter den wild rudernden Armen von Sergeant Atkinson hindurch.

»Haltet ihn!«, brüllte jemand. Im Raum brach das komplette Chaos aus. Jimmy war eindeutig kleiner und leichter als die Polizisten. Doch er bewegte sich plötzlich blitzschnell und konnte weiter springen, als er es je für möglich gehalten hatte. Er stieß mit dem Schienbein einen Tisch um, spürte aber keinen Schmerz. Lose Blätter wirbelten durch die Luft. Auch die Stellwände im Raum waren nicht stabil genug, um Jimmy standzuhalten. Er packte eine der Wände, und während er sich duckte, stieß er sie gegen einen großen Polizisten. Der stürzte zu Boden. Jimmy nutzte den Rücken des armen Mannes als Trampolin und sprang mit beiden Füßen hart gegen Sergeant Atkinsons Brust. Er landete auf der Seite und rollte sich unter den Polizisten hindurch, die ihn verzweifelt zu packen versuchten. Dann war er blitzschnell wieder auf den Beinen und preschte zur Tür. Es war eine schwere, hölzerne Tür, doch Jimmy krachte hindurch, und schon war er draußen auf der Straße. Er rannte was das Zeug hielt.

Sergeant Atkinson rappelte sich auf und klopfte seine Uniformjacke ab. Seine gewaltigen Kiefer knackten, als er mit den Zähnen knirschte. Aber als er durch die zerbrochene, in ihren Angeln hängende Eingangstür hinaus in den frühen Morgen blickte, lag in seinen Augen ein bewunderndes Lächeln.

»Kein Problem, lasst ihn laufen. Wir schnappen ihn uns bei seinen Cousins«, erklärte er. »Wo wohnen die?«

Er drehte sich nach der Polizistin um, die auf ihre Stiefel starrte. Dann spie sie die Worte aus: »Er hat überhaupt keine Cousins.«

Jimmy rannte, so wie er schon die ganze Nacht gerannt war. Doch diesmal hörte er keine Verfolger hinter sich. Er lief länger als nötig, um ganz sicherzugehen. Und schließlich spürte er, wie seine Knie immer mehr nachgaben. Es war ein Erschöpfungszustand, der sich normalerweise schon viel früher hätte einstellen müssen. Jimmy schlüpfte in einen dunklen Hauseingang und sah sich um.

Niemand. Die Straße war leer. Falls jemand ihm gefolgt war, hatte er nicht mithalten können.

Jimmys Beine zuckten vor Erschöpfung. Er beugte sich vor und legte die Hände auf die Knie. Er fühlte, wie die Kraft aus ihm wich. *Es* half ihm nicht dabei, das alles zu kapieren. Woher kam dieser merkwürdige Drang, zu kämpfen oder wegzulaufen? Und woher die Fähigkeit, beides zu tun? Jimmy war sich nicht sicher, ob ihm das alles wirklich gefiel. So fantastisch diese Fähigkeiten auch waren, allein die Tatsache, dass sie so plötzlich aufgetaucht waren, hatte etwas Beängstigendes. Schließlich war er vor heute Nacht genau wie jeder andere normale Junge gewesen.

Noch weniger mochte er diese neue gewalttätige Seite an sich. Das war mehr als reine Selbstverteidigung. Jimmy war richtig versessen darauf gewesen, sich mit Mitchell zu prügeln, obwohl er ihm einfach seinen Rucksack hätte geben und so jedes Verletzungsrisiko vermeiden können. Er schloss die Augen und stellte sich vor, wie es wäre, jemandem wirklich wehzutun oder Schlimmeres – ihn schauderte, und er schüttelte heftig den Kopf.

Er musste runter von der Straße. Die Polizei fahndete nach ihm. Jimmy kam der Gedanke, dass seine Verfolger, die Männer mit den Anzügen, gleich als Erstes die Polizei verständigt hatten. Während Jimmy durch die Straßen geirrt war und sich ängstlich in den Schatten versteckt hatte, hatten sie möglicherweise gar nicht weiter nach ihm gesucht. Ihnen musste klar gewesen sein, dass er zum Polizeirevier gehen würde. Es war einfach naheliegend, dort Schutz zu suchen. Deshalb hatte man im Revier bereits auf ihn gewartet. Nun hatte er auch noch die Sicherheit verloren, das Gesetz auf seiner Seite zu haben. Alle waren hinter ihm her. Überall lauerte Gefahr.

Jimmy warf einen Blick auf seine Finger. Sie waren blau vor Kälte. Er wünschte, er hätte Handschuhe eingesteckt. Obwohl er vom langen Rennen schwitzte und ein rotes Gesicht hatte, biss der kalte Wind schmerzhaft in seine Hände.

Was auch immer geschah, er wollte bei Sonnenaufgang nicht mehr alleine und verlassen herumirren. Die Polizei würde ihn dann in kürzester Zeit finden. Er zurrte die Gurte seines Rucksacks fester und begann loszumarschieren. Diesmal verlief er sich nicht; von der High Street aus kannte er den Weg. Und natürlich ging er nicht nach Hause zurück, sondern zu einem Ort, den er als sein zweites Zuhause betrachtete: das Haus seines besten Freunds Felix Muzbeke.

Jimmy trabte an den fein säuberlich gestutzten Hecken der Vorortsiedlung vorbei und war tief in Gedanken versunken. Er hatte sich selbst immer wieder versichert, dass er kein Krimineller war, doch es hatte nichts geholfen – er fühlte sich trotzdem so. Und es war noch schlimmer – dieses Gefühl paarte sich auch noch mit der Empörung darüber, dass man ihn trotz seiner Unschuld verfolgte, als sei er einer. Er versetzte sich zurück in die Situation im Polizeirevier.

Doch dann brachte ihn ein Gedanke zum Lächeln: Er hatte es geschafft, von dort zu flüchten, obwohl ihn mindestens sechs riesige Polizisten hatten ergreifen wollen. Zuerst hatte er ihre Lügen durchschaut, dann war er ihnen durch die Finger geschlüpft.

Er trottete in Richtung der Straße, in der sein Freund Felix wohnte, und vertilgte dabei seinen letzten Proviant: einen Schokoriegel und schließlich auch noch den Apfel. An einer Straßenecke wurde er aus seinen Träumereien geschreckt. Hatte sich da ein Vorhang bewegt? Und an dem Torpfosten da, war das nicht ein grüner Streifen? Nein – es waren nur durch Müdigkeit verursachte Täuschungen. Er hielt den Kopf gesenkt und marschierte weiter.

Das Haus der Muzbekes war größer und ein wenig eindrucksvoller als das von Jimmys Familie. Aber ebenso wie ihres war es ein Reihenhaus, das allen übrigen in der Straße glich. Allerdings gab es in dieser Straße nur Doppelhäuser; jedes Haus hatte einen spiegelbildlichen Zwilling.

Jimmy klingelte, ohne zu zögern, obwohl es mitten in der Nacht war. Wenn Felix' Eltern erst erfuhren, was geschehen war, würden sie das verstehen.

Er musste zweimal läuten, bis sich schließlich etwas im Haus bewegte. Er hörte entfernte Stimmen, dann das Zurückschnappen von zwei Türriegeln, und als sich die Tür endlich öffnete, blickte er in das völlig entgeisterte Gesicht von Felix' Vater. Seine Augen waren rot unterlaufen und nur einen schmalen Spalt geöffnet. Mit einer Hand raffte er den geblümten Morgenmantel seiner Frau eng um sich, um sich vor der eisigen Kälte zu schützen.

Jimmy schaute an sich hinab und Felix' Vater folgte seinem Blick. Jimmy war in einem erbärmlichen Zustand: Sein Gesicht war schwarz verschmiert, seine Schuhe mit Schlamm aus dem Park verkrustet. Außerdem hatte er seine Jacke zerrissen, vermutlich während er über einen Zaun geklettert war oder bei dem Kampf im Polizeirevier oder … Es hätte jederzeit im Lauf dieser Nacht passiert sein können. Kein Wunder, dass der Mann ein paar Sekunden brauchte, bis er ihn wiedererkannte. Felix' Vater schüttelte den Kopf und blinzelte.

»Jimmy?«, stotterte er.

Im Haus war es warm, und es fühlte sich herrlich an, sich den Schmutz aus dem Gesicht waschen zu können – ganz zu schweigen davon, ausruhen zu können. Felix' Eltern waren jetzt beide wach und seine Mutter bereitete ihnen einen Tee zu. Felix selbst schlief noch. Draußen begannen bereits die Vögel zu zwitschern und sanftes Licht strömte durch die hohen Glasfenster. Jimmy saß am Küchentisch und war sich nicht sicher, was er noch sagen sollte. Er hatte ihnen alles erzählt, so ruhig und geordnet er konnte. Mittlerweile fühlt er selbst schon einen gewissen Abstand zu der Geschichte, so oft war er sie in seinem Kopf bereits durchgegangen. Zuerst hatten sie ihm natürlich nicht geglaubt, aber als sie dann seine Eltern angerufen hatten und niemand drangegangen war, hörten sie ihm schon aufmerksamer zu.

»Ich rufe die Polizei an«, erklärte Felix' Mutter jetzt sicher schon zum zehnten Mal.

»Ich hab Ihnen doch gesagt, das geht nicht. Wenn Sie die Polizei anrufen, dann kommen sie vorbei und nehmen mich mit.«

Felix' Vater räusperte sich und schob sich das verstrubbelte Haar aus dem Gesicht.

»Wenn du etwas angestellt hast, Jimmy«, sagte er, »dann kannst du es uns ruhig sagen. Wir werden nicht mit dir schimpfen.« Er schüttelte rasch den Kopf und seine dicken Wangen wackelten. Seine silbrigen Bartstoppeln glitzerten im hellen Küchenlicht.

»Ich habe Ihnen doch gesagt, ich habe gar nichts getan. Ich schwöre es. Die müssen wegen meiner Fähigkeiten hinter mir her sein. Wahrscheinlich wollen sie irgendwelche Experimente mit mir anstellen.« Jimmy meinte es aufrichtig, aber noch während er sprach, wurde ihm klar, dass man ihn nicht ernst nehmen würde.

»Jimmy, mein Lieber«, sagte Felix' Mutter, »wenn du Superkräfte hast, dann solltest du sie uns vorführen.«

»Das kann ich nicht. Sie kommen einfach so von selbst. Ich habe es Ihnen doch erklärt. Da war plötzlich etwas in mir, das die Kontrolle übernommen hat, als ich in Gefahr war.«

Mr und Mrs Muzbeke schauten sich an. Das Pfeifen des Wasserkessels zerriss die Stille.

»Du kannst im Gästezimmer schlafen«, seufzte Felix' Mutter schließlich. »Ich hol dir einen von Felix' Schlafanzügen. Am Morgen versuchen wir dann Ordnung in die ganze Sache zu bringen.« Jimmy erhob sich vom Tisch. Er war völlig erschöpft. Morgen früh würden sie feststellen, dass seine Eltern wirklich verschwunden waren, und dann würden sie ihm glauben müssen.

Dann dachte Jimmy an seine Schwester.

»Was ist mit Georgie?«, fragte er. »Rufen Sie um neun in ihrer Schule an, ich wette, sie wird nicht da sein. Ich glaube nicht, dass diese Leute auch hinter ihr her sind. Trotzdem ist sie weggerannt und versucht sicher, mir irgendwie zu helfen.«

»Jimmy, geh jetzt ins Bett«, befahl Felix' Mutter. »Sofort.«

Felix' Vater warf einen Blick auf die Küchenuhr und murmelte etwas.

»Ich kann mich ebenso gut gleich für die Arbeit fertig machen«, sagte er. »Was für ein Start in den Tag.«

Jimmy war aufgebracht. Er musste ihnen irgendwie beweisen, dass er nicht log. Er blieb an der Tür stehen und drehte sich noch einmal um. Und plötzlich begann er, sämtliche Schubladen in der Küche aufzureißen.

»Was machst du da?«, rief Felix' Mutter. »Hör auf damit. Was suchst du denn?«

Doch es war schon zu spät. Jimmy hatte ein Messer gefunden.

KAPITEL 6

Felix hasste das Aufstehen am Morgen. Doch es gab eine Sache, die er noch mehr hasste: fünf Minuten vor dem Klingeln des Weckers aufzuwachen. Denn diese kostbaren fünf Minuten Schlaf waren dann für immer verloren und er würde den gesamten Tag über müde sein. Er richtete sich auf und hievte mühsam die Füße auf den Boden. Er wusste, jeder Versuch, noch einmal einzuschlafen, wäre zwecklos. Er hämmerte auf den Knopf, mit dem die Alarmfunktion des Weckers ausgeschaltet wurde, und schleppte sich dann ins Bad, als ginge es zu seiner eigenen Hinrichtung.

Gerade als er das Badezimmer betreten wollte, hörte er von unten Geräusche, und ihm wurde klar, dass diese schuld an seinem vorzeitigen Erwachen sein mussten. Felix blickte hinüber zum Schlafzimmer seiner Eltern. Die Tür stand offen, also waren sie bereits auf. Er wollte das Ganze schon als ein etwas lautstarkes Frühstück abtun, da hörte er einen erschreckten Schrei. Er kam von seiner Mutter.

Felix wusste, falls es wirklich ein größeres Problem gab, würde er kaum helfen können; trotzdem gab es wohl kaum jemanden auf der Welt, der so neugierig war wie er. Ein Schrei an einem normalen Schultag war ein ungewöhnliches Ereignis, dem auf den Grund gegangen werden musste. Er trottete die Treppe hinunter. Aus der Küche drangen die Stimmen seiner Eltern.

Er öffnete die Tür, und im ersten Moment glaubte er, noch zu träumen. »Oh mein Gott. Hi, Jimmy.«

Er blickte zu seiner Mutter, zu seinem Vater und dann zu Jimmy. Seine Mutter saß am Tisch, verbarg das Gesicht in den Händen und zitterte. Felix' Vater starrte mit gerunzelten Augenbrauen und halb offenem Mund zurück, als wolle er etwas sagen. Doch er rührte sich nicht. Aber die eigentliche Überraschung war Jimmy. Erstens sollte er eigentlich gar nicht hier sein. Und zweitens sollte aus seinem Arm kein großes Fleischermesser ragen.

»Hi, Felix«, erwiderte Jimmy erfreut. Er war wirklich froh, seinen Freund zu sehen. Sein linker Arm lag auf dem Küchentisch mit der Handfläche nach oben. In seinem Handgelenk steckte ein Messer, die Klinge tief ins Fleisch gebohrt. Das Messer stand empor wie das magische Schwert Excalibur und blitzte im grauen Morgenlicht. Das Gesicht von Felix' Mutter tauchte hinter ihren Händen auf.

»Hör sofort auf damit! Leg das Ding weg!«, heulte sie. Aber Jimmy lächelte nur, so gelassen er konnte.

»Nein, ist schon in Ordnung«, erwiderte er. »Wie ich gesagt habe …« Er schloss die Finger seiner rechten Hand um den Messergriff. Langsam zog er die Klinge aus dem Handgelenk. »Kein Blut. Schauen Sie selbst.«

Felix trat zu ihm.

»Das ist so cool. Kann ich auch mal probieren?« Felix griff nach dem Messer, aber seine Mutter packte ihn und zerrte ihn weg.

»Nein! Das ist sehr gefährlich. Tu das auf keinen Fall. Und du auch nicht, Jimmy. Leg das Messer weg.« Jimmy antwortete nicht. Stattdessen hielt er Felix' Vater seine Hand hin.

»Jimmy«, fragte Mr Muzbeke, »ist das irgendein Trick?«

»Nein.«

»Und dasselbe ist passiert, als die Glasscherbe in deinem Handgelenk steckte?«

»Es war ein großer Glassplitter aus dem Fenster. Zuerst habe ich ihn gar nicht bemerkt. Es hat kein bisschen wehgetan oder so.«

Wie beim letzten Mal floss auch diesmal kein Blut und Jimmy spürte keinerlei Schmerz. Hätte jemand so etwas unter normalen Bedingungen probiert, wäre er inzwischen schon verblutet.

»Was machst du hier bei uns, Jimmy? Gehen wir zusammen in die Schule?« Felix war fast ein bisschen enttäuscht, dass es sich nicht um einen Einbrecher oder eine größere Katastrophe handelte, über die er in der Schule berichten konnte. Es war lediglich sein Freund, der einen neuen Trick draufhatte, den er selbst nicht ausprobieren durfte. Immerhin war es etwas, das seine Mitschüler vermutlich noch nicht kannten.

»Äh, ich kann heute nicht in die Schule gehen,

Felix. Und du darfst niemandem verraten, dass ich hier bin.«

»Kann ich ihnen wenigstens von deinem Arm erzählen? Tut das weh?«

»Nein, du darfst ihnen auf keinen Fall davon erzählen, und nein, es tut nicht weh.«

»Wieso schaust du so endfertig aus?

Während Felix sein Frühstück in sich hineinschaufelte, versuchte Jimmy ihm so knapp wie möglich zu schildern, was passiert war. Er hatte nicht die Zeit, alles mit Details auszuschmücken, außerdem wurde er ständig von Felix' Eltern unterbrochen, die ihren Sohn zur Eile mahnten und Jimmy aufforderten, nicht zu übertreiben. Felix geriet ganz aus dem Häuschen. Er war fasziniert von Jimmys Beschreibungen der Kämpfe, die anfänglich noch recht sachlich waren, dann aber immer detaillierter wurden, als er Felix' Interesse bemerkte.

»Okay, hör zu, ich verrate niemandem, dass du hier bist. Aber wenn ich heute von der Schule nach Hause komme, müssen wir unbedingt deine neuen Superkräften austesten«, rief Felix und sprang auf. In kürzester Zeit war er angezogen, schoss durch die Eingangstür und die Straße hinauf – viel zu spät für den Unterricht.

»Es fühlt sich gar nicht an, als hätte ich Superkräfte«, erklärte Jimmy, nachdem die Eingangstür ins Schloss gefallen war. Felix' Mutter legte ihre Hand auf Jimmys Nacken.

»Leg dich jetzt schlafen. Und mach dir keine Sorgen

wegen deiner Familie. Ich bin sicher, es geht ihnen gut, wo auch immer sie sind.«

Jimmy senkte den Kopf und gähnte. Er war so furchtbar müde, dass er schon lange keinen klaren Gedanken mehr fassen konnte. Während er die Treppe hinaufstieg und oben in das fremde Bett kroch, stellte er sich die Gesichter seiner Eltern und seiner Schwester vor. Das Gästezimmer war zu aufgeräumt und sauber, um wirklich gemütlich zu sein. Man konnte sehen, dass es kaum benutzt wurde.

Dass es draußen taghell war, störte ihn nicht. Jimmy schloss seine Augen und rollte sich zusammen. Er fand das Ganze längst nicht so aufregend wie Felix. Er fühlte sich kein bisschen wie ein Superheld. Er fühlte sich einfach nur schrecklich.

»Er hat eine kleine Kronkorken-Fabrik, um Himmels willen. Wer in aller Welt sollte Ian Coates entführen wollen?« Felix' Mutter marschierte in der Küche auf und ab, wobei sie sich bemühte leise zu sprechen, um Jimmy nicht aufzuwecken.

»Jimmy glaubt, dass sie hinter *ihm* her sind. Hast du noch mal bei ihm zu Hause angerufen?«

»Es geht immer noch niemand dran. Aber das hat wahrscheinlich nichts zu bedeuten, oder?«

»Keine Ahnung.« Felix' Vater rieb sich das Gesicht, um die Anspannung des vorzeitigen Starts in den Tag zu vertreiben. Er erlaubte sich einen kleinen Moment des Selbstmitleids. Er musste so hart arbeiten, dass es ihm nicht sonderlich in den Kram passte, in aller Frühe von einem jugendlichen Ausreißer geweckt zu werden. Er setzte den Teekessel auf und schüttelte den Kopf. »Was sollen wir unternehmen?«, fragte er schließlich.

»Ich rufe die Polizei an.« Olivia Muzbeke ging zum Wandtelefon und nahm den Hörer ab. Rasch war ihr Ehemann bei ihr.

»Tu das nicht«, sagte er und legte eine Hand über das Telefon.

»Lass mich, ich rufe jetzt die Polizei. Wenn Jimmy die Wahrheit sagt und den Coates etwas zugestoßen ist, dann müssen wir die Polizei verständigen.«

»Wenn Jimmy die Wahrheit sagt, dann ist die Polizei aber auch hinter ihm her.«

Felix' Mutter wusste, dass ihr Mann recht hatte. Sie legte den Hörer wieder auf.

»Und wenn er etwas ausgefressen hat?«, fragte sie und schenkte sich die x-te Tasse Tee ein.

»Du kennst ihn besser als ich. Hat er sich früher schon mal so verhalten? Oder jemals etwas angestellt, für das er von der Polizei gesucht wurde?«

»Nein.«

»Hat er überhaupt jemals irgendwas getan, das er nicht hätte tun sollen?«

»Er hat sich mein Fleischermesser in den Arm gerammt.«

Mr Muzbeke seufzte. Er blickte zur Küchenuhr und stellte fest, dass es höchste Zeit wurde, zur Arbeit zu gehen. »Wir können ihn ein paar Tage hier wohnen lassen. Bis wir herausgefunden haben, was da los ist. Aber erzähl niemandem davon, dass er bei uns ist. Und ruf auf keinen Fall die Polizei an.«

»Das ist so albern. Es kommt mir alles so lächerlich vor, Neil ...«

»Sicher ist sicher. Bei dem Zustand, in dem sich unser Land befindet, wäre ich nicht sonderlich überrascht, wenn die Polizei eine unschuldige Familie entführen würde. Du etwa?«

»Einverstanden. Aber nur ein paar Tage.«

Jimmy schlief lange, aber als er erwachte, fühlte er sich nicht wirklich ausgeruht. Es war so viel passiert in letzter Zeit – schon bevor diese Männer gekommen waren, um ihn mitzunehmen. Er war häufig nachts aufgewacht, als hätte er einen Albtraum, ohne sich jedoch an seinen Inhalt erinnern zu können. Und ganz selten nur war er richtig ausgeschlafen gewesen.

Nun öffnete er die Augen und fragte sich, wie spät es wohl sein mochte. In dem Zimmer war keine Uhr. Helles Licht strömte durch das Fenster, und er musste daran denken, wie er am vorigen Abend aus einem ganz ähnlichen Fenster gesprungen war. Plötzlich überfiel ihn Panik. Was, wenn die Muzbekes jemandem verraten hatten, dass er hier war? Oder Felix sich in der Schule verplapperte? Er war ein guter Freund und hätte Jimmy niemals absichtlich in Gefahr gebracht, aber häufig verriet er Geheimnisse einfach durch seine Gedankenlosigkeit.

In Jimmys Kopf tauchte ein Bild auf, das bedrohlich

real wirkte. Darin war das Haus der Muzbekes umstellt von Männern in schwarzen Anzügen und mit schmalen schwarzen Krawatten. Er malte sich aus, wie sie in der Küche saßen, Tee tranken, den Olivia ihnen servierte, und nur darauf warteten, dass Jimmy herunterkam.

Er schloss die Augen und versuchte wieder einzuschlafen, obwohl er wusste, dass es vergeblich war. Die ganze Anspannung der letzten Nacht hatte wieder von seinem Körper Besitz ergriffen. Es war jetzt heller Tag. Wo sollte er sich verstecken? Er verkroch sich unter der Bettdecke, doch ihm war klar, dass es alles nichts half, irgendwann würde er sich so oder so aus dem Bett erheben müssen.

Unten saß Felix vor dem Fernseher und mampfte einen Toast. Auch für Jimmy stand schon etwas bereit. Felix' Mutter musste gehört haben, wie er aufgestanden war.

»Hi, Jimmy, was macht dein Arm?«, brüllte Felix, kam herübergetänzelt und boxte ihn gegen die Schulter.

»So weit alles klar.«

»Lass mich sehen.« Jimmy zeigte Felix sein Handgelenk. Er hielt es ihm ausgestreckt hin, während er sich setzte und seinen Toast aß. Er nahm die Fernsehbilder in sich auf, ohne ihnen wirklich Beachtung zu schenken. Dann spürte er, wie Felix auf dem Schnitt herumdrückte.

»Tut das nicht weh?«

»Null.«

»Das ist so cool.«

»In Ordnung, lass mich jetzt.« Jimmy zog seinen Arm zurück.

»Darf ich dir die Hand abschneiden?«, fragte Felix.

»Was?« Jimmy riss seine Hände dicht an den Körper und starrte Felix an, bis ihm klar wurde, dass es nur ein Scherz gewesen war. Felix lachte und nach einem kurzen Moment stimmte Jimmy mit ein.

Je länger sie miteinander plauderten, desto absurder erschienen Jimmy die Ereignisse der letzten Nacht. Sie verblassten bereits und die Gefahr fühlte sich kaum mehr real an. Aber während die Angst sich verzog, wurde ihr Platz von einem brennenden Schmerz eingenommen. Jimmy quälte die Erinnerung an seine verschleppten Eltern. Plötzlich verstand er, was es bedeutete, jemanden zu vermissen.

»Wir sollten sie suchen«, sagte Felix lächelnd und mit Toastkrümeln im ganzen Gesicht. »Deine Eltern, meine ich.«

»Was?«

»Na ja, wir dürfen nicht die Polizei anrufen, aber sie sind verschwunden, richtig? Wurden von diesen seltsamen Männern in Anzügen entführt.« Er sagte das, als hätten sie es mit einer außerirdischen Spezies zu tun, wedelte mit der Hand vor dem Gesicht herum und versuchte gruselig auszusehen.

»Das ist kein Spiel.«

»Für mich klingt es aber wie eins. Und es hört sich so an, als wärst du richtig gut darin. Ich will dich rennen sehen.«

»Also …«

»Könntest du mich aus dem Fenster werfen?«

»Hör zu …«

»Kannst du an die Decke springen und da kleben bleiben. Mach mal.«

»Halt die Klappe, ja? Ich kann nicht einfach so irgendwelches Zeug machen. Ich glaube, es passiert einfach nur, wenn ich in Gefahr bin.«

»Woher weißt du überhaupt, dass du in Gefahr bist?« Er sah Jimmy mit einem komischen Ausdruck an. »Was, wenn diese Typen dich einfach nur mit in ein Ferienlager nehmen und dich eine Woche lang mit Hamburgern füttern wollten? Was, wenn sie eine Elitetruppe sind, die nach Jungs suchen, um Hamburger an sie zu verfüttern und sie richtig fett zu mästen?« Felix blies seine Wangen auf und begann mit vorgewölbtem Bauch durchs Zimmer zu watscheln.

Jimmy konnte nicht anders – er musste losprusten.

»Ich glaube kaum, dass sie mich mit Burgern mästen wollen.« Jimmy war dankbar, dass Felix ihn zum Lachen brachte. Genau das brauchte er im Augenblick. Dennoch war er absolut überzeugt, dass er in Gefahr schwebte. Die geheimnisvolle Kraft in seinem Inneren verriet es ihm.

Sie verbrachten den Nachmittag in Felix' Zimmer, hatten aber schon bald genug von den Computerspielen; seitdem die amerikanischen Spiele fast alle von der Regierung verboten worden waren, kam nur noch langweiliger Schrott auf den Markt. Stattdessen musste

Jimmy wieder und wieder erzählen, wie er am vorigen Abend aus den unterschiedlichsten Gefahrensituationen entkommen war. Felix war völlig fasziniert. Ständig sprang er auf, um die Szenen nachzuspielen. Und Jimmy war einfach nur froh, dass sein Freund ihm glaubte und seine Späße ihn ein wenig von seinen Sorgen ablenkten.

»Ich wette, du kannst fliegen«, sagte Felix schließlich, nachdem er die Geschichte aus sechs verschiedenen Blickwinkeln gehört hatte.

Jimmy legte eine Hand auf seinen Magen, als könne er dort die Antwort spüren. »Niemals«, murmelte er.

»Woher willst du das wissen, wenn du es noch nicht probiert hast?«

Felix wollte eine Antwort, aber Jimmy zuckte nur mit den Achseln. Es machte ihm Angst, darüber nachzudenken, was für Fähigkeiten er durch diese Kraft in seinem Inneren möglicherweise noch besaß. Die Sorge ließ etwas in seiner Brust wild flattern.

»Vielleicht hast du auch einen Röntgenblick«, fuhr Felix fort. »Oder du kannst Laserstrahlen aus deinen Fingerspitzen abfeuern.«

»Wie auch immer.«

Felix kehrte Jimmy den Rücken zu und ging zur anderen Seite seines Zimmers. Plötzlich packte er den Ständer seiner Nachttischlampe und schleuderte sie nach Jimmy, wobei er den Stecker aus der Wand riss.

Jimmy war kaum mehr als einen Meter entfernt, aber ohne nachzudenken, streckte er die Hand aus und fing die Lampe auf. Den Stecker am Ende des Kabels, der hinterherzischte, pflückte er mit der anderen Hand aus der Luft, bevor er sein Gesicht treffen konnte. Doch das war noch nicht alles. Kaum hielt er die Lampe, sprang Jimmy in die Luft. Ohne zu begreifen, was er tat, trat er mit der Ferse gegen Felix' Brust und warf ihn zu Boden. Dann presste er Felix auf den Teppich, jeden seiner Arme unter einem seiner Knie. Das Lampenkabel hielt er quer über Felix' Hals gespannt. Sie starrten einander einen Moment lang an und keiner von ihnen bewegte sich.

Felix sah, wie Jimmys Züge sich wieder entspannten. Ihre Gesichter waren kaum eine Handbreit voneinander entfernt. Jimmy blickte rasch beiseite, realisierte, was er da tat, und löste die Spannung des Kabels. Erschrocken sprang er auf und ließ die Lampe fallen.

Die Tür ging auf. Felix' Mutter stand auf der Schwelle.

»Alles in Ordnung bei euch hier oben, Jungs?«

Sie blickten einander an. Jimmy zitterte, versuchte aber es zu verbergen. Felix lag immer noch am Boden, doch er hob den Kopf und warf seiner Mutter quer durch den Raum ein strahlendes Lächeln zu.

»Prima, Mum. Danke. Uns geht's fantastisch«, grinste er. »Total abgefahren.« Ein nervöses Lachen drang aus seiner Kehle.

»Schön. Ihr ruft einfach, wenn ihr irgendetwas braucht.« Sie verließ den Raum und die beiden hörten sie die Treppe hinuntergehen. Jimmy und Felix schwiegen. Jimmy spürte in seinem Inneren immer noch das sanfte Vibrieren der Energie. Er hatte seinen besten Freund angegriffen. Er hätte ihn töten können. Die Kraft in ihm ließ jetzt nach. Sie hatte noch nie so rasch von ihm Besitz ergriffen.

»Das«, sagte Felix sehr langsam, »war so cool«.

»Ich hätte dich töten können«, flüsterte Jimmy, aber Felix beachtete ihn gar nicht.

»Wie konntest du dich so schnell bewegen? Und woher hast du plötzlich diese Kraft? Ich konnte mich kein bisschen rühren. Ich hab versucht, meine Arme zu bewegen, aber du hast mich total festgehalten. Das war abgefahren!«

»Das war gefährlich«, entgegnete Jimmy, der erneut zitterte, aber diesmal aus Ärger. »Warum hast du das getan? Wenn du eine Lampe nach mir wirfst, dann muss ich mich verteidigen. Ich hätte alles Mögliche tun können und du könntest tot sein.«

»Du hast mich nicht getötet, oder? Du hast rechtzeitig aufgehört.«

»Na und? Das war reines Glück.«

»Ich meine es ernst, Jimmy«, beharrte Felix. »Was hat dich in dem Moment davon abgehalten, mich zu töten?«

»Keine Ahnung – es war einfach nur Selbstverteidigung. Es gab keinen Grund, dich zu töten, oder? Du bist nur ein Junge. So wie ich.«

»Aber das bedeutet, du besitzt doch eine Art Kontrolle darüber. Du musst üben, diese Fähigkeiten zu beherrschen.«

»Ich muss mich verstecken, das ist alles; bis diese Kerle aufhören, nach mir zu suchen.«

»Aber was, wenn sie nicht damit aufhören? Sie haben deine Eltern entführt – willst du sie nicht wieder zurückhaben?«

Wenn Felix es so sagte, klang es plötzlich einleuchtend. Natürlich war dieser Gedanke in Jimmys Hinterkopf gewesen, seit sie seine Eltern weggeschafft hatten. Außerdem wollte er die Gründe wissen: Warum hatte man sie weggebracht? Und warum waren die Leute, die sie mitgenommen hatten, hinter ihm her?

»Wenn die Polizei das nicht übernimmt, dann musst du sie selbst retten. Du musst deine Kräfte einsetzen, um deine Familie zurückzuholen.«

»Ich weiß.« Jimmy wurde mit jeder Sekunde trauriger. »Danke, Felix.«

»Was ist los?«

»Ich weiß ja nicht mal, wo sie stecken. Ich habe keine Ahnung, wer sie entführt hat. Wir müssen ein paar Erwachsene dazu bringen, sie zu finden.«

»Was ist mit Georgie?«

»Was soll mit ihr sein?«

»Wo ist sie?«

Jimmy zögerte, dann gab er die auf der Hand liegende Antwort: »Ich habe keinen blassen Schimmer.«

»Prima, dann lass uns da anfangen.«

In dieser Nacht konnte Jimmy nicht schlafen. Immer wenn er die Augen schloss, sah er einen grünen Streifen auf dem Heck eines Wagens oder das Gesicht Sergeant Atkinsons vor sich. Also setzte sich Jimmy mit einem Glas Wasser ans Fenster und lehnte sich gegen den Vorhang, die Nase gegen das kalte Glas gedrückt. Ein Auge spähte nach draußen, das andere starrte einfach in den wolkigen Nebel des Vorhangs. Im Grunde konnte er auf die Art eigentlich gar nichts sehen, vor allem weil die Scheibe durch seinen Atem kreisförmig beschlug.

Wie man es auch drehte und wendete, er musste etwas unternehmen. Er konnte nicht ewig bei den Muzbekes bleiben, ohne zu wissen, was seiner eigenen Familie zugestoßen war. Es lag an ihm.

Ein leises Kratzen an der Tür riss Jimmy aus seinen Gedanken.

»Hey«, flüsterte Felix leise. Jimmy drehte sich um und wischte sich das Kondenswasser von der Nase.

»Hey«, erwiderte er.

»Kannst du nicht schlafen?«

»Nein. Und du?«

»Auch nicht.« Felix hüpfte auf das Bett und rutschte herum, bis er eine bequeme Position gefunden hatte. Ging seinem Freund eigentlich nie die Energie aus? »Hör zu, ich hab nachgedacht.«

»Über was?«

»Wie wir herausfinden, was passiert ist, ohne dass du es ganz allein tun musst.«

»Cool. Und wie?«

»Wenn die Polizei nicht auf unserer Seite ist, dann brauchen wir eine ganze Armee von Erwachsenen …«

»Eine Armee?« Jimmy drehte sich wieder zum Fenster.

»Keine Armee, die richtig kämpft oder so was, nur jede Menge Menschen, die auf unserer Seite sind.«

»Wir kennen aber nicht jede Menge Erwachsene.«

»Ja, aber was ist mit unseren Lehrern? Ich werde Miss Bennett fragen.« Das war ihre Klassenlehrerin. »Sie wird alle anderen Lehrer davon überzeugen, uns zu helfen. Und die können dann alle ihre Freunde mobilisieren …«

»Und was dann? Sollen sie alle in ihren Geräteschuppen im Garten nachschauen?«

»Nein, ich meine, keine Ahnung. Aber irgendjemand muss doch eine Ahnung haben, was da vorgeht. Und da wir es nicht wissen, müssen wir eben jemanden fragen. Es kann doch nicht die ganze Welt gegen uns sein.«

Jimmy trank sein Wasser aus. Durch den Boden des Glases sah Felix noch komischer aus als sonst. Seine Sommersprossen hatten jetzt die Größe von Centstücken.

»In Ordnung. Was ist mit deinen Eltern?«

»Ich werde sie bitten, ihre Freunde zu fragen.«

»Ich dachte ihre einzigen Freunde sind meine Eltern.«

»Stimmt. Keine Ahnung. Vielleicht haben sie noch Ersatzfreunde, die man fragen kann.« Felix hüpfte aus dem Bett. »Willst du einen Keks?«

»Nein, danke.« Jimmy flüsterte jetzt nicht mehr.

»Okay. Mach dir keine Sorgen, Jimmy.« Auch Felix redete wieder mit normaler Stimme, wenn auch etwas leiser und tiefer. »Alles wird gut.« Er griff in die Brusttasche seines Schlafanzugs und zog einen Schokoladenkeks heraus. Der Keks sah aus, als hätte er sich schon einige Tage dort befunden. Felix kaute darauf herum, während er aus dem Raum tänzelte und Jimmy noch einmal kurz zuwinkte, bevor er die Tür hinter sich schloss.

Jimmy lächelte. Es war ein tröstlicher Gedanke, dass Felix recht haben könnte. Wenn man etwas herausfinden wollte, war der einfachste Weg, jemanden danach zu fragen. Und wenn es etwas besonders Schwieriges und Mysteriöses war, dann war es möglicherweise eine gute Idee, eine ganze Menge Leute danach zu fragen.

Es dauerte eine Weile, aber schließlich schlief Jimmy doch noch ein.

KAPITEL 7

Jimmy erwachte früh am nächsten Morgen, obwohl er nicht zur Schule musste. Es hatte keine große Diskussion darum gegeben. Felix' Eltern sahen ein, dass sie ihn nicht dorthin schicken konnten, solange er sich nicht sicher fühlte. Olivia Muzbeke hatte zwar kein gutes Gefühl, den Jungen zu Hause bleiben zu lassen, beschloss aber, es sei das Beste, bis sie seine Eltern gefunden hatten.

Selbst wenn Jimmy gewollt hätte, hätte er nicht ausschlafen können, bei dem Lärm, den Felix veranstaltete. Sobald Felix wach war, war er ein menschlicher Wirbelwind. Und nachdem er gefrühstückt hatte, war er ein menschlicher Orkan. Während Jimmy in seinem geliehenen Schlafanzug am Frühstückstisch hockte und sich auf die Rückseite der Cornflakes-Schachtel zu konzentrieren versuchte, löste Felix seine Schulkrawatte, schaufelte sein Frühstück in sich hinein, band seine Schnürsenkel und plapperte in halsbrecherischer Geschwindigkeit – alles zugleich.

»Du darfst das Haus nicht verlassen, Jimmy. So viel ist klar. Aber wenn tatsächlich die Polizei hinter dir her ist, dann haben die ruckzuck rausgefunden, wo du steckst. Die ermitteln, wer deine Freunde sind und wo du Unterschlupf suchen könntest. Hey, vielleicht haben sie auch Georgie geschnappt und foltern sie oder so was. Würde sie dich verpfeifen?« Jimmy zuckte zusammen, aber Felix plauderte munter weiter. »Also müssen wir rasch handeln. Auf alle Fälle musst du irgendwann wieder zur Schule gehen, sonst hast du keine Bildung, bleibst dumm, kriegst keinen Job und musst sterben, weil du nichts zu essen kaufen kannst. Klar, ich kann dich eine Weile durchfüttern, aber ich bin ja schließlich nicht die Wohlfahrt, Jimmy. Wie auch immer, ich sorge dafür, dass Miss Bennett das für uns in Ordnung bringt. Ich sage ihr gegenüber nichts, was dich verraten könnte. Ich erwähne nicht mal deinen Namen, denn man weiß nie, wer in der Schule zuhört. Aber ich schätze, wenn ich erst ihre Adresse habe, können wir nach Einbruch der Dunkelheit zu ihrem Haus schleichen und sie um Hilfe bitten. Oder vielleicht kann meine Mum sie anrufen. Ich besorge auch ihre Telefonnummer. Oh, benutz auf keinen Fall das Telefon, Jimmy. Aber du kannst an meinen Computer. Und beim Garten bin ich mir nicht so sicher. Falls sie dich letzte Nacht beobachtet haben, dann wissen sie ohnehin, wo du steckst, also ist das vermutlich in Ordnung. Allerdings bittet mein Dad darum, das du den Rasen nicht verwüstest. Und natürlich dürfen die Nachbarn dich nicht sehen. Man kann nie vorsichtig genug sein. Also, bis dann, wir sehen uns.«

Und schon war er aus der Tür.

»Ich hab sie nicht bekommen.« Es schien, als wäre Felix nur zehn Minuten weg gewesen.« Die Sekretärin hat mir ihre Privatadresse nicht gegeben«, fügte er hinzu und kickte dabei seine Schuhe weg. »Sie war so nervig.«

»Hast du ihr gesagt, wofür du sie brauchst?«, fragte Jimmy und folgte Felix in die Küche.

»Natürlich nicht. Zu gefährlich. Das war nicht der Plan.« Jimmy war sich nicht sicher, worin genau Felix' Plan bestand, aber es war immerhin tröstlich, dass überhaupt jemand einen hatte. »Kein Problem«, fuhr Felix fort. Wir werden losziehen und sie uns besorgen.«

»Was?«

»Die müssen ihre Adresse irgendwo in der Schule haben, also brechen wir dort ein und holen sie uns.«

»Können wir nicht einfach im Telefonbuch nachschauen?«

»Wir haben keine Ahnung, wie sie mit Vornamen heißt, oder? Und es gibt sicher Tausende von Bennetts.« Felix senkte die Stimme, als seine Mutter in die Küche platzte.

»Verderbt euch nicht den Appetit. Es gibt bald Abendessen«, sagte sie mit einem ruckartigen Kopfnicken. Sie schnappte sich eine Zeitschrift und war schon wieder verschwunden.

Felix beugte sich verschwörerisch zu Jimmy hinüber. »Haben diese Anzugtypen heute irgendeine Art von Angriff auf dich gestartet?«

»Nein, es ist nichts passiert.«

»Gut.« Felix begann Knabberkram auf zwei Teller zu häufen. »Trotzdem sollten wir heute Nacht in der Schule zuschlagen. Das ist möglicherweise unsere letzte Chance.«

»Felix, wir können doch nicht einfach dort einbrechen und Miss Bennetts Adresse klauen, nur um sie dann zu besuchen. Das ist kriminell.«

»Wen willst du denn sonst anrufen? Die Polizei?« Da hatte Felix nicht ganz unrecht. Er drückte Jimmy einen Teller in die Hand und setzte sich an den Tisch.

»Glaubst du nicht, dass das alles irgendwie ein bisschen zu James-Bond-mäßig ist?«, sagte Jimmy, den Mund voller Kekskrümel.

»Jimmy, an deiner Stelle würde ich ausprobieren, welche anderen fantastischen Fähigkeiten du besitzt. Denn wenn du lernst, deine Kräfte zu kontrollieren und willentlich einzusetzen, dann bringt uns das ein ganzes Stück weiter.«

»Können wir nicht wenigstens vorher deine Eltern fragen?«

»Was?« Felix lehnte sich vor. »Seit wann bist du so ein Weichei? Erstens glaubt meine Mum dir ohnehin nicht. Sie denkt, deine Mum und dein Dad würden einfach nicht ans Telefon gehen, oder so was. Sie meint, du willst einfach nur Schule schwänzen.«

In dem Moment klapperte der Toaster. »Toast?«, fragte Felix. Jimmy hatte nicht einmal bemerkt, dass Felix Weißbrotscheiben hineingeschoben hatte.

Im weiteren Verlauf des Abends redeten sie nicht

mehr über die Angelegenheit. Als Felix' Vater nach Hause kam, erzählte er, er sei bei Jimmys Haus gewesen und habe niemanden dort angetroffen. Eigentlich hatte Jimmy gehofft, dass inzwischen zumindest Georgie zurückgekehrt wäre, auch wenn ihre Eltern vermutlich immer noch irgendwo festgehalten wurden. Jimmy war kurz davor, Felix' Vater um Rat zu bitten. Er war so ein freundlicher Mann und Jimmy mochte seine Stimme. Sie hatte so einen tiefen, vollen Klang und erfüllte den ganzen Raum. Was immer er sagte, hörte sich für Jimmy beruhigend an.

Doch wie sich herausstellte, brauchte Jimmy ihn gar nicht groß zu bitten. Felix' Vater bot an, die Leute an seinem Arbeitsplatz danach zu fragen, was da möglicherweise im Busch war.

»Eine ganze Familie kann doch nicht einfach spurlos verschwinden«, sagte er. Dann begann er über die neuen Polizeikräfte oder irgendetwas in dieser Art zu klagen, aber Jimmy hörte ihm nicht mehr zu. Er aß einfach sein Abendessen und ließ sich von der Stimme des Mannes tröstlich umhüllen wie von einem heißen Bad.

Offenbar hatte Neil dieselbe Idee wie Felix. Man musste nur so viele Menschen wie möglich fragen, dann würde irgendwann irgendjemand schon irgendetwas wissen. Das erschien Jimmy ziemlich einleuchtend. Und auf die Art fasste er auch etwas mehr Vertrauen in Felix' Plan, in die Schule einzubrechen.

»Wir tun doch nichts Schlimmes, oder? Also hör auf zu jammern«, zischte Felix. »Wir müssen lediglich Miss Bennetts Adresse herausfinden.« Sie waren jetzt abmarschbereit und traten jeder einen Schritt zurück, um einander zu begutachten. Felix hatte Jimmy ein paar schwarze Klamotten geliehen; außerdem hatten sie jeder eine alte Skimaske, die sie über den Kopf ziehen konnten. Nichts passte wirklich richtig gut, aber das spielte vermutlich keine große Rolle.

Das T-Shirt spannte über Jimmys Schultern, und der Pullover war nicht nur viel zu eng, sondern kratzte auch noch furchtbar. In dem schlecht sitzenden Ding sah er echt albern aus. Felix grinste, konzentrierte sich dann aber wieder auf ihre Aufgabe und fuhr fort: »Es gibt dort nichts Wertvolles zu holen, also ist es kein Raub. Wir müssen einfach nur ihre Adresse rausfinden und sie anschließend besuchen.«

»Okay, du hast recht. Lass uns gehen.« Sie stolperten ein wenig zu laut die Treppe hinunter und zwängten sich in ihre Jacken. Felix drehte sich zu Jimmy und machte ihm ein Zeichen, leise zu sein. Die Zeit nach dem Abendessen hatten sie damit verbracht, überstürzte Pläne zu schmieden. Sie waren alle denkbaren Szenarien durchgegangen, anschließend hatten sie so getan, als gingen sie zu Bett. Jetzt gehörte das Haus ihnen. Wenn sie rechtzeitig zurückkehrten, bevor man sie vermisste, war alles in bester Ordnung.

Sie schlichen aus dem Haus, dachten sogar daran,

den Hausschlüssel einzustecken, und Felix zog die Eingangstür mit einem leisen *Klick* hinter sich zu.

Jimmy stellte sich der Welt da draußen. Als er das letzte Mal durch diese Tür gegangen war, war er auf der Flucht vor der Polizei gewesen. Seither hatte er das Haus nicht mehr verlassen. Irgendetwas regte sich in ihm. War es lediglich die Anspannung, oder war es sein siebter Sinn für Gefahren, der wieder erwachte? Er blickte zu Felix und die beiden lächelten sich nervös an.

Ihr erstes Problem bestand darin, zur Schule zu kommen. Ihr üblicher Bus fuhr so spät in der Nacht nicht mehr, also mussten sie laufen. Sie marschierten eilig los, die Skimasken im Moment noch an ihren Seiten schwingend. Sie redeten kein Wort, was sehr ungewöhnlich für Felix war. Sie waren mehrfach alle möglichen Hindernisse durchgegangen, die ihnen in den Sinn kamen: Alarmanlagen, Schlösser, Zäune. Sie hatten kein Werkzeug dabei, um Drähte oder Ähnliches zu durchschneiden. Sie hatten beschlossen, sich nicht unnötig damit zu belasten; möglicherweise würden sie rasch fliehen müssen.

Der Plan war einfach: über den Zaun klettern und durch ein Fenster in das Sekretariat einsteigen. Ihnen war klar, dass sie dabei möglicherweise Alarm auslösen würden. Aber sie suchten ja nur nach einer Adresse und würden nicht lange dafür brauchen. Bis irgendjemand reagierte, wären sie mit dem Gesuchten längst wieder über den Zaun – davon gingen sie zumindest aus.

Jimmy spähte aus dem Augenwinkel zu Felix. Felix lächelte nicht, aber als er Jimmys Blick bemerkte, erwiderte er ihn. Jimmy wurde klar, dass das Ganze für Felix möglicherweise beängstigender war als für ihn selbst. Schließlich war Jimmy bereits eine Nacht lang alleine durch die Straßen des Viertels gerannt. Und die Situation war da weit furchteinflößender gewesen als jetzt.

Er boxte nervös gegen Felix' Arm und kicherte.

»Was denn?«, beschwerte sich Felix leicht gereizt.

»Nichts«, erwiderte Jimmy. »Macht echt Spaß das Ganze, find ich.«

Sie blieben vor dem Schultor stehen. Wie kam es, dass es im Dunkeln so anders aussah? Es ragte vor ihnen auf wie ein überwindliches Hindernis. Gleichzeitig zogen die beiden ihre Skimasken über den Kopf. Die von Jimmy stank furchtbar. Ihm wurde sofort heiß darunter und die Wolle kratzte.

Der Zaun stellte kein großes Problem dar. Wie oft hatten sie beide schon davon geträumt, darüber zu klettern und sich aus der Schule wegzustehlen. Das Licht eines Bewegungsmelders ging an, doch sie trabten einfach daran vorbei und warteten, bis es von selbst wieder verlosch. Sie wussten genau, wo sich das Sekretariat befand. Kurz darauf standen sie vor dem dazugehörigen Fenster. Jimmy umklammerte instinktiv sein Handgelenk an der Stelle, wo die Glasscherbe gesteckt hatte, als er das letzte Mal eine Scheibe zertrümmert hatte.

»Zieh deine Jacke aus«, flüsterte er. Felix verstand sofort, warum, und streifte sie ab. Er sah jetzt noch komischer aus als Jimmy – eine schlaksige, in der Kälte zitternde Gestalt mit einer gehäkelten teekannenwärmerähnlichen Mütze auf dem Kopf.

Jimmy hielt die Jacke an die Fensterscheibe, wandte sich ab und machte Felix ein Zeichen zurückzutreten. *Bumm!* Sein Ellbogen donnerte gegen die Jacke. Das tat weh. Der Schmerz durchzuckte Jimmys gesamten Arm, aber die Scheibe war nicht zersplittert. Verwirrt rieb er seinen Ellbogen und warf Felix die Jacke vor die Füße.

Felix hob sie auf. »Ich halte sie fest«, sagte er.

Diesmal setzte Jimmy seinen anderen Arm ein, doch wieder prallte er einfach ab, und Jimmys Körper wurde stärker erschüttert als die Scheibe. Er hatte einfach nicht die Kraft.

»Lass uns einen Stein nehmen«, schlug Felix vor und schlüpfte wieder in seine Jacke. Er eilte davon, um in der Grünanlage nach einem geeigneten Brocken zu suchen. Jimmy schüttelte den Kopf. Er war enttäuscht. Letzte Nacht war er so stark gewesen und hatte instinktiv erstaunliche Fähigkeiten entfaltet. Was hatte sich verändert? Jetzt konnte er nicht mal mehr eine Scheibe einschlagen. Dabei sollte es eigentlich ganz einfach sein.

Er starrte wütend auf die Scheibe, entschlossen sie zu zertrümmern. Er trat ein paar Schritte zurück, aber kurz bevor er mit vorgerecktem Ellbogen losstürmte, bemerkte er in der Scheibe eine merkwürdige Spiegelung. Es war ein auffälliger Schatten. Irgendetwas schwang da hin und her, obwohl gar kein Wind wehte. Jimmy erstarrte. Er betrachtete die Scheibe eingehender, versuchte seine Augen auf die Spiegelung zu fokussieren und nicht auf das Innere des Sekretariats. War das Felix, den er da sah?

»Felix?«, flüsterte er in die Nacht hinein. Sein ganzer Körper war in Alarmbereitschaft. Jemand beobachtete ihn, so viel stand fest, auch wenn er keine Ahnung hatte, woher er das so genau wusste. Jimmy trat so langsam wie möglich an das Schulgebäude heran, bis er dicht an der Mauer stand. Plötzlich konnte er Schritte hören, die um das Gebäude kamen. Er verzog sich noch tiefer in die Dunkelheit. Irgendjemand warf einen langen Schatten quer über den Schulhof. Es war zu spät, um davonzurennen. Jimmy hörte das Knirschen gleichmäßiger Schritte auf Kies. Er hielt den Atem an. Dann steuerte eine Silhouette direkt auf ihn zu.

»Hab einen gefunden!« Das war Felix. »Aber du solltest leiser sein. Ich hab von der anderen Seite des Schulgebäudes gehört, wie du meinen Namen geflüstert hast.«

Jimmy atmete tief durch. »Puh, Felix, und ich dachte schon …«

Er brachte den Satz nicht mehr zu Ende. Wie aus dem Nichts kletterten plötzlich Dutzende Männer über den Zaun. Sie krabbelten daran hinauf wie Spinnen. Ihre schwarzen Schemen hoben sich gegen das Licht der Straßenlaternen ab und ihre Glieder bewegten sich rhythmisch und schnell. Der Zaun wackelte unter ihrem Gewicht. Felix war starr vor Schreck, aber Jimmy reagierte sofort. Er konnte einfach nicht anders – diese unbegreifliche Energie überschwemmte ihn so heftig, dass er taumelte. Eigentlich rechnete er damit, dass er jetzt gleich losrennen würde. Doch sie waren komplett umzingelt.

BAMM!

Sein Ellbogen ließ mit einem raschen Stoß die Glasscheibe zersplittern. Die Nacht war schlagartig erfüllt vom infernalischen Kreischen einer Alarmsirene. Felix wich zurück.

»Wozu habe ich den Stein geholt, wenn du es doch so machst?«, murmelte er. Aber bevor er den Satz beenden konnte, war Jimmy bereits durch das Fenster ins Sekretariat gesprungen. Er duckte sich unter das Fenstersims. Gleich darauf langte sein Arm durch die zersplitterte Scheibe nach draußen. Er packte Felix' Jackenkragen, hob den Freund hoch und zog ihn mit einem einzigen Schwung durch das Loch im Glas.

»Duck dich!«, zischte er. Dann warf er sich, ohne nachzudenken, mit voller Wucht gegen den Aktenschrank. Das massive Möbelstück krachte zu Boden, die Schlösser sprangen auf, und Berge von Papier ergossen sich über den Boden.

»Warte«, sagte Felix. »Ich hab's schon.«

Er stand hinter dem Schreibtisch und hatte gerade in aller Ruhe die Schubladen durchwühlt. Jimmy blickte auf die gewaltigen Aktenberge, die er hätte sichten müssen, und lachte. Viel Zeit blieb ihm jedoch nicht dazu. Sie hörten, wie die Eingangstür der Schule aufflog. Und was noch schlimmer war, draußen vor dem Fenster tauchte ein Mann auf. Der Lichtkegel seiner seitlich am Kopf befestigten Lampe zuckte durch den Raum. Die gesichtslose Gestalt im schwarzen Kampfanzug sprang durch das zerbrochene Fenster.

Felix zerknüllte den Papierstreifen und warf ihn Jimmy zu. Dann flitzte er zur Tür. Jimmy sah Felix verschwinden und fing das Papierkügelchen auf. Sein Herz pochte wie wild. Er spürte Panik in seinem Inneren aufsteigen, aber es war nicht die normale Panik. Sie war wie von einem weichen Ball umschlossen und neutralisiert, sodass sie sich nicht ausbreiten konnte. Jimmys ganzer Körper gehorchte den gespenstischen, genau kalkulierten Eingebungen, die tief aus seinem Inneren kamen. Der Eindringling breitete seine Arme aus, um Jimmy den Weg zum Fenster zu versperren. Hinter Jimmy fiel die Tür donnernd ins Schloss und über das Schrillen der Alarmsirene hinweg hörte er draußen auf dem Flur Felix' Turnschuhe quietschen. Es klang wie eine Maus, die in die Falle gegangen war.

Jimmy warf sich zu Boden und schlidderte zwischen den Beinen des riesigen Mannes hindurch. Er hielt kurz inne, um sich einen Stapel Papier aus dem umgestürzten Aktenschrank zu schnappen. Mit der anderen Hand grapschte er etwas von dem zersplitterten Glas. Und während er wieder aufsprang, schleuderte er die Scherben hinter sich in die Luft. Sie regneten auf den Mann herab und zwangen ihn, seine Augen zu bedecken, während er Jimmy folgte. Mit einem Satz war Jimmy durchs Fenster. Während er auf den Zaun zurannte, riss er die Skimaske herunter und ließ die kalte Luft sein heißes Gesicht peitschen.

Felix trug seine Skimaske noch. Er rannte in Höchstgeschwindigkeit den Flur entlang, doch dann wurde ihm klar, dass er in der Falle saß. Am Ende des Flurs warteten bereits weitere Verfolger. Die Alarmanlage schrillte beharrlich. Noch war keiner der Männer selbst zu sehen, aber er konnte ihre Schatten erkennen und ihre Stimmen hören. Türen wurden zugeschlagen. Diese Typen bevölkerten die ganze Schule. Und sie suchten nach ihm. Er blieb stehen, wirbelte herum und verfluchte dann sein langsam arbeitendes Gehirn. Jetzt war die Falle zugeschnappt.

Es waren zwei von ihnen, beide groß, kräftig und ganz in Schwarz gekleidet. Sie kamen hinter Felix den Flur entlang, allerdings ohne zu rennen. Felix war so panisch, dass er unterhalb der Knie nichts mehr spürte. Er stand wie angewurzelt da. Jetzt war es um ihn geschehen. Durch seinen Kopf zuckten Bilder: das Gefängnis, seine in Tränen aufgelösten Eltern, er selber als alter Mann, der aus der Haft entlassen wurde, um eine Stelle als Tellerwäscher anzutreten. Doch noch immer geschah nichts. Warum hatten sie ihn nicht längst geschnappt?

Dann hörte er einen von ihnen sagen: »Wo ist der Junge? In welche Richtung ist er gelaufen?«

Langsam dämmerte Felix, dass sie mit ihm sprachen. Er richtete sich zu voller Größe auf, was bei Weitem nicht groß genug war. Er musste trotzdem noch zu den beiden schwarz maskierten Gesichtern hinaufschauen. Mit wachsender Erregung wurde ihm klar, dass er ihnen ähnlich sah – auch er war ganz in Schwarz gekleidet. Außerdem suchten sie nach Jimmy, und da sie offenbar nicht mit der Anwesenheit eines weiteren Jungen rechneten, mussten sie Felix für einen der ihren halten. Felix räusperte sich und senkte seine Stimme, so tief er konnte.

»Hm«, grunzte er, »nach da runter.« Er deutete den Flur entlang.

»Hey, hast du überhaupt die erforderliche Mindestgröße?«, spottete einer der Männer im Vorbeigehen. Doch der andere verpasste ihm einen Stoß in die Rippen.

»Pst, jetzt werd mal nicht beleidigend. Komm schon, schnappen wir uns den Jungen.«

»Sorry, aber manchmal fragt man sich echt …« Dann trabten die beiden los und waren kurz darauf verschwunden.

Felix konnte sein Glück kaum fassen. Er lachte und rief ihnen hinterher: »Ich bin von der Spezialeinheit«.

Sein Lachen wurde von einem massiven Krachen übertönt. Felix stürzte in eines der Klassenzimmer und spähte aus dem Fenster. Ein Streifenwagen hatte in vollem Tempo das Schultor durchbrochen. Ihm war ein Trupp Polizisten gefolgt, die nun über den Hof stürmten. *Wenn sie dort suchen*, dachte Felix, *dann ist Jimmy offenbar nach draußen entkommen.* Er konnte ihn nicht sehen, daher drückte er seinem Freund so fest wie möglich die Daumen.

Draußen herrschte das totale Chaos. Einige Polizisten redeten mit dem größten der Männer in Schwarz. Andere rannten wild durcheinander und brüllten etwas in Walkie-Talkies. Felix holte tief Luft. Dann marschierte er in den Flur hinaus und schlenderte, so lässig er konnte, zur Vorderseite des Schulgebäudes. *Natürlich werden sie niemals darauf hereinfallen,* dachte er. Aber es war seine einzige Chance. An der Eingangstür der Schule entdeckte er einen ganzen Trupp der schwarz gekleideten Einsatzkräfte. Er vermied es, ihnen zu nahe zu kommen, und entschied sich stattdessen für einen der Polizisten.

»Hey, Sie da!«, kommandierte Felix mit seiner rauesten Stimme. Der Beamte wirkte erschrocken.

»Ich?«

»Ich, *Sir,* heißt das!«, korrigierte ihn Felix

»Jawohl, Sir!« Der Polizist salutierte vor Felix.

»Was geht hier vor?« Felix hörte sich langsam schon ganz so an wie sein Vater. »Ich habe eine ganze Einheit, die das Gelände sichert, und Sie richten hier ein derartiges Chaos an.« Während er an dem Beamten vorbeimarschierte, plappert er weiter drauflos. Er war überrascht, wie einfach sie sich täuschen ließen. Der

Polizist folgte ihm zum Tor, wobei er Entschuldigungen stammelte. »Bringen Sie das wieder in Ordnung. Wer hat die Schlüssel zu diesem Fahrzeug? Finden Sie ihn!«

Sie kamen an dem Streifenwagen vorbei, ohne dass Felix stehen blieb. Der Polizist verbeugte sich fast vor Felix, bevor er davonschoss. Felix lief weiter: durch das Tor und hinaus auf den Gehweg, wo er den dort wartenden Polizisten weitere sinnlose Befehle zurief. Dann marschierte er die Straße hinunter, bog um die Ecke und begann endlich zu rennen – so schnell er konnte und bis er nach Luft japste.

Eine Weile lang stolperte er einfach nur zusammengekrümmt weiter, dann rannte er noch ein Stück. Er riss seine Jacke und seine Skimaske herunter, befreite sich von seinem Pullover und kam schließlich torkelnd und völlig außer Puste zu Hause an. Der Schlüssel zitterte in seiner Hand.

Im Haus warteten bereits seine Eltern auf ihn. Ihre mörderischen Blicke nagelten ihn fest.

»Wo warst du?«, schrie seine Mutter.

»Und wo ist Jimmy?«, wollte sein Vater wissen.

KAPITEL 8

Jetzt zogen sich alle anderen Angreifer kreisförmig um Jimmy zusammen. Er hatte es nach draußen geschafft, aber nur bis auf den Schulhof. Er stopfte die Akten aus dem Schrank in seine Jackentaschen. Die Alarmanlage schrillte immer noch und erhielt nun zusätzlich Gesellschaft von heulenden Polizeisirenen. Jimmy warf einen Blick über die Schulter. Der Mann, den er mit den Glassplittern beworfen hatte, kletterte gerade aus dem Fenster. Kein guter Zeitpunkt, um loszurennen. Als der Mann vom Fenstersims herabsprang, schoss Jimmys Fuß durch die Luft. Der kräftige Tritt traf exakt den Körpermittelpunkt des Mannes und ließ ihn zu Boden gehen.

Leichtfüßig wie ein Tänzer wirbelte Jimmy herum, sprang auf das Fenstersims, packte die Oberkante des Rahmens und zog sich hoch. Rasant kletterte er an der Fassade des Gebäudes hinauf. Alle blickten zu ihm hoch, die Lichtkegel der Lampen an ihren Köpfen bündelten sich auf Jimmys Rücken.

Er spannte die Armmuskeln und schwang sich im zweiten Stock von Fenster zu Fenster. Dabei hielt er sich an den winzigen Rissen in der alten Ziegelmauer fest. Seine Finger wurden ganz weiß unter dem Druck.

Er hatte jetzt die Seitenwand des Gebäudes erreicht. Sein Gesicht war dicht an die Mauer gepresst, trotzdem nahm er die Lichtkegel auf der Hinterseite seines Kopfes wahr.

Plötzlich wanderten alle Lichtstrahlen nach oben. Ihrem hellen Schein mit dem Blick folgend, entdeckte Jimmy drei Seile, die wie fliegende Schlangen vom Dach herabfielen. An ihren oberen Enden tauchten schwarze Gestalten auf und Jimmy hörte das Geräusch von drei sich abseilenden Männern. Sie kamen zu ihm herabgeschossen und hielten dann mit einem Ruck gleichzeitig auf Jimmys Höhe. Er saß in der Falle.

Doch dann wurde Jimmy schlagartig klar, warum sein Körper ihm diese Kletterpartie befohlen hatte. Unter ihm hatte sich ein Trupp von Männern versammelt, und zwar *innerhalb* des Zaunes, der das Schulgelände umgab – hier lag seine Chance.

Er ging in die Knie, löste seine Hände von der Wand und ließ sich langsam nach hinten fallen. Noch während er das tat, dachte er: *Was du da vorhast, ist natürlich absolut unmöglich.* Doch dann, genau am Kipppunkt, stieß er sich mit seinen Beinen kräftig ab.

Das katapultierte ihn in einem Rückwärtssalto durch die Luft, über die verblüfft und reglos zu ihm hinaufstarrenden Männer. Jimmy streckte die Arme gerade rechtzeitig aus, um das kalte Drahtgeflecht des Zauns zu packen. Einen Augenblick verharrte er in einem perfekten Handstand oben auf dem Zaun.

Dann riss ihn sein Schwung weiter, er überschlug sich und kniff das Gesicht zusammen, als er auf der anderen Seite gegen den Zaun donnerte. Einen kurzen Augenblick lang sah er sich einem Soldaten mit weit aufgerissenem Mund direkt gegenüber, nur durch das Drahtgeflecht getrennt. Dann ließ Jimmy los und landete auf den Füßen. Er grinste breit in den Schein der Kopflampe des Soldaten, dann rannte er los.

Und als die Einsatzfahrzeuge endlich startbereit waren, war schon keine Spur von Jimmy mehr zu entdecken.

Wieder lief er alleine durch die Nacht.

Eigentlich hätte es ganz leicht sein sollen, dachte er. Einfach zur Schule gehen, die Fensterscheibe einschlagen und mit der Adresse wieder verschwinden. Zumindest hatte es Felix so dargestellt. Jimmy schüttelte den Kopf. Es war wirklich bescheuert von ihm gewesen, sich auf einen so dämlichen Plan einzulassen. *Von jetzt an*, dachte er, *werde ich nur noch meinen eigenen Entscheidungen folgen*. Aber dann fiel ihm ein, dass er gar nicht die volle Kontrolle über sich hatte. Jimmy brauchte Felix nicht, um in Schwierigkeiten zu geraten – das bekam er schon ganz gut allein hin.

Armer, chaotischer Felix. Einer nach dem anderen verschwanden die wichtigsten Menschen aus Jimmys Leben – seine Eltern, seine Schwester und jetzt auch noch sein bester Freund. Würde er jemals einen von ihnen wiedersehen?

Ein Schluchzen stieg in seiner Brust empor und er ließ sich an einen Briefkasten gelehnt zu Boden sinken. Die Farbe des Kastens wurde von dem sternlosen Himmel und dem künstlichen orangefarbenen Licht gedämpft. Einen Moment lang schloss er die Augen, als würde er in seinem eigenen Kopf nach irgendetwas suchen. War er wieder ganz er selbst? Oder war da immer noch etwas in ihm, das ihn kontrollierte, ihn steuerte, für ihn dachte? Es wurde immer schwieriger, das zu unterscheiden.

Er griff in seine Jackentaschen und zog zwei Hände voll mit Akten hervor. Zuerst studierte er das einzelne Blatt, das Felix ihm zugeworfen hatte: das mit den Adressen seiner Lehrer. Ganz oben stand seine Klassenlehrerin, Miss Bennett. Er starrte auf das getippte Blatt und riss dann überrascht die Augen auf. Miss Bennett wohnte ganz in der Nähe seines Elternhauses – von dem er mittlerweile glaubte, dass er vielleicht nie wieder dorthin zurückkehren würde.

Es hatte zu nieseln begonnen. Der feine Regen mischte sich mit seinem Schweiß und weichte das Papier in seinen Händen auf. Noch immer hielt er das Bündel Akten umklammert – es waren die Beurteilungen schulischer Leistungen für fast das gesamte Schuljahr.

Er blätterte sie rasch durch, wobei er sich die Gesichter der ihm bekannten Schüler vorstellte, bis er auf das einzige Blatt stieß, das seinen Namen trug: Es war ein verdammter Verweis.

Erst letzte Woche hatte sich Jimmy geweigert, ins

Schwimmbecken zu steigen, und Mr Chase hatte ihn deswegen angeschrien. Jimmy hasste es nun mal, im Wasser herumzupaddeln und dabei verzweifelt nach Luft zu schnappen, und er sah keinen Grund, warum er sich dazu zwingen sollte. Er war eben kein Schwimmer, na und? Zuerst hätte er beinahe gelächelt – denn dieser Verweis würde nun nie bei ihm zu Hause eintreffen. Doch dann überschwemmte ihn eine Welle der Traurigkeit; so etwas Alltägliches wie Schule schien plötzlich in weite Ferne gerückt.

Jimmy stemmte sich vom Pflaster hoch und wischte seine Hände an den Hosen ab. Er ließ die Akten aus den Fingern gleiten. Sie trieben im Wind davon, während er weiterrannte.

Miss Bennetts Haus war überraschend groß. Nicht dass Jimmy sich eine genaue Vorstellung davon gemacht hätte, doch es war deutlich größer als das Haus seiner Familie. Und so schlich Jimmy wieder einmal leise eine Auffahrt hinauf, um mitten in der Nacht an jemandes Tür zu klingeln.

Miss Bennett war eine hübsche Frau und jünger als die meisten von Jimmys Lehrern. Sie gehörte auch zu den Beliebtesten: freundlich und fair, aber manchmal auch streng, wenn es darum ging, Unsinn zu unterbinden. Sie war immer schick gekleidet und wirkte sehr elegant. Selbst als sie jetzt an die Tür kam, wirkte sie ruhig und gefasst, und ihr langes, braunes Haar fiel ihr wie frisch frisiert über die Schultern. In ihrem weißen seidenen Morgenmantel stand sie wie eine Statue vor Jimmy.

»Jimmy Coates«, sagte sie. »Du kommst besser herein.«

Er folgte ihr in die Küche, wobei er heimlich Blicke in die dunklen Räume warf, die alle perfekt aufgeräumt und makellos sauber waren. Schon bald wärmte Jimmy seine Hände an einer Tasse heißem Kakao, allerdings ohne dass sie dadurch zu zittern aufgehört hätten.

»Hast du dich geschnitten?«, fragte Miss Bennett. Jimmy strich mit dem Finger über den tiefen Schnitt in seinem Handgelenk.

»Ja, hab ich«, erwiderte er.

Nachdem Jimmy wieder einmal die Ereignisse der letzten Zeit geschildert hatte, einschließlich seiner kürzlichen Flucht, nickte Miss Bennett unbeeindruckt. Sie musterte Jimmys schmutziges Gesicht und sagte schließlich: »Du hast mir noch nicht verraten, warum diese Leute hinter dir her sind. Oder was du vermutest.« Er wusste nicht, was er erwidern sollte. Miss Bennett fuhr fort: »Wenn du die Gründe dafür kennst, warum sie dich verfolgen, dann können wir herausfinden, wer diese Leute sind.«

»Oh, ich bin mir ziemlich sicher, dass es die Polizei ist. Ich habe Ihnen doch erzählt, dass Sergeant Atkinson versucht hat, mich durch einen Trick im Revier festzuhalten.«

»Ja, aber die meisten Polizisten tragen keine Anzüge. Jedenfalls nicht im Dienst. Und sie benutzen auch keine schwarzen Autos; sie fahren Streifenwagen, oder, Jimmy?« Er hatte vergessen, den grünen Streifen auf den Wagen zu erwähnen. »Es klingt ganz so, als würde die Polizei nur jemand anderem bei der Suche nach dir helfen. Bist du wirklich sicher, dass du nicht weißt, warum?«

»Also, ich glaube, es hat mit den Dingen zu tun, die ich plötzlich tun kann.«

»Mit all deinen erstaunlichen neuen Fähigkeiten?«, fragte sie und zog dabei eine Augenbraue nach oben. »Du weißt, dass der Körper in Stresssituationen zu außergewöhnlichen Leistungen imstande ist. Du hast sicher schon von Adrenalin gehört?« Jimmy antwortete nicht. »Aber natürlich finde ich es beunruhigend, dass deine Eltern weggebracht wurden und deine Schwester weggelaufen ist. Daher werde ich tun, worum du mich bittest. Ich frage meine Kollegen, ob sie etwas wissen. Aber ich denke, du solltest das Ganze niemand anderem gegenüber erwähnen.«

»Warum nicht?«

»Da du nicht weißt, wer diese Leute sind, kannst du dir nicht sicher sein, wer noch alles auf ihrer Seite steht. Wer wusste beispielsweise davon, dass du heute Nacht in die Schule einsteigen wolltest?«

»Niemand, nur Felix und ich. Na ja, vielleicht auch seine Mum, wenn sie uns belauscht hat.«

»Es klingt ganz so, als hätten diese Männer gewusst, dass ihr kommt, oder? Hör zu, du kannst eine Weile hierbleiben, wenn du möchtest. Es ist zwar nicht sehr unterhaltsam, aber es ist in jedem Fall sicher.«

»Danke, aber ich gehe lieber wieder zurück zu Felix.«

»Und was ist mit heute Nacht?«

»Wenn seine Eltern aufwachen und wir beide verschwunden sind, machen sie sich vielleicht Sorgen. Und wenn ich dort bin, kann ich ihnen zumindest erklären, dass Felix wahrscheinlich im Gefängnis sitzt.«

»Sicher haben seine Eltern geahnt, dass es früher oder später so kommen musste.«

Sie erhob sich, ging hinüber ins Wohnzimmer und ließ die Verbindungstür offen stehen. Sie griff nach dem Telefon und sagte laut: »Ich rufe dir ein Taxi. Wie ist die Adresse?« Jimmy nahm einen Schluck heißen Kakao und verbrannte sich die Zunge, bevor er antwortete.

Jimmy wusste, dass etwas Außergewöhnliches in seinem Körper vorging: Es war nicht einfach nur das Adrenalin. Er nickte, während Miss Bennett ihm noch ein paar tröstliche Worte mit auf den Weg gab. Sie wollte nett sein, das war ihm klar, dennoch hatte er ein unbehagliches Gefühl. Er war froh, bald wieder bei den Muzbekes zu sein.

»Felix, da bist du ja!« Es war schon spät in der Nacht, aber als Jimmy klopfte, öffnete ihm Felix, und auch alle anderen im Haus waren auf. Wieder saßen sie in der Küche, und Jimmy konnte sehen, dass die Muzbekes sich schon vor seinem Eintreffen eine ganze Weile hier aufgehalten hatten.

»Ich dachte, die hätten dich festgenommen.«

»Und ich dachte, du bist tot«, gab Felix trocken zurück.

Neil und Olivia Muzbeke sahen Jimmy mit ausdrucksloser Miene an, während er sie entschuldigend anlächelte. »Es tut mir leid«, murmelte er. »Es war mein Fehler.«

»Oh, Jimmy, komm her.« Felix' Mutter streckte ihre Arme aus und umarmte ihn fest, sodass er fast befürchtete, zerdrückt zu werden. Er war schon eine ganze Weile her, seit Jimmy so umarmt worden war. Es war beinahe so, als würde ihn seine eigene Mutter drücken.

Felix Vater stieß einen lauten Seufzer aus. »Wir haben uns Sorgen um dich gemacht, Jimmy«, dröhnte er mit seiner Bassstimme. »Felix hat uns erzählt, was passiert ist. Kannst du in Zukunft solche Entscheidungen bitte uns überlassen?«

Jimmy löste sich aus der Umarmung und starrte auf seine Füße hinab. »Ich war bei Miss Bennett. Sie will uns helfen.«

»Super! Genial.« Felix reckte eine Siegerfaust.

»Felix! Beruhige dich und geh ins Bett.«

»Ja, Mum.« Er setzte eine beleidigte Miene auf, zwinkerte Jimmy aber noch kurz zu, bevor er sich trollte. Doch kaum hatte er die Tür erreicht, flog sie von selbst auf, und ein gewaltiges Heulen ertönte. Der ganze Raum vibrierte und das Geräusch wurde immer lauter. Ein Teller fiel vom Geschirrständer und zersplitterte auf dem Boden.

»Was ist das?«, rief Olivia. »Was geht hier vor?«

»Haben Sie die Polizei gerufen?«, schrie Jimmy. Felix wirbelte herum.

»Mum, du hast versprochen, dass du das nicht machst! Du hast es versprochen!« Seine Mutter saß einfach nur da, sie wurde ebenso wie die anderen von den gewaltigen Vibrationen erschüttert. Das Geräusch war jetzt ohrenbetäubend, ein schrilles Kreischen gemischt mit einem dumpfen Schwirren. Felix' Vater sprang auf und packte die Rückenlehne seines Stuhls. Über den Tisch hinweg schrie er seine Frau an: »Hast du die Polizei verständigt, Olivia? Hast du dort angerufen?«

»Nein, ich ...«, stöhnte sie, brachte den Satz aber nicht zu Ende. Jimmy rannte um den Tisch herum und blickte aus dem Fenster. Der hintere Garten war verlassen, aber alle Pflanzen wurden von einer gewaltigen Windböe flach auf den Boden gepresst. Und plötzlich wurden sie auch noch von einem Scheinwerferkegel grell angestrahlt. Das weiße Licht überflutete den Garten und strömte bis in die Küche.

»Hau ab, Jimmy. Vorne raus.« Felix' Stimme klang ruhig und mit einer Hand beschirmte er seine Augen vor dem grellen Lichtschein.

Jimmy lächelte. »Danke, Felix«, sagte er. »Wir sehen uns.« Dann stürmte er aus der Küche. Während er durch die Tür schoss, hörte er noch Felix' Mutter.

»Wer sind die?«, schrie sie. »Wer sind diese Leute? Wer verfolgt dich?« Doch ihm blieb keine Zeit zu antworten. Er rannte geduckt ins Wohnzimmer, dessen Fenster zur Straße rausgingen. Ohne das Licht einzuschalten, robbte er über den Teppich zum Fenster und hob vorsichtig eine Ecke des Vorhangs. Auch die Vorderseite des Hauses war in grelles Scheinwerferlicht getaucht. Die Straße war voller Fahrzeuge – schwarze Wagen standen im Halbkreis um das Haus.

Trupps von schwarz gekleideten Männern quollen aus den Wagen, sie liefen geduckt und hielten in dem heftigen Wind ihre Jacken fest. Einige trugen Anzüge, andere waren gekleidet wie die Männer in der Schule: Sie steckten in schwarzen Kampfanzügen. Diesmal waren sie bewaffnet. Sie hatten Gewehre mit langen schmalen Läufen bei sich, die alle direkt auf das Haus gerichtet waren. Dann bemerkte Jimmy die Markierung auf dem Heck der Fahrzeuge – auf jedem befand sich ein dünner, grüner Streifen. In seinem Kopf hallte wieder, was Felix' Mutter geschrien hatte: *Wer sind diese Leute?*

Jimmy entfernte sich kriechend vom Fenster. Erleichtert fühlte er, wie sich in seinem Inneren die Energie regte. Seine Müdigkeit wich im Nu und er war wieder voller Kraft. Er vertraute darauf, dass seine mysteriösen Fähigkeiten ihn retten würden. Er benötigte sie jetzt mehr als je zuvor.

Während er aus dem Zimmer kroch, drehte er sich noch einmal zum Fenster. Da waren sie, genau wie er es erwartet hatte: Zwei wendige Hubschrauber surrten draußen wie böse Wespen. Sie schwebten eine Sekunde lang genau auf Höhe des Hauses, wobei sie leicht schwankten und ihre Landekufen wie Klauen wirkten. Dann schoss einer nach oben, um eine Position über dem Haus gegenüber einzunehmen. Sein gleißendes Scheinwerferauge strahlte herab und direkt ins Wohnzimmer. Der andere Helikopter neigte sich leicht zur Seite und schwebte davon. Er landete auf der Straße, wobei ihm die schmale Häuserschlucht gerade eben genug Platz bot. Jimmy schluckte.

Er rannte zurück in den Flur. Alle drei Muzbekes standen wie angewurzelt da.

»Runter!«, rief Jimmy ihnen zu. »Sie beide legen sich flach auf den Boden. Felix, du kommst mit mir.« Gemeinsam sprinteten sie die Stufen hinauf in Felix' Zimmer.

»Ich hab dir doch gesagt, du sollst abhauen«, sagte Felix.

»Unmöglich. Aber du kannst mir helfen.«

»Jimmy, die haben Gewehre. Die werden dich erschießen.« Jimmy dachte rasch nach.

»Hör zu, keine Ahnung, woher ich das weiß, aber ich glaube, es sind nur Betäubungsgewehre.« Er schaute Felix ins Gesicht und entdeckte dort anstelle des üblichen Lächelns einen Ausdruck nackter Angst.

»Was?«

»Die Läufe sind lang und schmal, anders als bei normalen Gewehren. Ich glaube, die sind nur mit Betäubungspfeilen geladen, um mich bewusstlos zu machen.«

»Du meinst, du *hoffst*, dass sie nur mit Betäubungspfeilen geladen sind.«

»Nein, schließlich hätten sie mich ja schon in der Schule töten können. Sie hatten freie Schussbahn. Und ich war ein leicht zu treffendes Ziel.«

»Was willst du damit sagen?«

Der Lärm draußen ging unvermindert weiter. Jimmy spürte ein Lächeln in sich aufsteigen, unterdrückte es aber. »Sie wollen mich lebend.«

Draußen warteten die Männer. Sie hatten ihre Positionen eingenommen und duckten sich hinter der kniehohen Gartenmauer. Sie brannten darauf, das Haus zu stürmen. Einige zielten mit ihren Gewehren auf die Eingangstür, andere auf die Fenster.

»Geht kein Risiko ein«, hörten sie eine Stimme durch ein Megafon dröhnen. »Wir wissen, wozu er imstande ist. Wenn ihr freie Schussbahn habt, nutzt sie. Setzt ihn außer Gefecht.«

Während die Rotorblätter des gelandeten Helikopters weiter kreisten, hielt der andere oben in der Luft seinen Suchscheinwerfer unverändert aufs Haus gerichtet. Der hintere Garten war inzwischen voller Männer, die auf dem Bauch liegend auf das Haus zurobbten.

Plötzlich flog die Eingangstür auf. Ihr Zielobjekt kam herausgerannt, die Arme über dem Gesicht verschränkt und eine Baseballkappe auf dem Kopf. Jimmys Jacke wehte im Wind, genau wie bei seinem Sprung von der Fassade des Schulgebäudes. Er war gerade zwei Schritt gegangen und hatte den Vorgarten halb durchquert, da ertönte ein leises *Plopp* und ein Betäubungspfeil traf seinen Hals. Er taumelte noch zwei Schritte weiter, dann senkte sich die Dunkelheit über ihn. Er fiel auf die Knie und kippte nach vorn.

Ein Mann rannte in Richtung des bewusstlosen Jungen. Er ging dabei äußerst wachsam vor und hielt sein Gewehr schussbereit. Als er ihn erreichte, kniete er sich neben ihn. Er nahm seine linke Hand vom Gewehr und drehte den Jungen um.

Ein weiterer Ruf tönte durch das Megafon: »Können Sie ihn identifizieren?«

Er starrte in das Gesicht, das aus dem Gras zu ihm aufblickte. Dann zog er dem Jungen die Kappe vom Kopf. Der Mann drehte seine Hand. Auf der Innenseite seines linken Handschuhs, knapp über dem Handgelenk, steckte ein unscharfes Foto von Jimmy. Feiner Nieselregen bedeckte die Plastikhülle. Er blickte von dem Gesicht zu dem Foto und sprang auf.

»Negativ!«, rief er, aber niemand konnte ihn hören. Er winkte wild und schüttelte den Kopf. »Negativ!«, wiederholte er. Er blickte zu der Reihe von Scharfschützen, die auf das Haus zielten. Hinter ihnen bewegte sich etwas. Eine Gestalt, die eigentlich nicht dorthin gehörte, rannte die Straße entlang. Der Mann drehte sich wieder zum Haus: Das Fenster des Wohnzimmers war eingeschlagen. Dann schaute er erneut zu dem im Gras liegenden Felix. Sein schlafendes Gesicht schien zu lächeln.

»Da drüben! Schnell!«, schrie der Mann. Er zeigte in

die entsprechende Richtung und zielte mit seinem Gewehr. Doch er war zu langsam und Jimmy rannte zu schnell. Das ganze Team wirbelte herum, und verdutzt sahen sie einen zweiten Jungen – diesmal den richtigen – davonlaufen.

Jimmy war immer noch in Schussweite, sprang aber wild von einer Seite zur anderen, um den Betäubungspfeilen auszuweichen, die links und rechts an ihm vorbeizischten. Er hörte sie beunruhigend dicht an seinen Ohren vorbeipfeifen, und ihm wurde klar, dass er es niemals bis zum Ende der Straße schaffen würde. Mindestens zwanzig Männer waren ihm jetzt auf den Fersen, die beständig auf ihn schossen, und jetzt sprangen auch noch die Motoren ihrer Wagen an. Ihm blieb nur ein Ausweg.

Der Helikopter stand nicht weit weg entfernt und die Rotorblätter kreisten noch. Wenn Jimmy es bis dorthin schaffte ... Aber der Pilot saß im Cockpit. Er beobachtete, wie Jimmy näher kam. Durch den Nieselregen bemerkte er das Glitzern in seinen Augen und erkannte, was Jimmy vorhatte. Der Pilot fuhr aus seiner entspannten Wartehaltung hoch und beugte sich über die Instrumententafel. Der Rotor nahm jetzt Tempo auf. Das Dröhnen schwoll zu ohrenbetäubender Lautstärke an, während Jimmy sich durch die Windböen näherte. Sanft hoben sich die Kufen des Helikopters vom Asphalt, doch ihm blieb nicht viel Raum zum Manövrieren. Er war zwar wendig, trotzdem hatte es viel Geschick erfordert, in dieser engen Häuserschlucht zu landen. Und auch beim Start konnte er nicht ohne Weiteres senkrecht nach oben schießen.

Die heftigen Windböen bremsten Jimmys Tempo, aber seine Beine waren stark, und sie bewegten sich energischer denn je. Der Helikopter schwebte Zentimeter für Zentimeter nach oben. Jimmy war jetzt nur noch ein paar Meter entfernt. Betäubungspfeile, die ihn nur um Haaresbreite verfehlten, klirrten gegen das Metall der Maschine. Lag es am Wind, oder war es einfach nur Glück, dass sie ihr Ziel verfehlten?

Endlich war Jimmy nahe genug. Er sprang in die Luft, und während der Hubschrauber nach oben schoss, packte er mit beiden Händen eine der Kufen. Unter seinem Gewicht sackte der Helikopter wieder ein Stück nach unten, aber ohne dass Jimmys Füße den Boden berührt hätten. Regen, Schmutz und Schweiß machten seine Hände rutschig; und Betäubungspfeile umschwirrten ihn, bis sie sich endlich ein ganzes Stück über den Hausdächern befanden. Der Pilot starrte in einer Mischung aus Ärger und Panik in Jimmys Gesicht. Er brüllte etwas in sein Mikro.

Jimmy zog sich hoch und schob den rechten und dann den linken Ellbogen über die dicke Metallstange. Doch der Pilot sah ihn kommen. Der Helikopter senkte die Nase und Jimmy rutschte ab. Er konnte sich mit Mühe festklammern und knallte gegen die Unterseite des Hubschraubers. Dann riss der Pilot den Steuerknüppel in die andere Richtung, was den Helikopter in eine wilde Schaukelbewegung versetzte.

Der Gegenwind zerrte an Jimmys Körper, aber er hielt stand. Mit einer neuerlichen Kraftanstrengung hievte er sich empor, das Gesicht vor Entschlossenheit verzerrt. Es gelang ihm, ein Bein über die Kufe zu werfen und sich mit dem rechten Fuß einzuhaken. Aus dieser Position konnte er sich hinaufziehen und ins Cockpit gelangen.

Obwohl er deutlich kleiner war als der Pilot, schien Jimmy doppelt so stark zu sein. Er riss dem Mann den Helm herunter und schubste ihn von seinem Sitz. Für einen Augenblick starrte der stürzende Pilot hinauf in den Himmel, dann zog er die Reißleine seines Fallschirms.

Regentropfen schlugen gegen die Glaskanzel und wurden sofort wieder weggeblasen. Die Rotorblätter erzeugten einen kleinen Tornado. Und Jimmy saß genau in dessen Mittelpunkt. Der Helm war ihm zu groß, immer wieder rutschte er ihm in den Nacken oder über die Augen. An dem Helm war ein gebogenes Mikrofon befestigt, das ihm ständig gegen die Nase schlug. Immerhin hatte er eingebaute Kopfhörer, die den größten Teil des Lärms abhielten. Doch Jimmys Kopf dröhnte nicht nur vom Fluglärm. Er saß mutterseelenalleine in einem hoch in der Luft schwebenden Helikopter. Und er musste erneut schlucken, als ihm klar wurde, dass er möglicherweise gerade keine Betriebsanleitung für dieses Ding zur Hand hatte.

KAPITEL 9

Jimmy starrte auf die Bedienelemente vor sich: Schalter, Leuchtanzeigen, Messinstrumente, Computermonitore und ein schwerer Steuerknüppel. Sie reichten bis oben über seinen Kopf und waren rund um ihn herum angebracht, als könne er von hier aus nicht nur fünf weitere Helikopter fernsteuern, sondern auch eine Spülmaschine, einen Fernseher und eine Mikrowelle. Gleich links von ihm befanden sich vier Schalter in einer Reihe, über allen war das Bild einer Rakete angebracht; und es gab einen kleinen runden Computerbildschirm, über den verschiedene digitale Anzeigen flackerten. Doch am auffälligsten war der grüne Streifen, der an einer freien Stelle im Cockpit angebracht war und etwa die Größe eines Schalters hatte.

Während Jimmy auf die verwirrenden Instrumente starrte, schwankte die Maschine seitlich im Wind. Dann begann sie in den Sinkflug überzugehen. Jede Sekunde konnte Jimmy am Boden zerschellen und von einem Berg qualmender Trümmer begraben werden. Der Helikopter hüpfte wie ein flach über den Teich geworfener Kiesel.

Doch langsam begann er in dem Labyrinth der Bedienelemente einen Sinn zu erkennen. Es war wie eine Erinnerung, die zurückkehrte. Die merkwürdige rhombenförmige Form des Hubschraubers kam Jimmy plötzlich vertraut vor; Begriffe wie *Motordrehmoment* und *Magnetkompasskurs* zuckten durch seinen Kopf. Dann begannen seine Hände zu kribbeln, weil das Blut wieder in ihnen zirkulierte. Und bevor Jimmy es noch richtig wahrnahm, flogen seine Finger bereits über die Konsole. Der Helikopter hörte auf zu schwanken und Jimmys Hände griffen nach dem Steuerknüppel. Er wusste, wie man flog. Er hatte keine Ahnung woher, aber er wusste es. Es war wie bei den Gewehren vor Felix' Haus: Ihm war intuitiv klar gewesen, dass sie lediglich Betäubungspfeile enthielten, und er hatte recht behalten. Das Gewicht des Helikopters verlagerte sich. Jetzt schwebte er wieder nach oben in den Himmel.

Zwei LHTEC-950-Wellenleistungstriebwerke, lagerloser fünfblättriger Hauptrotor, Heckrotor-Drehmomentausgleich – eine Million technischer Ausdrücke schossen Jimmy durch den Kopf. Er wusste nicht nur, wie man fliegt, er wusste auch, dass er sich in einem *PAH 62 Comanche* befand, dem Fortgeschrittensten, was die Flugtechnologie zu bieten hatte.

Jimmy studierte den Computermonitor. Er zeigte eine farbige Simulation des Helikopters und seiner Umgebung. Sobald Jimmy den Steuerknüppel nach vorne drückte, senkten sich die Flugbahn des Helikopters und die seines virtuellen Abbilds. Unglücklicherweise war auf dem Monitor aber nicht nur ein Helikopter zu sehen. Da flog noch ein weiterer – und zwar viel zu dicht hinter ihm.

Jimmy ging in den Sturzflug über, schoss knapp über Hausdächer hinweg, streifte Fernsehantennen und Satellitenschüsseln. Die Gebäude wurden jetzt immer höher und in einiger Entfernung bot sich Jimmy der spektakuläre Anblick der Londoner Docklands. In halsbrecherischer Geschwindigkeit schoss er zwischen den Wolkenkratzern hindurch, die nun, da er den Nordosten Londons verließ und die City erreichte, immer zahlreicher emporragten. Seine Verfolger waren ihm immer noch auf den Fersen.

Dann sah er unter sich die Themse. Jimmy ging noch ein Stück tiefer, flog so dicht über dem Fluss, wie er konnte. Die Kufen streiften die Wasseroberfläche, und Jimmy musste rostigen Barken und nächtlichen Partyschiffen voller betrunkener Feierwütiger ausweichen. Der Luftwirbel des Rotors peitschte das Wasser rund um ihn auf. Der andere Helikopter war weiter dicht hinter ihm. Und er holte immer noch auf.

Sie schossen über die Themse hinweg, als wäre es eine Rennstrecke. Jimmy blieb tief, doch dann sah er, wie die Tower Bridge auf ihn zukam. Der andere Pilot hinter ihm zog seine Maschine nach oben, um über die Brücke hinwegzufliegen. Doch Jimmy behielt seinen Kurs bei und jagte unter der Brücke hindurch. Es war eine äußerst knappe Angelegenheit. Für einen Augenblick konnte Jimmy die metallenen Brückenpfeiler um sich herum dröhnen hören.

Er hatte sich einen kleinen Vorsprung verschafft, doch das half ihm nicht wirklich weiter. Denn hier ging es schließlich nicht darum, ein Wettrennen zu gewinnen, sondern er musste seinen Verfolger, wer auch immer es war, ein für alle Mal loswerden. Er düste dahin wie ein Überschalljet, surrte über Brücken hinweg oder tauchte unter ihnen hindurch. Sie näherten sich rasend schnell: Erst kamen zwei gleich hintereinander, dann der graue Streifen der Millennium-Fußgängerbrücke, und schließlich noch eine weitere. Er kannte ihre Namen nicht; aber vermutlich hätte seine Schwester sie ihm sagen können, wäre sie hier gewesen.

Ein Lächeln kroch auf Jimmys Gesicht, und er begann, das Tempo und den Flug zu genießen. *Im Grunde ist es egal, wie nahe sie mir kommen,* dachte er. Er wusste, sie würden ihre Raketen nicht abfeuern, denn sie wollten ihn lebend. Dann kam ihm eine Idee.

Jimmy zog den Hubschrauber nach oben, flog haarscharf über die nächste Brücke hinweg und schüttelte dann mit einer ruckartigen Kopfbewegung seinen Helm ab. Er bog das Mikro um den Steuerknüppel und klemmte den Helm zwischen Knüppel und Instrumententafel. So blieb er fest in seiner Position und die Flugbahn des Helikopters stieg langsam aber kontinuierlich nach oben. Jimmy spähte seitlich hinunter auf das Wasser. Trotz seiner ganzen neuen Fähigkeiten hasste er die Vorstellung, schwimmen gehen zu müssen.

Er berührte den Computermonitor und ein Fadenkreuz tauchte auf. Mit seinem Finger bewegte er es vorsichtig auf einen Punkt im Wasser vor ihm. Dann drückte er zwei der Raketenschalter. Schlagartig blinkten alle Lichter auf der Kontrolltafel und der *Comanche* vibrierte heftig. Zwei Feuerstreifen wanden sich vor ihm durch die Luft. Die Raketen wichen der nächsten Brücke aus, eine schoss darüber hinweg, die andere darunter hindurch, dann tauchten sie in den Fluss.

Vor sich sah Jimmy das Parlamentsgebäude und auf dem anderen Ufer das gewaltige *London Eye*. Beide Bauwerke waren hell erleuchtet und boten einen grandiosen Anblick. Doch Jimmy blieb keine Zeit, ihn zu bewundern – kaum eine Sekunde später explodierten unter Wasser die Raketen. Sie jagten eine gewaltige Fontäne in die Luft, die ihm jede Sicht nahm. Hoffentlich hatte sie bei dem Helikopter hinter ihm denselben Effekt.

Nachdem er noch einmal die Position des Steuerknüppels kontrolliert hatte, ließ er sich seitlich aus der Kanzel fallen. Er tat das, ohne groß zu überlegen. Da die Explosion eine gewaltige Flutwelle erzeugt hatte, konnte er unter sich ohnehin kaum etwas erkennen. Sein Helikopter hielt weiter Kurs aufwärts, nun allerdings ohne Pilot, und der zweite folgt ihm blind – zwei mechanische Falken, die an Big Ben vorbei und dann weiter in Richtung Horizont segelten.

Genau wie Jimmy es geplant hatte, wurde sein Sprung von der enormen Gischtwelle verborgen. Allerdings stürzte er jetzt in die Tiefe wie ein Stein. Seine Eingeweide wurden nach oben gepresst. Alles in seinem

Kopf drehte sich, sein Magen hing ihm in der Kehle. Er ruderte wild, fiel aber schneller und tiefer als erwartet. Er war viel zu geschockt, um einen Schrei über seine Lippen zu bringen.

PLATSCH!

Er schlug auf dem Wasser auf und die Welt um ihn herum begann sich in Zeitlupe zu bewegen. Seine Beine wurden durch den Aufprall gestaucht; ein Sturz aus solcher Höhe hätte eigentlich alle seine Knochen zerschmettern müssen. Doch dann schossen Bilder von seiner Landung auf dem Betonboden vor seinem Haus durch Jimmys Kopf. Der Sturz würde ihn nicht umbringen.

Unter Schock schnappten seine Lungen ein letztes Mal nach Luft, bevor er untertauchte. Das Wasser war kalt – eiskalt. Es durchzuckte ihn wie ein elektrischer Schlag. Einen qualvollen Moment lang konnte er weder Arme noch Beine bewegen. Die Luft, die sich in seiner Jacke gefangen hatte, bremste ihn zunächst etwas, doch dann entwich sie langsam. Und während Luftblasen um ihn herum nach oben blubberten, sank Jimmy immer schneller. Er fühlt sich wie ein kompletter Blödmann, weil er ins Wasser gesprungen war – ein ertrinkender Blödmann.

Als er nach oben blickte, sickerten die Schatten irgendwelcher Objekt durch das Wasser zu ihm herab. Die Nacht war zu dunkel und das Wasser zu trübe von Schmutz und Schlamm, als dass er irgendetwas außer undeutlichen Schemen hätte erkennen können. Und selbst diese verschwanden, während er tiefer sank. Bald ging ihm die Luft aus. Wie lange war er jetzt schon unter Wasser? Dreißig Sekunden? Fünfzig? Länger? Er hätte keine Chance, wenn er sich weiter auf den Grund der Themse hinabsinken ließe.

Alles um ihn herum war schwarz. Seine Lungen wurden mit jeder Sekunde mehr zusammengengepresst, doch plötzlich kam Bewegung in seine Arme und Beine. Jimmy hasste Schwimmen, aber jetzt war er unter Wasser und hatte keine andere Wahl. Langsam begann das Blut wieder durch seine Arme und Beine zu pulsieren, während sie gegen das Wasser ankämpften. Er musste an die Oberfläche gelangen. Er musste Luft holen.

Seine Beine fühlten sich kraftvoll an und Jimmy war auf einmal kein bisschen panisch mehr. Da war wieder diese intensive Energie in seinen Muskeln. Sie arbeiteten völlig selbstständig. Und nun holten auch seine Arme aus, und sein ganzer Körper bewegte sich durchs Wasser, als wäre er schon immer ein Schwimmer gewesen. Doch es war ein langer Weg bis zur Oberfläche und die Strömung drückte ihn nach unten. Er konnte die Luft unmöglich länger anhalten. Er musste jetzt schon über eine Minute unter Wasser sein, wahrscheinlich sogar anderthalb Minuten. Es fühlte sich an wie Stunden. Seine Lungen schmerzten und schrien nach Luft. Sein ganzer Körper bäumte sich auf, arbeitete hart, brachte ihn langsam nach oben – aber es war zu spät.

Er konnte es nicht unterdrücken. Zu sehr brannte

und stach der Schmerz in seinen Lungen. Er war noch ein ganzes Stück von der rettenden Oberfläche entfernt, dennoch riss er den Mund auf und schnappte nach Luft. Er saugte Wasser ein. Ekelhaftes, schmutziges Themsewasser strömte in seine Lungen, und Jimmy war klar, dass er nun ertrinken würde.

Aber er täuschte sich. Er schloss die Augen und hörte auf zu schwimmen, doch nichts geschah. Er wurde nicht ohnmächtig, das Brennen in seinen Lungen verschwand, und ihm war nicht mehr schwindlig. Jimmy öffnete die Augen. Er atmete. Nur inhalierte er jetzt Wasser.

Neues Leben durchpulste jede Faser seines Körpers. Seine blauen Finger bekamen eine frische rosa Farbe. Er schwamm mit der Leichtigkeit eines Killerwals. Dann warf er seinen Körper herum und tauchte hinab zum Flussbett.

Obwohl es dort unten stockdunkel war, passten sich Jimmys Augen rasch an die Umgebung an. Er erspähte im Zwielicht außergewöhnliche Formen, die er bald als Haushaltsgegenstände identifizierte: Kühlschränke, altmodische Kinderwagen, Truhen – der Schrott von Jahrhunderten, den man in die Themse geworfen hatte.

Er glitt am Grund entlang, bis er auf die Ufermauer stieß, der er nach oben folgte. Allmählich wurde es heller um ihn herum. Er war schon fast an der Oberfläche, da fiel ihm etwas ins Auge. Er war sich nicht sicher, aber dort war etwas auf der Mauer, zwischen dem ganzen Moos und den Algen … doch durch seine kraftvollen

Schwimmstöße war Jimmy bereits daran vorbei. Hatte er sich das nur eingebildet? Oder hatte er an der Mauer tatsächlich einen grünen Streifen gesehen, etwa so lang wie er selbst?

WUUSCH!

Sein Kopf stieß durch die Wasseroberfläche.

Er trieb direkt neben einem Landungssteg. Jimmy streckte den Arm aus, um sich daran festzuklammern. Mit einem gewaltigen Husten würgte er einen Schwall widerwärtigen Wassers aus seiner Lunge. Dann zog er sich hoch auf den Steg, und für den Fall, dass ihn jemand gesehen haben sollte, schleppte er sich noch weiter bis zur Westminster-Brücke.

Er keuchte und seine Knie gaben immer wieder nach. Die lähmende Angst, verfolgt zu werden, erfüllte ihn. Es war, als würde ihn die Luft selbst zu umklammern versuchen. Er trug immer noch Felix' Klamotten, aber sie waren jetzt tropfnass, und die Nacht war kalt. Vergeblich zog er die Jacke enger um sich.

Auf der Themse war alles ruhig. Ein paar verstreute Gestalten glaubten, ein lautes Platschen gehört zu haben, aber als sie hinunter ans Flussufer kamen, war nichts mehr zu sehen. Die beiden kleinen schwarzen Helikopter waren längst verschwunden. Der Fluss strömte wieder gleichmäßig dahin; und nach ein paar Minuten trieb unter Jimmy ein Partydampfer hindurch.

Ein Bus dröhnte vorbei. Rund um Jimmy hatte sich eine Pfütze gebildet und er starrte hinein. Er saß dort und wartete darauf, dass ein paar erlösende Tränen kamen, bis sich irgendwann seine nassen Klamotten zumindest feuchtwarm anfühlten. Das London-Eye-Riesenrad schien ihn anzustarren. Es drehte sich langsam, und die Bewegung machte Jimmy ganz schwindlig, daher richtete er den Blick wieder auf den steinernen Boden der Brücke. Unter sich konnte er den Fluss sehen, ein dunkles Braun, auf dem sich die Lichter der nächtlichen City glitzernd spiegelten.

Es wirkte weniger wie ein Fluss, eher wie ein Meer. Während er auf den Strom starrte, flossen endlich auch die Tränen. *Alles ist besser als dieser Zustand*, dachte er. Was auch immer sie mit ihm vorhatten – ihn einsperren, an ihm herumexperimentieren, ihn im Zirkus vorführen –, es war allemal besser, als auf der Straße zu leben und jedes Mal vor ihnen wegrennen zu müssen. Die Erschöpfung tief in seinem Herzen riet ihm aufzugeben; schließlich war es ja nur diese merkwürdige Energie, die ihn immer weiter peitschte. Er wünschte sich, sie würde einfach wieder verschwinden. Sie schien sich immer mehr in ihm breitzumachen. Dagegen verblasste seine eigentliche Persönlichkeit allmählich, sie wurde von diesem Ding in ihm ausgelöscht.

War er es gewesen, der aus Felix' Haus geflohen war, oder hatte ihn diese Kraft dazu getrieben? Zum ersten Mal fiel es ihm schwer, zwischen seinen willentlichen Handlungen und denen seines sich verselbstständigenden Körpers zu unterscheiden. Wer hatte die Entscheidung getroffen, den Helikopter zu kapern? Er dachte an die Situation zurück, konnte sich aber nur noch an das Geräusch eines Schusses erinnern und wie Felix vor seinem Haus ins Gras gestürzt war.

Er starrte hinauf zu dem prachtvollen Parlamentsgebäude und fragte sich, ob irgendjemand da drinnen ihm helfen konnte. Die gotischen Zinnen glühten golden in der Nacht und Big Ben ragte wie eine startbereite Rakete empor. Doch der Gedanke machte ihn traurig, denn er musste an die letzten Nachrichten denken, die er zu Hause im Fernsehen gesehen hatte. Er schloss die Augen und stellte sich vor, wie er im warmen Wohnzimmer saß; über die Mattscheibe flimmerten die Bilder des Premierministers und dieses anderen Mannes, wegen dem seine Eltern sich immer stritten. Das war der Moment gewesen, in dem er die Kontrolle über sein Leben verloren hatte.

Die Morgendämmerung kroch am Horizont empor. Ein wunderschöner Sonnenaufgang vertrieb die Nacht. Als das Morgenlicht durch Jimmys Augenlider sickerte, streckte er sich. Die Stunden, die er an den kalten Stein der Westminster-Brücke gelehnt verbracht hatte, hatten seinen Körper ganz steif werden lassen. Seine Halswirbel knackten, als er den Kopf rollte. Er war glücklich, die Nacht überstanden zu haben, und die ganzen schrecklichen Träume waren bereits vergessen. Auf der Brücke herrschte ziemlicher Verkehr, obwohl es noch nicht mal neun Uhr war. Der Glockenturm von Big Ben schlug die Stunde und der Verkehr dröhnte vorbei, hauptsächlich Busse und Taxis. Jimmy wurden schlagartig drei Dinge bewusst: Er war immer noch ziemlich nass; er war verdammt hungrig; und er war von überall her bestens zu sehen. Er hätte nicht einfach einschlafen dürfen, ohne sich vorher ein sicheres Versteck zu suchen.

»Jimmy!« Als er seinen Namen hörte, krümmte sich sein Körper automatisch Schutz suchend zusammen, und sein Blick zuckte misstrauisch umher. *Das war's*, dachte er, *jetzt haben sie mich*.

KAPITEL 10

»Jimmy!« Die Stimme kam näher. Diesmal löste sie etwas in ihm aus. Doch es war kein mysteriöser Energieschub und auch keine Angst, sondern freudige Erleichterung. Er kannte diese Stimme. Er spürte, wie ein tonnenschweres Gewicht von seinen Schultern fiel und sich sein Gesicht zu einem strahlenden Lächeln verzog.

»Georgie!«, rief er glücklich, als seine Schwester auf ihn zurannte. Unfassbar, dass er so in seine Probleme versunken gewesen war, dass er die Stimme seiner Schwester nicht sofort erkannt hatte. Sie packte seine zitternde Hand und zog sie an sich.

»Du lebst!«, strahlte sie, dann runzelte sie die Stirn. »Du stinkst! Bist du etwa in die Themse gefallen? Weißt du denn nicht, was du dir da für üble Krankheiten holen kannst?« Jimmy antwortete nicht. Sosehr ihn sein neues Schwimmtalent auch verblüfft hatte, war er doch heilfroh, wieder aus dem Wasser zu sein. Es würde ihn wohl beträchtliche Überwindung kosten, sich an diese neue Fähigkeit zu gewöhnen.

Die Sonne schien ihm direkt ins Gesicht und er blinzelte zu Georgie hinauf. Sie war nicht allein. Hinter ihr bemerkte er ihre beste Freundin Eva. Sie winkte ihm zu und ihr rot-braunes Haar schwang um ihren Kopf. Und wer war das: ein Mann mittleren Alters, der sorgenvoll die Augenbrauen runzelte? Klar doch: Stanley Doren, Evas Vater.

»Oh, Jimmy, ich bin ja so froh, dich zu sehen. Wenn du nicht so nass wärst, würde ich dich sogar umarmen.« Georgie küsste ihn zärtlich auf die Wange. Doch das reichte Jimmy nicht. Er schlang seine Arme um sie und zog sie in eine nasskalte, aber freudige Umarmung.

Kurz darauf saß Jimmy in der U-Bahn und schlief, den Kopf an Georgies Schulter gelehnt. Selbst das Geratter des Zugs und die lautstarke Unterhaltung von Georgie, Eva und Evas Vater hinderte ihn nicht am Pennen. Immer noch tropfnass und nach Fluss stinkend hatte er den Mantel von Evas Vater über Felix Jacke gezogen, um sich warm zu halten. Das funktionierte zwar nicht wirklich, spielte aber im Augenblick keine große Rolle.

Bald darauf befand sich Jimmy erneut in einem Gästezimmer, trug einen geborgten Schlafanzug und benutzte eine nagelneue Zahnbürste. Und erneut ging er mitten am Tag ins Bett. Er schien so etwas wie eine nachtaktive Lebensweise anzunehmen. Georgie hatte ihn mit Fragen gelöchert; sie wollte unbedingt wissen, was geschehen war. Aber auch Jimmy war neugierig: Wieso waren sie auf der Westminster-Brücke gewesen? Und wo hatte Georgie gesteckt, seit sie sich zuletzt gesehen hatten?

Doch für den Augenblick mussten sie sich noch mit den Antworten gedulden. Denn Stanley Doren wollte keine weitere Aufregung, bis Jimmy sich gewaschen, abgetrocknet und etwas geschlafen hatte.

Die Dorens wohnten in einem wunderschönen Haus. Es war viel größer als das der Coates', es war sogar ein ganzes Stück geräumiger als das der Muzbekes. Es war einfach riesig. Eva war die Jüngste der Familie und hatte noch zwei wesentlich ältere Brüder. Beide hatten bereits ihren Universitätsabschluss, waren ausgezogen und taten, was ältere Brüder eben so taten. Also bot das Haus jede Menge Platz. Jimmy schlief im Zimmer eines der Brüder.

Jimmy erwachte mit Kopfschmerzen. Er war sich sicher, gerade einen weiteren Albtraum gehabt zu haben, obwohl er sich nicht daran erinnern konnte. Eva und Georgie warteten bereits auf ihn, als er nach unten kam. Er war nicht an so viele Räume, so viele verschiedene Türen, so viele Flure gewöhnt. Er hätte sich beinahe verlaufen.

»Warum seid ihr beiden nicht in der Schule?« Jimmy feuerte seine erste Frage ab, bevor die Mädchen etwas sagen konnten.

»Wir waren nicht mehr in der Schule, seit du weggerannt bist. Wir haben dich gesucht«, erklärte Eva und wirkte dabei leicht verärgert.

»Georgie ist diejenige, die weggerannt ist. Ich lag unter dem Wagen.«

»Unter dem Wagen? Was hast du da gemacht?« Georgie starrte ihn an, als wäre er nicht ganz dicht, und fuhr dann fort: »Wie auch immer, ich hab Eva die ganze Geschichte erzählt: von den beiden Männern, die dich mitnehmen wollten, von der Frau, die mich und Mum und Dad im Wohnzimmer festgehalten hat, während du aus dem Fenster geflüchtet bist – warum bist du eigentlich aus dem Fenster gesprungen? Und warum waren sie hinter dir her?«

»Sie *sind* immer noch hinter mir her, aber ich weiß nicht, wer sie sind …« Jimmy unterbrach sich selbst: »Hast du gesagt, die *Frau*, die euch im Wohnzimmer festgehalten hat?«

»Ja, sie hatte eine Pistole. Und Mum und Dad kannten sie, glaube ich. Jedenfalls waren sie ziemlich überrascht, sie zu sehen.«

»Aber ich habe ihre Schuhe gesehen. Sie trug Männerschuhe.« Jimmy konnte sich genau daran erinnern – ein zweites Paar Schuhe, das er unter dem Wagen hervor gesehen hatte. Das Muster darauf war deutlich zu erkennen gewesen und es waren eindeutig elegante Männerschuhe gewesen. Und er hatte sie vorher schon mal irgendwo gesehen.

»Ist doch egal«, unterbrach Georgie seine Gedanken. »Du musst uns alles erzählen, was passiert ist.« Und so verbrachte Jimmy eine lange Zeit damit, wieder einmal seine ganze Geschichte abzuspulen. Evas Eltern waren ebenfalls anwesend und sie hörten geduldig zu. Evas Mutter, Audrey Doren, servierte ihnen dazu winzige

Würstchen auf Zahnstochern und Karottenstreifen mit irgendeiner weißen merkwürdig aussehenden Soße zum Dippen. Jimmy mied die Karotten, fiel aber heißhungrig über die Würstchen her und hatte sie in kürzester Zeit alle vertilgt. Er spülte sie mit etwas Orangensaft hinunter.

Jimmy erzählte weiter, bis seine Kehle trocken wurde. Als er geendet hatte, stieß Evas Mutter die Tür auf und nahm wieder ihre Position am Küchenbuffet ein. Sie kam mit einem lauten Türschlagen herein, was Jimmy irritierte, da er gar nicht bemerkt hatte, dass sie hinausgeschlüpft war.

»Ich schätze, du brennst darauf, zu erfahren, was ich in der ganzen Zeit getan hab«, sagte Georgie.

Aber Eva fiel ihr jammernd ins Wort: »Das haben wir doch schon alles gehört. Jetzt wo wir ihn gefunden haben, können wir da nicht einfach wieder in die Schule gehen?«

»Klappe, ich will es ihm aber erzählen.« Georgie begann ihre Geschichte in einem mörderischen Tempo herunterzurattern. Jimmy musste sich schwer konzentrieren, um alles mitzubekommen.

»Also, ich wollte mich von denen nicht einfach so wegschleppen lassen, wer auch immer die waren. Außerdem hatten sie Pistolen, also führten sie sicher nichts Gutes im Schilde, richtig? Und deswegen habe ich einen von ihnen getreten ...«

»Das habe ich gesehen«, unterbrach Jimmy. »Was ist dann passiert?«

»Also, ich bin die Straße runtergerannt, aber ich glaube, mir ist niemand gefolgt. Ich bin ewig lange gelaufen, und als ich mich irgendwann umgedreht hab, war ich ziemlich sicher alleine.« Georgie erinnerte sich plötzlich wieder an die Kälte, den unwirklichen Schimmer der Straßenlampen und an das Gefühl der Verlorenheit. »Und dann bin ich natürlich schnurstracks zum Polizeirevier gerannt. Denn im Gegensatz zu dir, Jimmy, weiß ich, wo sich was befindet. Ich bin also direkt dorthin und habe Sergeant Anderson berichtet …«

»Atkinson?«

»Genau, Sergeant Atkinson. Ich hab ihm alles erzählt, aber er meinte, er wüsste es schon. Er sagte, sie würden auf dich warten. Ich hab ihnen vorgeschlagen, draußen nach dir zu suchen, aber er meinte, es seien schon ein paar Leute auf der Suche nach dir – er muss wohl diese Typen in Anzügen gemeint haben, vor denen du weggelaufen bist. Und dann hat er etwas sehr Merkwürdiges gesagt: dass du sehr wichtig für sie wärst und sie dich unbedingt finden müssten. Er wollte unbedingt, dass ich auf dem Polizeirevier auf dich warte, damit ich dich zum Bleiben überreden kann. Aber er wollte mir nicht sagen, warum du so wichtig für sie bist. Ich kenn dich, Jimmy, und obwohl du ein Idiot bist, würdest du ganz sicher niemals was Unrechtes tun …«

»Bleib einfach bei deiner Geschichte bitte, ja?«, seufzte Jimmy.

»… ich weiß, dass du nie was Ungesetzliches tun

würdest, selbst aus Versehen. Außerdem hast du einfach nicht den Grips, ein großes Verbrechen zu planen.« Jimmy hätte sie am liebsten angebrüllt. Warum musste sie ihn immer kränken und beleidigen? Aber er hatte einfach nicht die Energie dazu. Auf den Zahnstochern waren nicht annähernd genug Würstchen gewesen, um ihn so weit zu stärken. Außerdem war er in gewisser Weise sogar stolz auf Georgie, weil sie zur Polizei gegangen war und sich für ihn eingesetzt hatte. Georgie nahm den Faden wieder auf: »Also sagte ich zu ihnen, nein danke, und wollte mich verziehen. Da hat er versucht, mich festzuhalten. Er meinte, sie bräuchten mich, um dich zu fangen. Da habe ich ihm einen ordentlichen Tritt gegen das Knie verpasst. Worauf mich ein anderer Polizist daran hindern wollte, aus der Tür zu rennen. Also habe ich mir einen Feuerlöscher geschnappt und ihn gegen seine Rübe gedonnert. Wahrscheinlich habe ich ihn ziemlich hart erwischt, aber ich wollte mich einfach nicht einsperren lassen. Und dann bin ich losgesprintet.«

Jimmy dachte an seinen Besuch im Polizeirevier: der Beamte mit dem blutigen Gesicht und Sergeant Atkinsons auffälliges Hinken. Das alles ergab jetzt einen Sinn. Er lächelte seine Schwester an. Sie fuhr fort: »Danach wollte ich nicht weiter ziellos durch die Straßen wandern.«

»Und dann kam sie direkt hierher«, fügte Eva hinzu.

»Wir haben die ganze Zeit nach dir gesucht. Ich hab

überlegt, wo du überall hingegangen sein könntest, dann haben wir bei deiner Schule angerufen, und sie haben gesagt, dass du nicht dort warst, und na ja …«

Georgie wurde von Evas Vater unterbrochen, der die ganze Zeit aufmerksam zugehört hatte. »Ich habe mir ein paar Tage freigenommen, Jimmy, und habe die Mädchen bei der Suche nach dir unterstützt. Wir sind die meiste Zeit durch die Gegend gefahren, haben die Straßen abgesucht. Und als Georgie irgendetwas über die Westminster-Brücke sagte, haben wir auch dort jeden Morgen und Abend nachgesehen.«

Jimmy blickte verdutzt zu Georgie.

»Ich dachte, du gehst vielleicht zur Brücke, um mich dort zu finden«, erklärte sie. »Erinnerst du dich? Es war das Letzte, worüber wir gesprochen hatten.«

»Worüber wir gestritten hatten«, verbesserte Jimmy sie. Sie lächelten beide.

»Und es hat funktioniert. Du warst da.«

Jimmy nickte. Er wollte sie nicht enttäuschen und ihr gestehen, dass er nicht gezielt zur Brücke gegangen war, um sie zu suchen.

»Dabei wollte ich diese blöde Hausarbeit gar nicht mal schreiben«, fuhr Georgie fort. »Mum und Dad haben mich dazu gezwungen.« Plötzlich verschwand ihr Lächeln und ihr Blick senkte sich zu Boden.

»Immer noch hungrig, Jimmy?«, schaltete sich Audrey ein. Das war er definitiv, und seine Augen mussten aufgeleuchtet haben, denn er brauchte gar nicht eigens zu antworten. »Ich habe noch einen Teller mit

Würstchen gemacht, nur für dich.« Sie stellte den Teller vor ihm ab und daneben ein weiteres großes Glas Orangensaft.

»Haben Sie zufällig auch Cola?«, fragte er hoffnungsvoll, obwohl er wusste, dass es inzwischen für die meisten Menschen unerschwinglich teuer war.

»Also, ich weiß nicht«, erwiderte sie leicht irritiert. »Saft ist besser für dich.«

»Klar.«

Es war später Nachmittag, aber draußen dämmerte es bereits. Ein Wind hatte sich erhoben, pfiff um das Haus und durch den weitläufigen Garten, der sich vor dem Fenster erstreckte.

»Was meinst du, werden wir Mum und Dad wiederfinden?«, fragte Jimmy, ohne sich dabei an jemanden Bestimmten zu wenden.

Alle hielten den Blick gesenkt.

Schließlich antwortete ihm Stanley Doren. »Schwer zu sagen, Jimmy. Hat dich irgendjemand nach Geld gefragt oder hat man dir eine Notiz zugesteckt?«

»Niemand hat mir irgendwas gegeben, sie haben mir alle nur das Leben schwer gemacht.«

Es entstand eine bedrückende Pause. Eva rutschte nervös auf ihrem Stuhl herum, dann stand sie auf, um sich ein Glas Wasser einzuschenken.

»Hey, Jimmy«, sagte Georgie schließlich. »Evas Mum und Dad haben mir diesen ganzen Politik-Kram erklärt, über den sich unsere Eltern immer streiten. Es ist genau, wie ich gesagt habe.«

»Was?« Jimmy fühlte, wie sich eine merkwürdige Schläfrigkeit in seinem Kopf ausbreitete. Er nahm einen weiteren Schluck Orangensaft, um sich zu erfrischen.

»Du weißt schon, warum sie sich jedes Mal anschreien, wenn der Premierminister im Fernsehen auftritt. Oder besser gesagt, warum sie sich angeschrien haben.« Sie blickte zu Audrey auf. »Erzählen Sie ihm, was Sie mir gesagt haben. Hör zu, Jimmy. Ich hatte total recht.«

»Du hast immer recht, Georgie.« Er versuchte ironisch zu klingen, aber irgendetwas stimmte nicht mit ihm. Alles in seinem Kopf … drehte sich.

»Was ich Georgie erklärt habe, ist schlicht Folgendes«, begann Audrey, während sich ihr Ehemann seufzend erhob und den Raum verließ. »Unser Premierminister, Ares Hollingdale …« Der Name klang in Jimmys Ohren, als hätte er ihn noch nie zuvor gehört. Er verwirrte ihn und sein Gehirn fühlte sich ganz benommen an. Er umklammerte die Tischkante, während Audrey den Namen wiederholte: »Ares Hollingdale hat eine Menge wunderbarer Dinge vollbracht. Fantastische Dinge, Jimmy. Er ist der beste Premierminister, den dieses Land je hatte. Aber, verstehst du, einigen Leuten gefallen die etwas radikaleren Reformen nicht, die er eingeleitet hat.«

Jimmy konnte jetzt kaum mehr zuhören, so sehr musste er sich darauf konzentrieren, weiter aufrecht in seinem Stuhl sitzen zu bleiben. »Als er die Macht übernommen hat, war dieses Land in einem schrecklichen Zustand. Wahrscheinlich kannst du dich nicht mehr daran erinnern.«

Jimmy konnte nicht mal mehr geradeaus schauen, geschweige denn sich an irgendetwas erinnern. Und Audreys Stimme kam von immer weiter her, als flattere sie davon.

»Er hat fantastische neue Gesetze erlassen, beispielsweise hat er die Freiheiten von Menschen beschnitten, die Verbrechen begehen wollen.«

Jimmys Übelkeit wurde immer heftiger, und er konnte nichts mehr von dem verstehen, was Evas Mutter sagte. Menschen, die Verbrechen begehen *wollen*? Das ergab doch keinen Sinn.

Er fühlte sich, als würde er ertrinken – schon zum zweiten Mal.

»In diesen Tagen führt er das Land, ohne die Erlaubnis der Öffentlichkeit, des Königshauses, des Oberhauses oder von irgendjemandem sonst zu benötigen. Und das bedeutet, dass er effiziente und gute Entscheidungen treffen kann. Es ist eine neue Form der Demokratie, die sogenannte Neo-Demokratie, wo die Menschen nur dann wählen, wenn es passend ist. Ansonsten handelt der Premierminister für sie.«

Jimmys Übelkeitsgefühl breitete sich immer weiter aus. Er war schwach und kraftlos.

»Und vermutlich hat einer deiner Eltern Ares Hollingdale völlig zurecht unterstützt, während der andere gegen ihn war.«

Jimmy wollte den letzten Schluck Orangensaft nehmen, doch das Glas verschwamm vor seinen Augen, und er stieß es um. Dann sackte er vornüber auf den Tisch. »Es ist nur zu unserem Besten, Jimmy. Und zum Besten unseres Landes.«

Aus weiter Entfernung, wie in einem Traum, hörte er seine Schwester schreien. Dann traf ihn die Schwärze wie ein Vorschlaghammer.

KAPITEL 11

TSCHACK!

Grelles Licht stach in Jimmys Augen. Er schnellte in eine aufrechte Sitzposition. Sein Kopf pochte heftiger als je zuvor. Eine Sekunde lang glaubte er sich an den Splitter eines Albtraums erinnern zu können, aber dann war er weg. Er saß auf einem silberfarbenen Metalltisch. Im Raum war es heiß. Das einzige Licht kam von zwei an der Decke hängenden Neonröhren. Die Wände waren kahl, nur grauer Beton. Er schien sich in einer Art Bunker oder Gefängnis zu befinden. Wie war er hierhergekommen? Die gegenüberliegende Wand verschwamm immer wieder vor seinen Augen. Jimmy versuchte mit einem Kopfschütteln den Nebel zu vertreiben. Was war das Letzte, an das er sich erinnern konnte?

Er hatte gedacht, er wäre alleine, doch dann riss ihn eine Stimme aus seinen Gedanken. Es war das tiefe, freundliche, sonore Organ von Sergeant Atkinson. Zu freundlich. Diese Stimme war wie ein weiches Federkissen, das einem aufs Gesicht gedrückt wurde.

»Willkommen bei *NJ7*, Jimmy.«

Immer noch auf dem Tisch sitzend fuhr Jimmy herum. Die vierte Wand des Raumes hatte eine kleine Metalltür – ohne Klinke. Sergeant Atkinson saß in der Ecke auf einem Plastikstuhl, der unter seiner gewaltigen Körpermasse verschwand.

»Sergeant Atkinson?«

»Schon in Ordnung, du brauchst mich nicht mehr so zu nennen. Ich bin kein Polizeibeamter. Aber das hast du ja wohl schon erraten.« Er richtete sich auf und deutete auf seine Uniform. Sie strahlte frisch und blau wie der Sommerhimmel und an den Rändern blitzte sie golden. Auf seiner Brust hing eine ganze Reihe Orden in allen Regenbogenfarben, darunter auch ein einzelner grüner Streifen. Jimmy blinzelte, als könnte er ihn damit verschwinden lassen.

»Mein Name ist Paduk. Ich bin der Chef der Sicherheitskräfte des Neodemokratischen Staates von England. Dies hier ist *NJ7*.« Ein Grinsen machte sich auf seinem markanten Gesicht breit und es schien auf einmal nur noch aus zahllosen Falten zu bestehen. Auf Jimmy wirkte er wie eine merkwürdige, blonde Kröte.

»Was ist *NJ7*?«

Immer noch grinsend sprang Paduk von seinem Stuhl auf. Er war so groß, dass er sich unter den herabhängenden Neonröhren ducken musste.

»*NJ7* ist der hochentwickeltste militärische Geheimdienst der Welt.«

»Wenn er so geheim ist, warum erzählen Sie es mir dann? Und warum bin ich hier?« Jimmys Verstand funktionierte jetzt wieder besser, die Gedanken kamen freier und schneller. Bevor Paduk antworten konnte, flog die Tür auf. Und wieder musste Jimmy blinzeln, weil er nicht glauben konnte, wen er da sah. Herein schlurfte ein kleiner Mann, vom Alter gekrümmt, in einem Laborkittel so weiß wie seine Haut.

»Mr Higgins?«, schnappte Jimmy und starrte auf seinen halb tauben Nachbarn.

»Genau genommen muss es *Doktor* Higgins heißen«, lautete die scharfe Erwiderung.

»Sie sind Mr Higgins von nebenan!«, sagte Jimmy lauter, als es normalerweise nötig gewesen wäre.

»Und du solltest gleich das erste Mal richtig zuhören, wenn man dir etwas sagt, junger Mann. Ich bin Doktor Kasimit Higgins. Kommst du bitte mit?« Der Mann machte eine einladende Kopfbewegung in Jimmys Richtung, und dann auch in die von Paduk, der würdevoll nickte. »Ich hoffe, deine Kleider sind bequem, Jimmy. Mrs Doren hat sie für dich getrocknet.«

Jimmy blickte an sich herab – er trug Felix' Jacke und darunter dessen Kleider. Plötzlich erinnerte er sich wieder daran, wie er Evas Mutter zugehört hatte, die über Politik schwadronierte, und wie er dann nach seinem Glas gegriffen hatte. Nun verstand er, was passiert war – in diesem zweiten Orangensaft musste sich irgendein Betäubungsmittel befunden haben.

Jimmy versuchte weiter, das Hämmern in seinem Kopf abzuschütteln, während er Dr. Higgins folgte. Paduk marschierte hinter ihnen her, leicht gebückt wegen der niedrigen Flure. Immer wieder mal sah Jimmy an den schwingenden Schatten im Flur, dass Paduk mit seinem Kopf gegen eine der Neonleuchten gestoßen war. Doch der riesige Mann äußerte deswegen keinerlei Beschwerden.

Mehrere Minuten lang liefen sie durch ein endloses Labyrinth grauer Gänge. An manchen Stellen tropfte Wasser von der Decke und es gab nirgendwo Fenster. Das brachte Jimmy auf den Gedanken, dass sie sich möglicherweise unter der Erde befanden.

Während Jimmy versuchte einen klaren Kopf zu bekommen, tasteten seine Hände in den Taschen umher. Seine Finger schlossen sich um etwas – einen Stift. Jimmy umklammerte ihn fest. Eine Waffe hatte er also schon mal. Zwar stampfte dieser Gigant hinter ihm her, aber er war ihm schon einmal entkommen. Und selbst Georgie war ihm entwischt, indem sie ihn einfach gegen das Knie getreten hatte. Jimmy war sich sicher, dass er mithilfe seiner mysteriösen Fähigkeiten von diesem Ort fliehen konnte. Sofern es ihm gelang, sie heraufzubeschwören.

Warum regte sich die Energie nicht jetzt in ihm, so wie die Male zuvor, als er in Gefahr gewesen war? Er konzentrierte sich auf sein Inneres und versuchte, die Kraft zu wecken. War sie da? Irgendwas regte sich da. Zuerst war es nur leicht zu spüren, doch dann wuchs dieses pulsierende Gefühl rasch an.

Aber selbst wenn es Jimmy gelang, die beiden Männer zu überwinden und aus diesem unterirdischen Labyrinth zu entkommen, wo sollte er hin? Außerdem würde er so niemals erfahren, was hier eigentlich vor sich ging. Seine Neugier darauf, was mit ihm geschehen war und wer ihn jagte, war immens. Die dunkle Energie in seinem Inneren löste sich innerhalb von Sekunden in nichts auf.

Hatte er sie selbst zurückgedrängt? Und was noch wichtiger war, hatte er sie ursprünglich durch seinen Willen heraufbeschworen?

Jimmy konnte sich ein Lächeln nicht verkneifen. Er hatte es bisher noch nie geschafft, seine Fähigkeiten willentlich aufzurufen. Sie hatten einfach die Kontrolle übernommen, wenn er in Gefahr war, doch Jimmy war klar gewesen, dass er das irgendwann würde unterbinden müssen. Und nun schien es ihm gelungen zu sein. Ein leises Triumphgefühl beschlich ihn. Doch er ließ sich nichts anmerken und setzte schweigend den Marsch fort.

Die engen, immer wieder abzweigenden Gänge waren ohne eine einzige Tür. Schließlich bogen sie um eine weitere Ecke. Jetzt waren Geräusche zu hören, entfernte Stimmen, und schließlich mündete der Flur in einen weiteren quadratischen Raum. An seinen Wänden standen Tische, und eine Handvoll Menschen tippte eifrig auf Computertastaturen, wobei ihre Gesichter von dem blaugrünen Licht der Monitore beleuchtet wurden.

Dr. Higgins nahm mit dem Rücken zu Jimmy an einem altmodischen hölzernen Schreibtisch in der Mitte des Raums Platz. Auf der mit Leder überzogenen Schreibplatte lag nichts außer einem Stift. Er saß einen Augenblick lang da, während Jimmy und Paduk hinter ihm warteten, dann drehte er den Kopf und machte Jimmy ein Zeichen.

»Komm. Komm hier herum. Ich kann schlecht mit dir reden, wenn du hinter mir stehst, oder?« Jimmy tat wie geheißen, ein wenig verwundert über das merkwürdige Verhalten des alten Manns. Er stellte sich vor den Schreibtisch, wobei er sich neugierige Blicke auf die Leute an den Computern verkniff. »Hat Paduk dich schon eingeweiht?«

»Nicht wirklich. Er hat mir irgendwas über *NJ7* erzählt, aber …«

»Ah, *NJ7*. Gratuliere, Jimmy, du bist Mitglied des besten operativen Spionageteams der Welt.« Sofort schossen Jimmy jede Menge neue Fragen durch den Kopf. Nichts wurde ihm hier wirklich gründlich erklärt.

»Ach, bin ich das?«, erwiderte er schließlich. Aber als er seine eigene verzagte, dünne Stimme vor dem Hintergrund des betriebsamen Lärms im Raum hörte, riss er sich zusammen. Wenn er jemals herausfinden wollte, was hier vor sich ging, dann war das seine Chance. »Was ist *operative Spionage*?«, fragte er mutig.

»Tja, das ist ein kleines Projekt unserer Regierung, unserer *wunderbaren* Regierung, sollte ich wohl besser sagen. Es bedeutet, dass wir handeln, anstatt einfach nur Informationen zu sammeln. Spionage bedeutet normalerweise, dass Agenten herumschnüffeln und wissenswerte Dinge in Erfahrung bringen. Aber wir,

Jimmy, du und ich, wir sind Teil einer integrierten Informations- und Aktionseinheit.«

Jimmy hatte keinen blassen Schimmer, was das bedeuten sollte, aber Dr. Higgins klang ziemlich begeistert. Der Doktor fuhr fort: »Das bedeutet, Jimmy, dass wir nicht nur Informationen sammeln, sondern auch entsprechende Maßnahmen ergreifen. Manchmal sogar ziemliche drastische Maßnahmen. Wir nennen sie *verdeckte Operationen* und da kommst du ins Spiel.«

Während Dr. Higgins sich immer mehr in Rage redete, schlenderte Paduk durch den Raum und wirkte gelangweilt. Immer wieder mal warf ihm einer der Leute an den Computern einen finsteren Blick zu, woraufhin er weiterschlenderte. Dr. Higgins schenkte ihm keinerlei Beachtung.

»Dir ist noch nicht klar, wer du bist oder was du bist. Aber ich weiß es. Ich weiß alles über dich, Jimmy. Ich kenne dich in- und auswendig, bis hin zu Details, von denen du nicht mal vermutest, dass es sie gibt. Wahrscheinlich kenne ich dich besser als ich mich selbst.« Dr. Higgins spielte hektisch mit dem Stift in seinen Fingern, er konnte nur noch mit Mühe seine Erregung bändigen. Aber dann sagte er etwas, bei dem Jimmy glaubte, er traue seinen Ohren nicht: »Ich habe dich entworfen«. Dr. Higgins' Gesicht verzog sich zu einem Grinsen.

Jimmy wusste nicht, wie er darauf reagieren sollte. Dieser runzlige alte Mann war ganz offensichtlich vollkommen verrückt. Aber warum nahmen alle anderen im Raum einfach so hin, was er plapperte, als sei es die normalste Sache der Welt? Sie mussten auch alle wahnsinnig sein.

»Wenn du dich selbst aufmerksam beobachtest, Jimmy, wenn du deine Augen schließt und tief in dich hineinschaust, dann weißt du, dass ich recht habe. Ich habe dich entworfen und ein Team der besten Wissenschaftler und Ingenieure der Welt hat mir dabei geholfen. Mittlerweile bin ich der Einzige aus dem ursprünglichen Team, der noch übrig ist.« Er war leiser geworden und ein Anflug von Trauer lag in seiner Stimme. »Du bist die Zukunft unserer Militärtechnologie, junger Mann.«

Jimmy versuchte, ein Lachen zu unterdrücken, doch dann platzte es einfach aus ihm heraus. Es war die einzige vernünftige Antwort. Er wollte nicht, dass Dr. Higgins dachte, er würde das Ganze nicht ernst nehmen – dazu bedeutete es dem alten Mann offensichtlich zu viel –, aber irgendetwas sagte ihm, dass es sich nur um einen Witz handeln konnte. Dr. Higgins reagierte nicht. Er wartete einfach ab. Seine Augen fixierten Jimmys Gesicht und verfolgten, wie das Lachen wieder verebbte. Jimmys Gesicht veränderte sich. Plötzlich war es nicht mehr heiter. Er starrte hinab auf seine Schuhe, das Einzige, was er trug außer seiner Unterwäsche, das nicht Felix gehörte.

Etwas Graues breitete sich in seinem Kopf aus, wie eine vage Erinnerung, die aus dem Nebel der Vergessenheit aufsteigt. Irgendetwas an dem, was Dr. Higgins gesagt hatte, war zu einleuchtend, um die Unwahrheit zu sein. Als hätte er Jimmy etwas erklärt, was er bereits einmal gewusst, aber vor vielen, vielen Jahren vergessen hatte.

Als Dr. Higgins sah, wie das Gesicht des Jungen ernst wurde, fuhr er mit seinen Erklärungen fort: »Jimmy, du brauchst keine Angst zu haben. Mach dir keine Sorgen. Du bist ein ganz besonderes Ding.« Jimmy gefiel es nicht, ein *Ding* genannt zu werden. Es fühlte sich falsch an, trotzdem unterbrach er ihn nicht. »Du bist so entworfen worden, dass du organisch heranwächst, als ob du ein normales Kind wärst. Du wurdest als Baby konstruiert und dann an einen Ort gebracht, der nur den Mitarbeitern und Agenten von *NJ7*, wie etwa deinen Eltern, bekannt ist.«

»Meinen Eltern?«

»Natürlich.«

Jimmys Herz hüpfte in seiner Brust. »Sind sie hier?«

Dr. Higgins schien jetzt zum ersten Mal die Anwesenheit Paduks zur Kenntnis zu nehmen. Er suchte dessen Blick und nickte dann beiläufig.

Hatte er Paduk zugenickt oder Jimmy? Was bedeutet das? Waren seine Eltern tatsächlich hier? Oder wich er einfach nur der Frage aus und gab Paduk irgendeinen Auftrag? Jimmy hasste diese ganze Geheimnistuerei.

Paduk marschierte auf seine übliche kraftvolle Art zum hinteren Teil des Raumes und dann hinaus in den Flur, durch den sie gekommen waren. Eine Ewigkeit schien zu vergehen, bis sich in dem dunklen Tunnel das

Knirschen seiner Stiefel wieder näherte. Hinter ihm folgten die Schatten von zwei weiteren Personen. Zuerst konnte Jimmy nicht erkennen, um wen es sich handelte. Einer davon sah aus wie Paduk – ein bisschen kleiner, aber mit ähnlich muskulösem Körperbau und dem gleichen militärischen Schritt. Die andere Person war eine Frau. Dann traten die drei Personen ins helle Neonlicht des Raums: Es war Paduk, gefolgt von Jimmys Eltern.

»Mum! Dad!« Jimmy rannte auf sie zu und umschlang seine Mutter mit den Armen. Sie drückte ihn. Jimmy war außer sich vor Freude. »Ich hab euch so vermisst. Wo wart ihr?«

»Ich hab dich auch vermisst, Jimmy.« Er hielt sie eine Weile fest, dann drehte er sich zu seinem Vater, um auch ihn zu umarmen.

»Dad, was ist passiert?«, fragte er, während er ihn fest umarmte.

»Kasimit wird dir alles erklären, Jimmy. Du musst ihm aufmerksam zuhören.«

Jimmy versuchte, das strahlende Lächeln auf seinem Gesicht beizubehalten, als er seinen Vater losließ und zurücktrat. Doch da gab es eine Sache, die ihm sofort aufgefallen war, als seine Eltern den Raum betreten hatten. Sie wirkten ein wenig fremd, irgendwie kühler. Vielleicht lag es ja aber nur an dem, was seine Eltern anhatten. Jimmys Mutter sah gut aus, er hatte sie noch nie so elegant gesehen. Sie trug ein enges, schwarzes Businesskostüm mit einer weißen Bluse. Ihr üblicherweise offenes Haar war straff zurückgebunden. Und Ian Coates wirkte noch mehr verändert. Jimmys Vater stand zu voller Größe aufgerichtet, die Schultern nach hinten genommen. Er trug eine ähnliche Uniform wie Paduk: hellblau, mit goldenen Streifen an den Kanten. Sie war weniger strahlend – vielleicht war sie schon etwas verblichen –, und die Reihe mit Orden auf seiner Brust war etwas kürzer. Einer davon fiel Jimmy besonders auf. Am Ende der Ordensreihe schimmerte eine dünne senkrechte Linie aus unbestimmtem Material: ein grüner Streifen.

Bevor Dr. Higgins mit seinen Erklärungen fortfahren konnte, platzte Jimmy mit einer Frage heraus, die in ihm rumorte, seit er seine Eltern freudig in die Arme geschlossen hatte: »Mr Higgins, ich meine natürlich Dr. Higgins, hat gesagt, ihr seid *NJ7*-Agenten. Was hat das zu bedeuten?«

Ian und Helen Coates blickten einander an. Dr. Higgins räusperte sich und erhob dann die Stimme: »Wenn es dir nichts ausmacht, ist es wohl einfacher, wenn ich dir alles erkläre.«

»Tun Sie das, Kasimit«, stimmte Jimmys Vater zu.

»Das wird nicht leicht für dich, Jimmy. Du solltest es eigentlich erst erfahren, wenn du achtzehn bist. Aber die Situation erfordert, dass ich dich jetzt schon einweihe.«

Die Situation? Welche Situation denn?, dachte Jimmy.

»Deine Eltern sind nicht wirklich deine Eltern.«

Geht es also darum?, fragte sich Jimmy. *Hat diese*

ganze Geschichte einfach damit zu tun, dass ich adoptiert wurde? Wenn es tatsächlich nur darum ging, dann war es eine richtige Erleichterung, nach allem, was er erlebt hatte.

»Das ist schon in Ordnung«, sagte er leise. »Ich bin adoptiert worden, stimmt's? Ist das alles nur eine umständliche Art, mir genau das zu erklären?« Kasimit Higgins kicherte, aber Jimmys Eltern blickten unbehaglich.

»Nein«, sagte Dr. Higgins, »nichts dergleichen.« Seine Augen funkelten vor Vergnügen. »Du bist Staatseigentum.«

»Was?«

»Ich hab es dir doch schon gesagt: Du bist nicht geboren worden. Ich habe dich entworfen und ein Team von Experten um mich hat dich gebaut.«

»Und *wozu* bin ich entworfen worden?«, flüsterte Jimmy, und er befürchtete, die Antwort könnte noch schlimmer sein als alles, was er zuvor schon erfahren hatte.

»Jimmy, du bist ein Killer«, verkündete Dr. Higgins majestätisch.

»Ich töte Menschen?« Jimmy brachte die Worte kaum über die Lippen.

»Ja, und wir sind alle sehr stolz auf dich.«

Jimmy bekam keine Luft mehr. Es fühlte sich an, als hielte eine Faust sein Gehirn umklammert und würde es fest zusammenquetschen. Er blickte in die Gesichter der vor ihm aufgereihten Menschen: Dr. Higgins, Paduk, seine Eltern. Ihre Mienen waren ausdruckslos. Jimmy wurde bewusst, dass im Raum keiner mehr tippte und sie sich alle umgedreht hatten, um ihn anzustarren.

»Wie viele Menschen habe ich getötet?« Jimmy war bleich geworden und seine Stimme klang brüchig. Seine Mutter legte die Hand auf den Mund.

»Oh, Jimmy«, flüsterte sie bebend. Dr. Higgins jedoch blieb ungerührt und antwortete ruhig: »Keine Sorge, Jimmy. Du hast keine Menschenseele getötet. Noch nicht. Und du wirst auch auf keine Mission geschickt, bevor du achtzehn bist. Dann erst ist dein Training vollständig abgeschlossen.« Er tippte mit dem Stift gegen sein Kinn und drehte sich auf seinem Bürostuhl hin und her. »Es scheint allerdings, als wären einige deiner elementaren Fähigkeiten bereits aktiviert, vermutlich weil deine Programmierung auf eine vermeintliche Gefahr reagiert hat.«

»Was meinen Sie mit *mein Training*? Ich habe nicht trainiert.«

»Oh doch, das hast du, Jimmy. Du hast bereits ein recht fortgeschrittenes Level erreicht, und das auf sehr raffinierte Art.«

»Ich glaube kein Wort von dem, was Sie da sagen.« Jimmy schüttelte ungläubig den Kopf. »Warum belügen Sie mich?«

»Hast du je Albträume gehabt Jimmy?« Dr. Higgins redete rasch und eindringlich und hielt dabei die Spitze seines Stifts auf Jimmy gerichtet. »Üble Träume, an die du dich kaum erinnern kannst? Bist du je morgens aufgewacht mit dem Gefühl, nicht wirklich geschlafen zu haben?« Jimmy nickte. »Fantastisch. Es zeigt bereits gute Wirkung.«

»Was zeigt Wirkung?«

»Dein Training, Jimmy. Deine Programmierung hat sich aktiviert und ist zum Leben erwacht. *Du* bist zum Leben erwacht! Verstehst du, du schläfst ja nicht wirklich, nicht im normalen menschlichen Sinne jedenfalls …« Er wollte fortfahren, aber Jimmy konnte diese Bemerkung nicht einfach so hinnehmen. Er wurde immer wütender angesichts dieses immer verwirrenderen Rätsels.

»Ich bin ein Mensch. Ich bin ein ganz normaler Junge. Und ich will wissen, warum Sie und diese ganzen Leute mich gejagt haben und warum Sie meine Eltern entführt haben. Lassen Sie uns einfach in Ruhe.«

»Jimmy.« Dr. Higgins erhob die Stimme, um Jimmy zu übertönen. »Du bist zu 38 Prozent menschlich.« Seine Worte hallten durch die unterirdischen Gänge. Er hämmerte mit der Faust auf den Tisch und wiederholte stolz: »Du bist zu 38 Prozent menschlich! Du bist weit mehr als ein *normaler Junge*, was auch immer das sein mag. Und wir haben nach dir gesucht, weil wir dich jetzt schon für eine Mission benötigen.«

Dr. Higgins' Gesicht hatte sich lila verfärbt, so sehr hatte er sich in Rage geredet. Er holte zweimal tief Luft, um sich wieder zu beruhigen, dann fuhr er fort: »Deine Programmierung ist ein extrem fortgeschrittenes System in deinem Kopf und es entwickelt sich nur langsam. Aber an deinem achtzehnten Geburtstag wärst du freiwillig hierher zum *NJ7*-Hauptquartier gekommen und hättest dich zum Dienst gemeldet. Als wir dich abholen wollten, aktivierte sich eine frühe Stufe deines Trainings – *eine Gefangennahme um jeden Preis zu vermeiden*. Denn du wärst zu gefährlich, wenn du in die Hand des Feindes fallen würdest.«

Jimmy war fassungslos. Er fuhr mit dem Daumen über den Schnitt an seinem Handgelenk. Er erinnerte ihn an alles, was bei ihm nicht normal war. Konnte das tatsächlich stimmen? War er nur zu 38 Prozent menschlich? Sein Fühlen schien ihm ganz normal, aber das war ja auch kein Wunder. Schließlich hatte jeder diesen Eindruck, weil keiner einen anderen Vergleichsmaßstab hatte als sich selbst.

Dr. Higgins erhob erneut die Stimme, aber diesmal klang sie sanfter. Er wollte vermeiden, dass Jimmy sich zu sehr erregte, und wechselte das Thema. »Du trägst dein Haar ziemlich lang, Jimmy. Eigentlich solltest du es kurz geschnitten halten.«

Jimmy fuhr sich durchs Haar. Es war feucht von Schweiß, weil er so nervös war. Seine Mutter antwortete für ihn.

»Es gibt eine Menge, was er eigentlich tun sollte, wogegen er sich aber wehrt«, erklärte sie.

Dr. Higgins fuhr überrascht herum. »Was noch?«

»Na ja, zum Beispiel mag er kein chinesisches Essen.«

»Er mag es nicht?« Er wirkte geschockt. »Stimmt das?«

Jimmy blickte von Kasimit zu seiner Mutter und wieder zurück, unsicher, wie er antworten sollte. »Ich finde, es schmeckt irgendwie alles gleich«, murmelte er.

»Blödsinn!« Dr. Higgins sprang auf und wirkte plötzlich lebendiger als je zuvor. Er begann im Raum auf und ab zu gehen. »Wenn ein *NJ7*-Agent die Wahl hat, wird er immer ein Essen wählen, bei dem eine Waffe dabei ist. Steaks sind gut – denn sie werden mit einem Steakmesser serviert. Aber Essstäbchen können ebenso tödliche Waffen sein.«

»Das ist lächerlich.« Jimmy konnte sich einfach nicht beherrschen. Von allen Dingen, die er gehört hatte, seit man ihn in dieses Bunkersystem verschleppt hatte, war das nun wirklich das Allerunsinnigste.

»Vielleicht hört es sich lächerlich für dich an, Jimmy, aber Essstäbchen können dein Leben retten. Warum glaubst du, sind sie in allen China-Restaurants im Land noch in Gebrauch? Denn in China benutzt sie ja kein Mensch mehr.«

»Wollen Sie mir etwa erzählen, dass es eine der Aufgaben von *NJ7* sei, dafür zu sorgen, dass in China-Restaurants immer noch Stäbchen verwendet werden?«

»Des *NJ7* und in früheren Zeiten die des britischen Geheimdiensts. Andernfalls wären die Stäbchen schon vor Jahrhunderten überflüssig geworden, als man Messer und Gabel erfunden hatte.«

Jimmy stellte sich vor, wie er ein paar Essstäbchen

zu seiner Verteidigung hochhielt. Es war eine total schwachsinnige Idee. Das mussten seine Eltern doch erkennen! Aber sein Vater stand da wie ein Fels, unbewegt und ohne eine Miene zu verziehen. Doch seine Mutter trat neben Jimmy und drückte ihn erneut. »Warum tun Sie das?«, fuhr sie Dr. Higgins wütend an. »Können Sie sich nicht einfach eingestehen, dass Sie gescheitert sind? Schauen Sie ihn doch an – er ist ein Mensch. Und er könnte niemals jemanden töten.«

»Er ist zu 38 Prozent menschlich«, beharrte Dr. Higgins. »Und er wird töten. Schon ziemlich bald wird ihn niemand mehr aufhalten können.«

Jimmy befreite sich aus der Umarmung seiner Mutter und protestierte. »Ich werde niemals jemanden töten. Es ist falsch, und außerdem habe ich keine Ahnung, wie man so was macht.«

»Sei nicht albern, Jimmy«, sagte der Doktor und straffte sich. »Hattest du etwa vorher eine Ahnung, wie schnell du rennen kannst? Wusstest du, dass du an Gebäuden emporklettern kannst? Oder war dir klar, dass du unter Wasser atmen kannst?« Jimmy starrte ihn sprachlos an. »Ja, wir wissen von allen deinen Fähigkeiten. Mrs Doren ist eine loyale Anhängerin dieser Regierung. Sie hat uns alles berichtet, was du ihr erzählt hast. Hör zu, Jimmy, warum glaubst du, bist du an der Westminster-Brücke aus dem Helikopter gesprungen? Dein Instinkt hat dich dazu getrieben, Jimmy – und nun bist du hier! Wir befinden uns unter der Themse. Du wolltest hierherkommen, aber dir war nicht bewusst, warum, weil du noch nicht vollständig entwickelt bist.«

Jimmy dachte zurück. Und mit beängstigender Schlüssigkeit begannen sich die Puzzleteilchen ineinanderzufügen. Er hatte also tatsächlich einen grünen Streifen unter Wasser gesehen. Er musste ein Zeichen für den Eingang zu diesem unterirdischen Hauptquartier sein.

Dr. Higgins strich den Kragen seines Kittels glatt und ließ den Stift auf den Schreibtisch fallen.

»Ich weiß, das muss alles sehr verwirrend für dich sein, aber es ist eine absolut fantastische Sache. Du hast so viele Fähigkeiten, von denen du noch gar nichts weißt, Jimmy.« Dr. Higgins bemühte sich, aufmunternd zu klingen. »Aber du wirst schon bald alles darüber herausfinden. Es wird aus deinem Inneren kommen, so wie bereits alles andere von dort gekommen ist.« Jimmy wirkte offensichtlich wenig überzeugt, daher schlurfte Dr. Higgins zu einem der Computer hinüber. Die Person, die daran gearbeitet hatte, machte ihm eilig Platz. »Ich möchte dir etwas zeigen.«

Nach einer Reihe von Klicks begann Musik aus unsichtbaren Lautsprechern zu dringen. Es war eine wunderschöne Melodie; es spielte ein Klavier, eine Geige und etwas, das sich für Jimmy wie ein Akkordeon anhörte. In dieser kalten, nüchternen Umgebung wirkte es völlig fehl am Platz, aber vermutlich kam die Musik ihm gerade deswegen vor wie die wunderbarste, die er je gehört hatte.

»Das ist ein Tango-Stück, Jimmy«, zischte der Doktor aufgeregt. »Warum forderst du nicht deine Mutter auf.«

»Aber ich kann nicht tanzen«, protestierte Jimmy. Der abwegige Vorschlag hatte ihm die ganze Freude an der schönen Musik verdorben. Währenddessen war unbemerkt eine Gestalt in den Raum geschlüpft. Sie stand jetzt hinter Jimmys Eltern. Wie lange hatte sie ihnen bereits zugesehen?

Erst jetzt erhob sie die Stimme: »Hättest du vielleicht Lust, mit *mir* zu tanzen, Jimmy?«

Es war eine vertraute Stimme und Jimmys Herz stockte.

KAPITEL 12

Jimmy war fassungslos. Die Tango-Klänge wehten durch den Raum – und da stand, mit einem Fuß leicht den Rhythmus klopfend, *Miss Bennett*. Er hatte das Gefühl, als hätte er einen Faustschlag mitten ins Gesicht bekommen. Sie kam auf Jimmys Seite des Schreibtischs und lehnte sich dagegen. In ihren Augen lag ein herausforderndes Glitzern; ihre Frisur und ihr Make-up waren viel zu glamourös für diese Umgebung. Was tat sie hier?

Ihr Fuß tippte weiter leicht auf den Boden. Natürlich – ihre Schuhe. Jimmys Welt brach in sich zusammen wie ein Kartenhaus. Er war wie betäubt. Gerade hatte er noch um seine geistige Gesundheit gebangt, als er erfahren hatte, dass sein Vater keine Kronkorken herstellte, sondern zusammen mit Jimmys Mutter für Leute arbeiteten, die sich *NJ7* nannten. Dann hatte man ihn damit konfrontiert, dass er angeblich nur zu 38 Prozent ein Mensch war. Das hatte er immer noch nicht ganz verarbeitet und wollte es auch nicht wahrhaben. Und nun kam als absolute Krönung auch noch seine Klassenlehrerin in das geheime Hauptquartier getänzelt und trug diese Schuhe.

Jimmy starrte auf ihre Füße hinab. Er studierte das ungewöhnliche Muster auf dem Leder – das er auf den Schuhen der dritten Person gesehen hatte, die ihn in jener Nacht verschleppen wollten.

»Überrascht, mich hier zu sehen, Jimmy?«

»Ein wenig«, sagte er vorsichtig. Seine Lehrerin sollte nicht merken, dass sie ihn völlig verwirrt hatte.

Sie trat zu ihm, nahm seine linke Hand in ihre Rechte und legte seine rechte Hand um ihre Hüfte. »Tanz«, befahl sie, als würde sie ihn zu zusätzlichen Hausaufgaben verdonnern. Jimmy wurde rot. Er schloss die Augen und setzte einen Fuß unbeholfen vor den anderen, ohne zu wissen, was er tat. Er dachte, er würde seiner Lehrerin auf die Füße treten, aber zu seiner großen Überraschung hatte erneut etwas in ihm die Kontrolle übernommen und lenkte seine Schritte.

Er öffnete die Augen und sah sich selbst mit solcher Eleganz und Präzision um den Schreibtisch in der Mitte des Raumes gleiten, dass er es für einen Traum hielt. Er war ein brillanter Tänzer. Nur dass er hier mit seiner Lehrerin tanzte, war ein bisschen ... peinlich. Das Lied endete und Jimmy brachte Miss Bennett für eine glanzvolle Abschlussposition in Rückenlage. In der Stille, die der Musik folgte, erstarrte Jimmy, unsicher, wie er die Position auflösen sollte.

Dr. Higgins brach das Schweigen. »Es ist entscheidend für jeden Killer, dass er sich auf dem glatten Parkett der Diplomatie souverän zu bewegen weiß, Jimmy. Du hast alle meine Erwartungen übertroffen.«

Miss Bennett löste sich aus Jimmys Umarmung, glättete ihr Kostüm und strich sich das Haar aus dem Gesicht. »Wenn du so gut tötest, wie du tanzt«, sagte sie, »dann gnade Gott unseren Feinden.«

»Ich wollte doch nur, dass Sie mir helfen«, stotterte Jimmy.

»Wieso glaubst du, habt ihr meine Adresse im Sekretariat so leicht gefunden? Als Felix mich in der Schule gelöchert hat, konnte ich sie ihm nicht einfach geben, das wäre verdächtig gewesen. Aber ich wusste, dass ihr beiden danach suchen würdet.«

»Sie haben sie offen auf dem Schreibtisch im Sekretariat liegen lassen, damit wir sie finden? Sie haben sie extra dort platziert? Warum sind Sie nicht einfach gekommen und haben mich aus Felix' Haus geholt?«

»Ich wollte ganz sicher gehen, dass diese Affen da nicht wieder einen Riesenlärm schlagen und dich verscheuchen.« Sie winkte verächtlich in Paduks Richtung, der glücklicherweise gerade nicht aufgepasst hatte.

»Miss Bennett«, sagte Paduk und knackte mit dem Kiefer, »sollen wir nicht lieber endlich loslegen.«

»Ja, natürlich, Sie haben recht, danke. Wenn wir den ganzen Tag nur tanzen würden, würde dieses Land bald im Chaos versinken. Oder noch schlimmer, es würde werden wie Frankreich. Komm schon, Jimmy, folge mir.« Sie drehte sich abrupt zum Ausgang, ihr Haar schwang um ihren Kopf, aber Jimmy rührte sich nicht.

»Was ist mit meinen Eltern?«, wollte er wissen. Seine Mutter durchquerte den Raum und legte erneut den Arm um ihn.

»Jimmy«, antwortete Miss Bennett, »deinen Eltern wird kein Haar gekrümmt, solange du alles tust, was ich von dir verlange. Wir stehen alle auf derselben Seite.« Da ihn das offenkundig wenig überzeugte, fuhr sie fort: »Bisher war eine gewisse Geheimhaltung dringend notwendig: zum Wohle aller hier – auch zu deinem eigenen, Jimmy – und zum Wohle der Nation. Also, stehen Sie nicht herum wie die Ölgötzen, erklären Sie es ihm.« Jimmy war schockiert, dass sie sich dabei an seine Eltern wandte. Noch nie war ein Lehrer so mit ihnen umgesprungen, aber sie schienen es als etwas ganz Normales zu akzeptieren.

»Jimmy«, begann sein Vater. »Es tut mir sehr leid, dass wir nicht ehrlich mit dir waren. Bevor du geboren wurdest, waren deine Mutter und ich Agenten der Regierung. Zuerst beim Geheimdienst *MI6*, bis wir vor dreizehn Jahren zu einer neu gegründeten Organisation versetzt wurden: zu dieser hier, dem *NJ7*.« Er zögerte, daher nahm Jimmys Mutter den Faden auf.

»Wir wurden für eine besondere Mission ausgewählt. Es war eine große Ehre. Und das ist es immer noch. Du warst es.« Jimmy versuchte, sich seine Mutter und seinen Vater vorzustellen, bevor er geboren wurde, mit Georgie als kleinem Baby. Er wollte sich gar nicht ausmalen, was für schreckliche Dinge sie getan hatten. Er blickte seiner Mutter in die Augen und streckte die Hand nach ihr aus, doch dann sah er, wie ihre Augen feucht wurden. Miss Bennett unterbrach sie ohne jedes Mitgefühl.

»Es war eine große Ehre. Du bist einer der Ersten deiner Art. Jedenfalls der Erste, der ein kompletter Erfolg ist.« Sie drehte sich zu Dr. Higgins und er schien für einen Augenblick unter ihrem harten, vorwurfsvollen Blick zu schrumpfen. »Dr. Higgins hat dir wahrscheinlich schon erklärt, dass du eigentlich erst mit achtzehn zum Einsatz kommen solltest. Nun, wir brauchen dich jetzt schon. Deine Erziehung wurde sorgfältig geplant und von Agenten des *NJ7* überwacht. Von einigen wussten nicht einmal deine Eltern.« Jimmys Vater riss den Kopf herum.

»Was?«

»Haben Sie vielleicht geglaubt, wir würden dieses Projekt Ihnen beiden alleine überlassen, Ihnen einfach so eine Waffe im Wert von 30 Millionen Pfund anvertrauen?«

»Aber es gab doch Sie und natürlich Dr. Higgins, wen brauchten Sie denn sonst noch?« Ian Coates schien wenig erfreut über die Unterstellung, er wäre nicht vertrauenswürdig. Miss Bennett lachte nur.

»Was ist mit den siebzehn verschiedenen Agenten, die in den letzten elf Jahren die Bournes gespielt haben? Die haben direkt Ihnen gegenüber gewohnt, aber Sie erinnern sich nicht einmal, wie sie aussahen, geschweige denn, dass Sie sich auch nur einmal bei ihnen vorgestellt hätten. Nicht gerade das, was man gute Nachbarschaftspflege nennt.«

Die *Bournes* – als Paduk den freundlichen Polizisten Sergeant Atkinson gespielt hatte, hatte er behauptet, sie hätten die Polizei verständigt. Jetzt wusste Jimmy, warum das so unglaubwürdig geklungen hatte. Diese Leute hatten den Überfall auf Jimmys Elternhaus erwartet und waren über Jimmys Flucht informiert gewesen.

Je mehr er hörte, desto weniger gefiel es ihm. Alles in seinem Leben war schon seit Jahren festgelegt – bevor er überhaupt geboren worden war. Er hatte an keinem Punkt eine echte Wahl gehabt.

»Und jetzt, Jimmy«, Miss Bennett drehte sich wieder zu ihm und ließ Ian und Helen Coates sprachlos stehen, »kümmern wir uns weiter um deine Eltern, und du kommst mit mir.« Sie winkte mit dem Finger. Paduk stand so dicht hinter ihm, dass er seinen Atem spüren konnte, also blieb ihm keine Wahl. Seine Mutter und sein Vater blickten sich verzweifelt um.

»Aber«, begann Helen, »Sie haben doch gesagt, er wird erst ...«

»Die Pläne haben sich geändert«, unterbrach sie Miss Bennett. »Lassen Sie den Jungen seinen Auftrag erledigen, dann steht es Ihnen frei, ihn wiederzusehen. Will heißen, zwischen seinen anderen Aufträgen. Aber falls der Junge sich weigert, sind Sie beide tot.«

Jimmy blieb wie angewurzelt stehen. Alles in seinem Kopf drehte sich. Plötzlich schien das Licht im Raum viel zu grell.

»So können Sie nicht mit uns umspringen, Miss Bennett«, protestierte Ian, den Blick auf Paduk gerichtet. »Muss ich Sie darauf hinweisen, dass wir schon viel länger im Dienst sind als Sie!«

»Ha! Sie sind schon viel zu lange aus dem eigentlichen Geschäft draußen, Ian. Und Sie werden jetzt *alle* genau das tun, was *ich* sage. Kasimit, Jimmy, bitte mitkommen, der Premierminister wartet bereits.« Ohne sie eines weiteren Blicks zu würdigen, marschierte sie aus dem Raum und den Flur hinunter. Dr. Higgins eilte ihr hinterher und winkte Jimmy, ihm zu folgen. Aber der rührte sich nicht von der Stelle.

Paduks Blick wanderte zwischen Ian und Helen Coates hin und her.

»Los jetzt, mein Sohn«, sagte er. »Ich kümmere mich schon um deine Eltern.« Jimmy war stinksauer. Er stürzte sich mit erhobenen Fäusten auf Paduk, aber der riesige Mann wich ihm blitzschnell aus.

»Jimmy, hör auf damit!«, rief sein Vater. »Erledige deine Mission! Mach dir keine Sorgen um uns. Es ist zum Wohle der Nation.« Das ließ Jimmy einen Augenblick zögern, doch dann hörte er die zornig erhobene Stimme seiner Mutter: »Ian! Wie kannst du nur? Er ist unser Sohn.«

»Nein, ist er nicht – er ist unsere *Mission.*« Jimmy schaute von einem zum anderen und dann in Paduks versteinerte Miene. Er wusste nicht mehr, auf wen er seine Wut richten sollte, und bekam kaum noch Luft.

»Jimmy, du musst das nicht tun«, flehte seine Mutter leise, aber das Gesicht seines Vaters sagte das Gegenteil.

Jimmy hörte, wie sich draußen im Flur die Schritte von Miss Bennett und Dr. Higgins entfernten. Er würde sie problemlos einholen können.

»Ihr habt mich alle belogen«, flüsterte er, dann lief er los.

Jimmys Training fand in einem Raum statt, der bis auf zwei gegenüberstehende Stühle völlig leer war. Es war Trainingsraum, Unterrichtsraum und Schlafzimmer in einem. Seine einzigen Besucher waren Dr. Higgins, Paduk und Miss Bennett. Er wusch sich in einem Bad am Ende des Flurs und das Essen wurde ihm gebracht. Er schlief auf dem Boden. Schlimmer noch, als hier eingesperrt zu sein, war allerdings, so viel Zeit zum Grübeln zu haben. Jimmys Verstand schien ein abartiges Vergnügen daran zu haben, bestimmte Gedankenschleifen zu wiederholen: Da war die Angst, Miss Bennett könnte seine Familie töten; und dann die Wut darüber, dass seine Eltern ihn in diese Lage gebracht hatten. Tagsüber biss er die Zähne zusammen und ballte die Fäuste. Aber wenn er schlief, wurden seine Albträume immer heftiger, obwohl er sich nach wie vor kaum an sie erinnern konnte.

Die Vormittage verbrachte er mit Dr. Higgins: »Lass deine Instinkte die Kontrolle übernehmen«, verkündete der, sobald er den Trainingsraum betrat. Der alte Mann wurde im Lauf der Zeit immer agiler, als wäre das Training mit dem von ihm entworfenen Agenten eine regelrechte Verjüngungskur. »Schalte deine bewussten Gedanken aus, vergiss, wer du bist.«

Zunächst schien es Jimmy unmöglich, an gar nichts zu denken. In sein Gehirn hatte sich das Bild seiner Mutter eingebrannt, die sagte: »Du musst das nicht tun.« Eine weitere Lüge. Natürlich musste er. Wie konnten seine Eltern nur so dumm sein und sich in eine solche Situation bringen? Diesen Gedanken konnte er nur dadurch stoppen, dass er sich Sorgen um Georgie machte oder darüber, was mit Felix geschehen war. Aber nach vier Tagen konnte Jimmy schließlich seine Gedanken lange genug verbannen, um seine Programmierung die Kontrolle übernehmen zu lassen. Am fünften Morgen wechselte Dr. Higgins dann das Unterrichtsthema.

»Du tötest mit einem einzigen Schlag gegen den Hals«, erklärte er vergnügt und ließ dabei seine Hand wie ein Fallbeil nach unten sausen. »Du triffst den Nacken oder das Nervengeflecht unten an der Kehle.«

Jimmy fand es total krank, so etwas mit völlig unbeteiligter Miene auszusprechen. Es hörte sich an wie ein Kochrezept: ein Teelöffel Öl, eine Handvoll Walnüsse und ein einzelner Schlag gegen den Hals. Ein tödliches Rezept. Jimmy hätte sich am liebsten geschüttelt, doch er schob seine menschlichen Reaktionen beiseite und ließ seinen inneren Impulsen freien Lauf, so wie man es ihm befohlen hatte.

»Hast du das verstanden, Jimmy? Ein einziger Schlag

gegen den Hals?« Dr. Higgins fixierte ihn durch die schmalen Schlitze, hinter denen sich seine Augen verbargen. »Ich muss dir das nicht eigens beibringen. Wenn du es überprüfst, wirst du feststellen, dass du es bereits beherrschst. Da drinnen sind allerdings noch ein paar einfallsreichere Tötungsarten angelegt, aber nur zu deinem eigenen Vergnügen und aus Trainingsgründen. Aber davon wirst du ohnehin erst in den nächsten Jahren Gebrauch machen.«

Von diesem Moment an bekam er von Dr. Higgins nichts anderes mehr zu hören, als dass er bereits alles wisse und nur seine eigenen Instinkte zu befragen brauche. Allerdings leuchtete es Jimmy nicht ganz ein, warum man Millionen Pfund für ein Wesen ausgab, das sich selbst im Schlaf trainieren konnte, und es dann trotzdem noch extra ausbildete. Vermutlich hatten sie einfach Panik, dass irgendwas schiefging, weil er erst zwölf war und sie ihn ursprünglich mit achtzehn hatten einsetzen wollen.

Nachmittags durfte Jimmy seinen Raum verlassen, um in Begleitung von Paduk durch die Straßen von Westminster zu joggen. Diese Ausflüge bereiteten im fast so etwas wie Vergnügen. Während sie durch den Sankt James Park rannten, atmete Jimmy endlich mal etwas anderes als die *NJ7*-Luft und bekam den Kopf frei. Paduk redete wenig, hielt einfach mit ihm Schritt und stampfte stur geradeaus. Nur einmal kam es zu einer kurzen Unterhaltung. Das geschah bei ihrem vierten gemeinsamen Ausflug.

»Warum muss ich eigentlich joggen?«, fragte Jimmy. »Ich dachte, ich wäre automatisch fit.«

»Ich laufe, um fit zu bleiben«, erwiderte Paduk. »Du läufst, weil du frische Luft brauchst. Also halt die Klappe und lauf, okay?« Paduks Haare klebten an seinem massiven Schädel und Schweiß ran über seine Wangen. Jimmy dagegen war noch nicht mal außer Puste.

Plötzlich streckte Paduk den Arm aus und stoppte Jimmy. »Du wirst das anständig erledigen, oder?« Paduk kniete sich hin, sah Jimmy eindringlich in die Augen und hielt ihn dabei an beiden Schultern gepackt. Jimmy blickte instinktiv beiseite. »Versprich mir, dass du das anständig erledigst.«

»Was erledigen?« Jimmy spürte hinter Paduks stählernen Gesichtszügen ernsthafte Besorgnis.

»Deinen Auftrag.«

»Ich weiß ja noch nicht mal, was mein Auftrag sein wird. Wissen Sie es denn?« Paduk lachte trocken. Er schien etwas in Jimmys Gesicht zu suchen, irgendeine Reaktion, von der Jimmy nicht wusste, worin sie bestehen sollte. Es war, als würde Paduk versuchen, den Menschen in ihm von der Maschine zu unterscheiden. Dann richtete er sich auf und sah zum anderen Ende der Grünanlage.

»Weißt du, wer dort lebt, Jimmy?« Jimmy folgte Paduks Blick. Der prachtvoll aufragende, cremefarbene Buckingham Palast war kaum zu übersehen. »Ich liebe mein Land, Jimmy.« Paduk beugte sich erneut zu ihm.

»Und England braucht Menschen wie uns, um es zu beschützen. Das ist deine und meine Aufgabe. Wir schützen unser Land.« Seine leidenschaftlichen Worte machten Jimmy nervös; er wäre am liebsten wieder losgerannt. »Es ist zum Besten unseres Landes, Jimmy. Also bitte – mache es richtig.« Paduk richtete sich langsam auf, knackte mit den gewaltigen Kiefern und trabte los. Jimmy war für einen Augenblick zu verblüfft, um ihm zu folgen, doch dann holte er ihn rasch ein. Es blieb ihr erstes und letztes richtiges Gespräch.

»Folgen Sie mir, Mr Coates«, gurrte Miss Bennett. Sie kam hereingeschlendert, um einen weiteren leidenschaftlichen Vortrag von Dr. Higgins zu unterbrechen. Und mit schwingenden Hüften und zackigem Tempo führte sie Jimmy durch die kahlen Gänge. Jimmy hatte Probleme, sich vorzustellen, dass diese Frau einmal seine Klassenlehrerin gewesen war; inzwischen besaß sie die Kontrolle über fast jeden Aspekt seines Lebens.

Schließlich erreichten sie eine schmale Metalltür. Miss Bennett stieß sie auf und winkte Jimmy hindurch. Er kam im Hinterzimmer eines Ladens wieder heraus – offenbar handelte es sich um eine Schneiderwerkstatt, denn es gab große Spiegel in jeder Ecke und Stoffballen, die sich bis zur Decke türmten. Jimmy konnte Verkehrsgeräusche hören. *Zurück in der realen Welt*, dachte er. Irgendwie musste sich ihr Weg hinauf bis zur Straßenebene gewunden haben.

Miss Bennett ließ die Tür zwischen sich und Jimmy

zufallen. Vom Laden aus gesehen, war die Tür einfach ein weiterer Spiegel. Und darin spiegelte sich vierfach ein kleiner Mann. Er trug eine halbmondförmige auf die Stirn geschobene Brille und um seinen Hals hing ein Maßband. Jimmy konnte auch ohne Superkräfte erkennen, dass es sich um einen Schneider handelte.

In null Komma nichts hatte er den Laden durch die Spiegeltür wieder verlassen, wobei Jimmy nun ein elegantes schwarzes Hemd trug, dessen fließender Stoff sanft im Licht schimmerte. Für Jimmy fühlte es sich wie ein bisschen zu angeberisches Seidenteil an. Immerhin waren die Hosen einigermaßen bequem, und seine neuen Turnschuhe sahen sogar echt cool aus – sie waren einfarbig schwarz wie alle anderen Kleidungsstücke. Lediglich auf der Brusttasche des Hemds leuchtete ein Farbfleck: ein grüner Streifen.

»Eigentlich hätte ich einen Anzug erwartet«, verkündete er, als er Miss Bennett wiedertraf.

»Und ich hätte eigentlich wieder mal eine Gehaltserhöhung erwartet, aber was soll man machen?« Sie marschierte los in der Erwartung, dass Jimmy ihr folgte.

»Bekomme ich jetzt meine speziellen Geheimwaffen?«, rief er ihr hinterher.

»Jimmy, du bist selbst eine Geheimwaffe. 62 Prozent von dir sind die ausgetüfteltste technische Hardware, die es auf diesem Planeten gibt.«

»Aber der menschliche Rest von mir hätte schon mit der einen oder anderen speziellen Geheimwaffe gerechnet.«

»Wir werden sehen.« Erneut marschierten sie im Eilschritt durch die grauen Flure.

»Nicht mal ein explodierender Kaugummi?«, beklagte sich Jimmy.

»Nicht mal normalen Kaugummi.«

Sie blieben erneut vor einer der wenigen Türen des *NJ7*-Hauptquartiers stehen. Sie glich allen anderen: keine Türklinken, blankes Metall – nur ein Detail war anders. Auf dem oberen Drittel der Tür waren zwei schwarze Zahlen aufgemalt: eine Eins und eine Null.

»Wo sind die anderen neun Türen?«, fragte Jimmy neugierig.

»Es gibt kaum Türen im *NJ7*-Hauptquartier«, erwiderte Miss Bennett mit ihrer samtenen Stimme. »Aus Sicherheitsgründen.« Das klang nicht unbedingt logisch, aber Miss Bennett fuhr fort: »Falls nötig, können wir den gesamten Komplex innerhalb von zwei Minuten komplett überfluten. Hundertzwanzig Sekunden und hier unten kann niemand mehr atmen. Was für dich natürlich kein Problem wäre, Jimmy. Warum glaubst du wohl, wurdest du so entworfen, wie du bist?«

Bevor Jimmy antworten konnte, stieß Miss Bennett die Tür kraftvoll auf und machte Jimmy ein Zeichen einzutreten. Noch bevor ihm richtig klar wurde, dass sie ihm nicht folgte, schlug bereits die Tür hinter ihm zu.

»Jimmy Coates, seit zwanzig Jahren warte ich auf das Vergnügen, deine Bekanntschaft zu machen.« Der Premierminister wirkte größer als im Fernsehen. Er schien auch älter und gebrechlicher, doch er war es ganz ohne Zweifel. Sein dünnes graues Haar milderte die scharfen Konturen seines Schädels etwas ab, und seine Gesichtsfalten schienen alle auf seine Nase zuzulaufen, die etwas zu inquisitorisch hervorstach. Unter seinen Augen hingen schwere graue Tränensäcke.

»Willkommen in Downing Street Nummer zehn, meinem Amtssitz, Jimmy. Kann ich dir eine Tasse Tee anbieten?«

KAPITEL 13

Der perfekt ausgestattete Empfangssaal schien Millionen Kilometer von den unterirdischen Kammern des *NJ7* entfernt. Der Teppich war flauschig, die Decke hoch, und überall an den Wänden hingen grausame Porträts grausamer Menschen. Zwischen den Bildern standen Menschen aufgereiht, die denen auf den Gemälden ähnelten: Sekretäre, Assistenten und Sicherheitsbeauftragte. Mit einer schweigenden Routine, die etwas von einem einstudierten Tanz hatte, war Jimmy in den Saal geführt worden. Man hatte ihm Tee und Kekse serviert und ihn wie einen echten Würdenträger behandelt. Er versank förmlich in dem viel zu weichen Sessel. Die Armlehnen ragten bis in Schulterhöhe und der Tee stand auf einem Tisch außerhalb seiner Reichweite. Daher beschloss er, ihn noch eine Weile ziehen zu lassen, und griff stattdessen gelegentlich nach einem der Kekse.

»Ich bin Ares Hollingdale«, begann der Premierminister, als handle es sich um den Prolog eines Theaterstücks.

»Ich weiß«, sagte Jimmy. Und nach kurzer Überlegung fügte er hinzu: »Ich bin Jimmy«, obwohl man ihn ja bereits mit seinem Namen angesprochen hatte. Es gab da eine Frage, die ihm nicht mehr aus dem Kopf ging: Was hatte der Premierminister damit gemeint, er hätte zwanzig Jahre auf diesen Moment gewartet? Hatte man all das bereits geplant, bevor Jimmy überhaupt geboren worden war? Aber dann fiel ihm ein, dass *geboren* vermutlich der falsche Ausdruck war; *entwickelt* traf es wohl besser, zumindest, wenn man Dr. Higgins glauben konnte.

Nach einigen einleitenden Floskeln winkte der Premierminister alle anderen Personen aus dem Raum. Nun waren sie beide allein, einmal abgesehen von den Porträts, die von den Wänden auf sie herabstarrten.

»Weißt du, was ich tue, Jimmy?«

»Sie schenken sich noch eine Tasse Tee ein?«

»Ich meine für unser Land.« Seine Stimme war definitiv die eines alten Mannes. Sie war tief und heiser, verbraucht von den vielen Jahren, in denen er im Parlament gesprochen hatte.

»Oh, ich verstehe. Nein, ich weiß nicht, was Sie für unser Land tun.«

»Ich mache es groß und bedeutend.« Beim Reden begannen Hollingdales Augen zu glühen und die Adern in seinem Hals schwollen zu lilafarbenen Strängen an. »Die Tage, in denen die dumpfe Masse die Geschicke unseres Landes mitbestimmen durfte, sind endgültig vorüber. Sag mir, Jimmy: Wenn du ein Schiff bauen willst, fragst du dann irgendwelche Leute auf der Straße, oder gehst du zu einem erfahrenen Schiffsbauer?«

»Bauen Sie denn ein Schiff?« Die leidenschaftlichen Ausbrüche des Premierministers machten Jimmy nervös.

»Nein, natürlich nicht! Das ist doch nur ein Beispiel, Junge. Wenn ich ein Schiff bauen *würde*, dann würde ich einen Experten fragen. Also, ein Land zu führen ist absolut vergleichbar damit. Warum sollten wir jeden einzelnen Menschen nach seiner Meinung fragen, wo wir doch Experten zurate ziehen können?«

»Experten im Führen von Ländern?«

»Genau! Jetzt hast du es begriffen!« Hollingdale klapperte aufgeregt mit seiner Teetasse. Jimmy fühlte sich in der Gegenwart dieses Mannes von Sekunde zu Sekunde unbehaglicher. Er hätte es vorgezogen, wenn so wie früher die Mattscheibe des Fernsehapparates zwischen ihnen gewesen wäre. »Und folglich sehe ich keine Notwendigkeit, die dumpfe Masse und die ganzen Einfaltspinsel zu befragen; ich brauche keinen Mann auf der Straße, der mir erklärt, was ich tun soll. Ich baue ein stärkeres Land für uns alle.«

»Super.« Jimmy wich Hollingdales Blick nach Möglichkeit aus, denn die Augen des alten Mannes quollen förmlich aus dem Schädel. Doch dann wurde der Premierminister plötzlich nachdenklich und lehnte sich in seinem Sessel zurück.

»Ich erinnere mich noch an die Zeiten, als ich dachte, wir würden jemanden wie dich *nicht* brauchen. Du warst niemals für diese Art von Auftrag bestimmt, die du nun erledigen wirst, Jimmy.« *Jetzt komm endlich*

auf den Punkt, dachte Jimmy – *was für ein Auftrag?*
»Du bist eines unserer außergewöhnlichsten Projekte. Ursprünglich solltest du uns vor äußeren Feinden schützen, vor fremden Nationen. Du solltest unseren großen Plan nach außen unterstützen.«

Hollingdale schloss die Augen und im Raum machte sich Stille breit. Einen Moment lang glaubte Jimmy, der Alte wäre vielleicht eingeschlafen oder sogar gestorben, doch dann erwachte er wieder zum Leben, und das heftiger als je zuvor. »Jetzt benötigen wir deine Dienste, um die Feinde im Inneren unserer großen Nation zu bekämpfen! Die ewigen Kritiker und Mäkler, die Verräter, die altmodischen Demokraten, die für die dumpfe Masse eintreten.« Hasserfüllt spie er die Worte aus – und das in unmittelbarer Nähe von Jimmys Keksen. Jimmy beschloss, ab sofort keinen mehr davon zu essen.

»Sir«, sagte Jimmy kleinlaut und in der Hoffnung, sich so bald wie möglich von diesem beängstigenden Mann entfernen zu dürfen, »offenbar bin ich ein Killer. Aber ich weiß noch nicht, worin mein Auftrag besteht …«

»Deine Mission!«

»Ja, meine Mission.«

»Ich wollte es dir persönlich mitteilen. Wir sind alle sehr stolz auf dich, Jimmy, und auf das, was du tun wirst. Der *Grüne Streifen* hat ein weiteres wertvolles Instrument gefunden, da bin ich mir jetzt schon sicher. Ich mag dich. Du bist durch und durch *NJ7*.« Jimmy fühlte sich durch den starren Blick des mächtigsten

Mannes des Landes wie gelähmt. Und sein Lob fühlte sich anders an als üblicherweise. Es verursachte Jimmy drückende Magenschmerzen.

»Also, ursprünglich wollte ich dich persönlich in deine erste Mission einweihen«, fuhr der Premierminister fort. »Die erste *NJ7*-Mission einer neuen Generation von *NJ7*-Agenten. Leider hatte ich nicht die Zeit, mich mit all den technischen Details vertraut zu machen. Du wirst also in dieser Angelegenheit mit Miss Bennett vorliebnehmen müssen. Aber ich versichere dir, sie verdient deine volle Aufmerksamkeit. Gemeinsam können wir dieses Land stärker und größer machen, Jimmy.«

Größer? Wie konnte man denn ein Land größer machen? Jimmy wollte gerade nachfragen, aber der Premierminister war noch nicht am Ende. Er musterte Jimmy durchdringend und sprach jetzt langsam und mit leicht drohendem Unterton.

»Ist dir die Bedeutung deiner Mission klar geworden, junger Mann?«

»Ja, natürlich. Sie soll das Land schützen.«

»Nein, nein, ich meinte die Bedeutung, die sie für dich hat – persönlich.« Die Mundwinkel des Premierministers krochen leicht nach oben. »Und die Bedeutung für deine Familie.«

Seine Bemerkung wurde noch durch das drohende Funkeln seiner Augen unterstrichen. Jimmys Kehle war wie zugeschnürt und die Zeit schien stillzustehen. Er verstand nur zu gut. Als Jimmy sich wieder aus seiner

Erstarrung löste, hatte der Premierminister den Raum bereits verlassen, und einige aus seiner Gefolgschaft hatten seine Stelle eingenommen. Die Besprechung war vorüber. Man eskortierte Jimmy zurück durch die Metalltür.

Das Gesicht war ihm bekannt. *Christopher Viggo*. Das Zielobjekt. Der Stachel in Hollingdales Fleisch. Bei jeder sich bietenden Gelegenheit sprach Viggo mit flammenden Worten in der Öffentlichkeit. Er setzte sich für die alten Freiheiten ein – *Freiheiten von Vorgestern* nannte Miss Bennett sie. Immer wieder tauchte er überraschend auf, um dem Premierminister vor der Presse unpassende Fragen zu stellen. Aber Viggo war inzwischen mehr als nur ein Ärgernis. Miss Bennett erklärte, er sei auch gefährlich, jetzt wo er Anhänger um sich scharte und eine Opposition zu bilden drohte. So etwas hatte es schon seit Jahren nicht mehr gegeben. Wozu auch, wenn man sie ohnehin nicht wählen konnte?

Folglich musste Christopher Viggo beseitigt werden. Dummerweise war es sehr schwer, privat an ihn heranzukommen; und ihn in der Öffentlichkeit zu töten, wäre eine Katastrophe gewesen – es hätte ihn zum Märtyrer gemacht. Man konnte keinen jungen, gut aussehenden Rebellen ermorden und dann erwarten, dass sich die Erinnerung an ihn einfach so in Luft auflöste. Daher war der Plan, es unauffällig und aus nächster Nähe zu tun, sodass alle von einem Unfall ausgehen würden.

Bald hatte sich das Foto von Viggos Gesicht auf Jimmys Netzhaut eingebrannt. Und jetzt stand Jimmy an der Ecke Downing Street und sah, wie Viggo höchstpersönlich nach einer außerordentlichen Debatte mit dem Premierminister im Sprühregen davonmarschierte. Was für eine plumpe Falle. Warum war der Mann denn nicht zu Hause geblieben? Sie hatten ihn über einen Journalisten zu diesem gemeinsamen Treffen bewegt und jetzt sollte Jimmy ihm folgen. Sobald Viggo sich weit genug vom Premierministersitz entfernt hatte, sollte Jimmy zuschlagen, ihn töten und anschließend Bericht erstatten. Ganz einfach. Und falls irgendjemand Jimmy dabei in die Quere kam, sollte er ihn gleich mit beseitigen.

Jimmy betrachtete Viggo durch den Regen: Ebenso wie auf dem Foto wirkte er viel anziehender als der Premierminister. Er war jünger, sah besser aus, und Miss Bennetts Aussagen zufolge – die ihn persönlich kennengelernt hatte – war er auch viel charismatischer. Kein Wunder, dass Hollingdale ihn beseitigen wollte.

Viggos braune Augen schimmerten sanft über den markanten Wangenknochen und sein Dreitagebart erinnerte Jimmy mehr an einen Popstar als an einen Politiker. Armer Mann. Schon bald würde er tot sein und ahnte nicht das Mindeste. Es fühlte sich so unwirklich an, dass Jimmy derjenige sein sollte, der ihn tötete. Es verstörte ihn zutiefst und stieß ihn ab.

Jimmy hatte nie jemanden töten wollen. Er stellte sich das Gesicht seines Opfers vor, direkt vor dem tödlichen Schlag. Dabei wurde ihm ganz übel. Wie konnte jemand überhaupt so etwas tun? Und wie konnte man gemütlich in seinem Sessel bei Tee und Keksen sitzen und den Befehl zu so einer bösartigen Tat geben? Und da verstand Jimmy, warum sie dafür jemanden brauchten, der fast eine Maschine war. 38 Prozent Mensch. Nur 38 Prozent von ihm hatten Gewissensbisse wegen eines Mordes. Der ganze Rest war auf Töten und Auslöschen programmiert. Gut und Böse waren diesem Teil gleichgültig. Alles Blut wich aus seinem Gesicht.

Jimmy wollte am liebsten fliehen. Niemand beobachtete ihn. Es war das erste Mal seit langer Zeit, dass er nicht von *NJ7*-Leuten bewacht wurde. Sie hatten ihn losgeschickt, den Auftrag alleine zu erledigen. Die Versuchung war groß, einfach alles hinter sich zu lassen. Doch Jimmy wusste, dass es unmöglich war – er würde damit auch seine Eltern im Stich lassen. Er war wütend auf sie, weil sie ihn in diese Lage gebracht hatten. Trotzdem konnte er nicht ihr Leben aufs Spiel setzen. Immerhin waren es seine Eltern. Jimmy wünschte sich, die nicht menschlichen Anteile in ihm hätten noch ein paar Jahre mehr Zeit zur Entwicklung gehabt. Dann hätten sie vielleicht den Aufschrei seines Gewissens zum Schweigen gebracht.

Irgendwann hatte Jimmy aufgehört, Miss Bennetts Berichten über Viggo zuzuhören: über seinen Alltag, seine Organisation, seine Opposition gegen die neodemokratische Regierung des Premierministers. Jimmy hatte sich bemüht, ihre Worte auszublenden, während ihm die erschreckende Wahrheit zunehmend bewusst geworden war. Er war ein Killer. Er war böse. Manchmal spürte er nun eine Art mörderischer Energie. Sie lebte jetzt unter seiner Haut, war immer da. Er war als Killer entwickelt worden; und es war nur noch eine Frage der Zeit, bis er jemandem ernsthaften Schaden zufügen würde. Wobei es keine Rolle spielte, für wen oder warum er tötete oder dass man ihn dazu zwang.

Er versuchte, diese quälenden Gedanken abzuschütteln.

Jimmy wischte sich mit seinem Ärmel die Regentropfen aus dem Gesicht. Das spezielle Grüner-Streifen-Hemd war bemerkenswert. Weil es so warm war, brauchte er keine Jacke, und der Regen perlte einfach ab. Der Stoff fühlte sich kein bisschen nass an. Ohne Jacke konnte er sich freier bewegen und geschmeidig von Schatten zu Schatten gleiten. Er folgte Viggo durch die Straßen der Innenstadt von London, durch die Menschenmenge, die sich an diesem grauen Nachmittag dort drängte. Hier war es kein Problem, unbemerkt zu bleiben. Von der Masse verborgen war ihm Jimmy dicht auf den Fersen. Viggo hatte den Mantelkragen hochgeschlagen und ging mit großen Schritten, offenbar um dem Regen rasch zu entkommen. Vor ihm teilten sich die Regenschirme, trieben vorbei und schlossen sich hinter ihm wieder. Jimmy schlängelte sich geschmeidig zwischen den Regenmänteln und den Pfützen hindurch, den Blick fest auf Viggos Hinterkopf gerichtet. Viggo drehte sich nicht ein einziges Mal um.

Offenbar rechnete er nicht damit, dass er verfolgt wurde. *Hätte er eine Gefahr gewittert, hätte er vermutlich seine Leibwächter mitgebracht,* dachte Jimmy. Vielleicht hatte Viggo eine höhere Meinung vom Premierminister, als es angebracht war. Oder vielleicht war er selbst bewaffnet.

Sie erreichten die U-Bahn-Station *Embankment.* Viggo fischte ein Ticket aus seiner Tasche und steckte es in den Schlitz des Drehkreuzes. Jimmy war darauf vorbereitet. Das Einzige, was man ihm an Spezialausstattung gestattet hatte, war ein U-Bahn-Ticket. In sicherem Abstand schob er sich durch dasselbe Drehkreuz. Er hatte sich bereits an den Rhythmus von Viggos Schritten gewöhnt.

Die U-Bahn-Station war stark bevölkert und hatte diesen vertrauten dumpfen Geruch, der sich bei Regen dort bildete – wie nach nassem Hund. Die Tunnel erinnerten Jimmy an das *NJ7*-Hauptquartier, und er fragte sich, ob die beiden Systeme wohl irgendwie miteinander verbunden waren. Es hätte ihn nicht gewundert. Wenn es eine Geheimtür zu einem Schneidergeschäft und eine weitere zum Amtssitz des Premierministers gab, zu was mochten sie dann noch alles Verbindungen haben?

Überall hasteten Menschen, in der Schalterhalle, auf den Rolltreppen, in den Gängen. Es wurde schwieriger, Viggo im Auge zu behalten, vor allem weil Jimmy kleiner war als die Erwachsenen, die sich jetzt zwischen sie drängten. Doch er war sich ziemlich sicher, dass er immer noch an ihm dran war. Da waren der hochgeschlagene Kragen und die leicht gekrümmten Schultern. Allerdings war Viggo jetzt, wo alle ihre Schirme zugeklappt hatten, schwieriger auszumachen; auf der Straße war er noch eindeutig an der Gasse zwischen den Schirmen zu erkennen gewesen.

Seit sie die Downing Street verlassen hatten, hatte Jimmy keinen Blick mehr auf das Gesicht des Mannes erhascht. Er fixierte die Rückseite seines Mantels, als Viggo auf dem Bahnsteig der Northern Line stehen blieb. Noch zwei Minuten bis zum nächsten Zug. Jimmy wischte seine Nase am Ärmel ab. Sein Haar war tropfnass vom Regen, außerdem schwitzte er. Dann fühlte er eine merkwürdige Hitze in sich aufsteigen. Es begann. Sein nicht menschlicher Anteil übernahm die Kontrolle. *Aber warum jetzt?* Im Augenblick folgte Jimmy seinem Zielobjekt doch einfach nur. Nachher, wenn der Zeitpunkt zum Töten gekommen war, würde er seine ganze Energie brauchen; aber einem Mann einfach auf den Fersen zu bleiben, dazu reichten seine menschlichen Fähigkeiten aus.

Die dunkle Energie wurde stärker, ballte sich in seinem Inneren. Und während sie anwuchs, wurde Jimmy klar, warum. Der Zeitpunkt war gekommen. Es war der perfekte Moment, um zu töten, ohne es wie einen Mord aussehen zu lassen. Der perfekte Ort für einen *Unfall.* Er versuchte vergeblich, es zu stoppen. Es vibrierte bereits in seinem ganzen Körper. Bisher war die Energie immer nur in Notwehrsituationen aufgetreten. Er hatte noch nie die ganze Gewalt seines Killerinstinkts gespürt. Jimmy wollte den Mund zu einem Schrei zu öffnen, er wollte jemanden dazu bringen, dass er ihn stoppte, aber er hatte bereits keine Kontrolle mehr. Sein Körper war vollständig in der Hand seiner Programmierung.

Wie von einem entrückten Standpunkt aus sah er, wie seine Hände sich hoben. Er fühlte, wie sich sein Gewicht nach vorne verlagerte. *Übernimm die Kontrolle! Übernimm die Kontrolle!*, rief er sich innerlich zu, aber der übrige Teil seines Körpers hörte nicht auf ihn. Jetzt, wo der Moment gekommen war, hoffte er mehr als je zuvor, dass es aufhören möge. Während der Trainingszeit hatte er noch verdrängen können, dass er tatsächlich jemandem das Leben nehmen würde; doch jetzt war die Situation gekommen.

Jimmy bewegte sich langsam auf die Bahnsteigkante zu, wo sein Zielobjekt stand. Ein Schubs im richtigen Moment – und die Sache wäre erledigt. Ganz einfach. Nichts konnte ihn mehr aufhalten. Er schlich näher, bahnte sich mit den Ellbogen einen Weg durch die Pendler, bis er direkt hinter dem tropfnassen Mantel seines Opfers stand. Gleich würde der nächste Zug einfahren. Staub wehte um seine Füße. Der Wind aus dem Tunnel blies stärker, war heiß und abgestanden. Die Gleise knackten und knisterten. Jimmys Atem floss ruhig und traf die Rückseite von Viggos Mantel. Sein Herzschlag war regelmäßig – er wurde gesteuert von dem gefühllosen Killer, als den man ihn programmiert hatte. Doch in seinem Inneren war er panisch. Der menschliche Jimmy in seinem Inneren flehte leise, jedoch ohne sich Gehör verschaffen zu können. Das donnernde Geräusch schwoll an. Das Grollen und Scheppern eines tödlichen U-Bahn-Zugs. Als der erste Wagen im Tunnel um die Ecke bog, blitzten seine Scheinwerfer auf. Jimmys Hände schwebten über seinen Taschen, als wäre er ein Revolverheld, der bei einem Duell auf den entscheidenden Moment wartete. Der Mann vor ihm hatte nicht den geringsten Verdacht und wandte sich dem einfahrenden Zug zu. Blitzschnell drehte sich Jimmys Körper zur Seite. Er warf sich gegen den Mann. Mit Schultern und Händen stieß Jimmy ihn zur Bahnsteigkante. Und noch während der arme Kerl einen Schreckensschrei ausstieß, wandte Jimmy sich in einer fließenden Bewegung ab und lief in Richtung Ausgang. Doch da kreuzte jemand seinen Weg – Christopher Viggo. Jimmy hatte den falschen Mann erwischt.

Die große markante Gestalt Viggos rannte auf das Gleis zu. Er hatte den anderen Mann taumeln sehen. Hatte er auch bemerkt, dass Jimmy ihn gestoßen hatte? Der Zug raste mit unverminderter Geschwindigkeit in den Bahnhof, der Mann versuchte verzweifelt nicht aufs Gleis zu kippen, das seinen Tod bedeutete. Mit einer für Jimmy unfassbaren Geschwindigkeit war Viggo zur Stelle und hechtete vorwärts. Das Gesicht des U-Bahn-Fahrers war zu einer Grimasse des Schreckens verzerrt. Die Bremsen kreischten verzweifelt.

Der stürzende Mann ruderte mit den Armen in der Luft, als Viggo ihn noch im Sprung packte.

Kaum hatte er den Stürzenden erwischt, ließ er sich in einer gekonnten Drehung fallen und riss so den Mann und sich selbst weg von der tödlichen Kante. Die Pendler wichen verängstigt zurück, als Viggo mit dem soeben geretteten Mann im Griff über den staubigen Beton rollte. Der Zug ratterte vorbei, hielt an der vorgesehenen Stelle, und die Türen glitten auf, als wäre nichts geschehen. Vermutlich glaubte der Fahrer, er hätte alles nur geträumt.

Jimmy japste erschrocken nach Luft. Wie hatte er die beiden Männer nur verwechseln können? Er musste im Chaos der Station dem Falschen gefolgt sein. Er fühlte sich wie ein Idiot.

Unter Aufbietung seiner gesamten Willenskräfte bestieg er den Zug. Noch immer bekam er kaum Luft. Am liebsten hätte er den Tag abgeschrieben und wäre einfach davonspaziert. Aber er musste den Auftrag zu Ende zu bringen – so jämmerlich er auch begonnen hatte. Nicht seinem Land zuliebe, sondern um seiner Familie willen. Was Jimmy anging, so war die Rechnung simpel: Er musste ein Leben auslöschen, um drei andere zu retten.

Im Zug wurde Jimmy Zeuge, wie Christopher Viggo als Held gefeiert wurde. Einige Leute erkannten ihn und befragten ihn ausführlich zu seinen politischen Aktivitäten. Es wunderte Jimmy nicht, dass die Menschen rasch Vertrauen zu ihm fassten. Immerhin hatte er gerade jemandes Leben gerettet. Aber auch davon abgesehen schienen viele aufrichtig erfreut, als sie erfuhren, wer er war. Jimmy belauschte Teile ihrer Unterhaltung und hörte, wie Viggo den Premierminister einen »Tyrann« und »Diktator« nannte.

Jimmy hatte sich noch nie in seinem Leben so schrecklich gefühlt. Sobald die mysteriöse Energie abgeflaut war, begannen seine Hände zu zittern, und sein Mund war wie ausgetrocknet. Er musste sich mit aller Kraft zusammenreißen, um sich nicht zu übergeben. *Das ist kein Auftrag für einen Jungen*, dachte er, *nicht einmal für einen, der nur zum Teil ein Mensch ist.*

Während der Zug die Northern-Line-Route hinaufratterte, leerte er sich langsam. Als er irgendwann an die Oberfläche kam, gab es eine Menge freier Sitzplätze. Jimmy setzte sich ans Ende des Waggons, möglichst weit entfernt von Viggo, der sich noch immer mit einem seiner neuen Fans unterhielt. Trotzdem kam Jimmy sich auffällig vor wie ein bunter Hund. Er wünschte *NJ7* hätte ihm irgendeine Art Tarnung gegeben; eine Schuluniform und eine Tasche mit Büchern hätten immerhin eine Erklärung für seine Anwesenheit geliefert. Doch so musterte man ihn von allen Seiten mit neugierigen Blicken.

An der Station Finchley Central erhob sich Viggo, schüttelte seinem Bewunderer die Hand und trat hinaus auf den Bahnsteig. Jimmy folgte ihm. Der Regen hatte aufgehört, trotzdem war dieser Spätnachmittag für die Jahreszeit viel zu düster. Jimmy war nie zuvor in diesem Teil Londons gewesen. Er wirkte auf ihn wie die bedrückende Kulisse eines Albtraums. Viggo schlug den Mantelkragen hoch. *Ein schrecklicher Tag, um zu sterben,* dachte Jimmy.

Er kämpfte immer noch mit sich selbst: Er musste das nicht tun. Er konnte einfach verschwinden. Wieder in eine U-Bahn steigen und irgendwohin fahren. Diese beiden Menschen, die er Mum und Dad genannt hatte, hatten ihn belogen. Sie waren nicht mal seine richtigen Eltern. Sie waren Agenten, die ihn lediglich als eine Mission betrachtet hatten.

Er blieb Viggo auf den Fersen, ohne ihn aus dem Blick zu verlieren, aber immer in sicherem Abstand. Sie querten die Bahngleise über eine Brücke. Auf der anderen Seite begann Viggo einen steilen Weg in Richtung Hauptstraße hinaufzulaufen.

Jimmy blieb stehen. Sein Kopf sagte ihm, dass er das nicht durchziehen musste. Doch ein anderer Teil von ihm wusste, dass seine Eltern mehr waren als nur Agenten, die seine Entwicklung überwacht hatten. Sie waren tatsächlich richtige Eltern für ihn gewesen. Er musste daran denken, wie seine Mutter ihm zugerufen hatte, er solle wegrennen, als der *NJ7* ihn abholen kam. Sie wollte nicht, dass man ihn zu so etwas zwang. Wenn er diesen Auftrag ordentlich zu Ende brachte, dann konnten die beiden vielleicht aus dem Dienst ausscheiden, und Dad konnte *wirklich* eine Kronkorken-Fabrik eröffnen.

Viggos wehender Mantel verschwand um eine Ecke.

Jimmy wartete noch eine Sekunde, dann rannte er hinter ihm her den Fahrweg hinauf. *Schluss mit der Unentschiedenheit.* Jetzt war der richtige Moment.

Es herrschte kaum Verkehr, aber die wenigen Autos waren viel zu schnell unterwegs. Ihre Reifen wirbelten das Regenwasser von der Straße auf. Grauer Nebeldunst umhüllte Viggo, während er über die Straße spurtete. Jimmy hatte ihm den Rücken zugekehrt und beobachtete sein Spiegelbild im Schaufenster einer weiteren geschlossenen Filiale einer amerikanischen Hamburger-Kette. Viggo spähte jetzt beiläufig über die Schulter. Ahnte er, dass er verfolgt wurde?

Jimmy überquerte die Straße, setzte sich auf eine Bank an einer Bushaltestelle und linste aus den Augenwinkeln zu Viggo. Dieser bog von der Hauptstraße ab und verschwand nach einem letzten Blick zurück in einem Hauseingang. Jimmys Inneres zuckte. Er machte sich bereit zu töten.

KAPITEL 14

IZGARU – die goldenen Buchstaben waren ineinander verschlungen und viel zu prächtig für das Lokal, das sie zierten. Von der Holzfassade blätterte die verblichene dunkelgrüne Farbe und die Fensterscheiben waren staubig und verschmiert. Jimmys Fokus wanderte zwischen dem sich in der Scheibe spiegelnden tropfnassen Jungen und den leeren Tischen im Inneren hin und her. Die Speisekarte an der Tür war kaum zu entziffern, so viel Schmutz hatte sich darauf abgelagert. Es war ein türkisches Lokal – Humus, Kebab, Baklava. Jimmy war hungrig. Aber noch war keine Essenszeit und das Lokal war leer.

Dann sah er, wie sich etwas im Lokal bewegte. Viggo lief zwischen den Tischen hin und her, deren weiße Tischdecken wie gespenstische Leichentücher herabhingen. Viggo setzte sich mit dem Rücken zum Fenster, zog einen Füller aus seiner Brusttasche und begann an irgendwelchen Papieren zu arbeiten. Er wirkte entspannt. Jimmy überdachte noch mal sein Vorgehen: ein einziger Schlag gegen den Hals.

Doch allein bei dem Gedanken wurde ihm schlecht. Er wünschte, der gefühllose, unmenschliche Teil hätte schon übernommen und ihm diese Übelkeit erspart. Doch es war der echte Jimmy, der nun nervös die Straße überquerte und sich mit jedem Schritt seinem Ziel näherte.

Kurz bevor er das Lokal erreichte, flog drinnen die Tür zur Küche auf, und ein weiterer Mann betrat das Restaurant.

Er brachte einen Teller, auf dem sich Fleischspieße stapelten. Seine weiße Kochschürze war voller Fettflecken, und seine dicken Hände beeilten sich, den heißen Teller abzustellen. Gleich darauf war er wieder in der Küche verschwunden. Viggo nahm kaum Notiz von der Ankunft seines Essens. Es sah ziemlich lecker aus.

Jimmy wurde klar, dass er nicht einfach so durch den Eingang spazieren konnte. Wahrscheinlich befand sich oben an der Tür ein Summer oder eine Klingel, die ihn sofort verraten hätte. Also rannte er um das Gebäude, auf der Suche nach einem Hintereingang, wie ihn die meisten Restaurants hatten. Es gab zwar keinen, doch er entdeckte ein geöffnetes Fenster.

Die Dampfwolken, die daraus hervorwirbelten, verrieten ihm, dass es zur Küche führte. Jimmy sprang hoch und versuchte, den Fensterrahmen zu packen. Doch das Holz war zu glitschig vom Regen und zu dünn, um dort Halt zu finden. Auch beim zweiten Anlauf stürzte Jimmy zurück auf die feuchte Gasse. Er wusste, was zu tun war. Sosehr er es auch verabscheute, er musste den Killerinstinkt in sich wecken.

Er schloss die Augen und ballte die Muskeln in seiner

Magengegend. *Komm schon*, dachte er. Und dann fauchte er noch einmal leise durch die zusammengebissenen Zähne: »*Los*, komm schon.«

Und da war es wieder – dieser leichte Wirbel tief in ihm drinnen, als würde sich ein Wurm durch seine Eingeweide winden. Das Gefühl wurde stärker, die Energie schwoll an, bis sie einen pulsierenden Ball bildete, der aus seiner Brust hervorzubrechen versuchte. Jimmy merkte, wie er seine Haltung änderte. Seine Schultern schoben sich nach hinten, wurden straffer. Er stellte sich breitbeinig hin und ging in die Knie – bereit zu handeln. Doch musste er weiter die Oberhand über seine Kräfte behalten. Das war das Schwierigste. Aber er wusste, er konnte es schaffen.

Als er diesmal sprang, kam er so hoch, dass er das offene Fenster mit beiden Händen packen und mit einem einzigen Ruck komplett aus der Mauer reißen konnte. Der Holzrahmen löste sich vollständig aus der Ziegelwand und es war nichts zu hören außer einem leisen Knirschen. Die Glasscheibe blieb völlig intakt.

Als der Mann in der Küche aus dem Fenster schauen wollte, das nicht mehr da war, wirkte er ziemlich verdutzt. Und dann bemerkte er zwei schmale Hände, die sich von unten an der Fensteröffnung festkrallten. Er war zu überrascht, um zu schreien, aber seine Hand wanderte zum Griff des größten Messers auf der Arbeitsfläche.

In der Küche herrschte eine höllische Hitze. Die stickige Luft schlug Jimmy ins Gesicht, als er sich durch die Maueröffnung hievte. Bei der Landung rollte er nach vorne ab. Dabei wischte seine Hand über die Arbeitsfläche und schnappte sich ein Kohlkopfviertel. Der fette Koch setzte zu einem Schrei an und das Messer sauste blitzend durch die Dampfschwaden. Doch Jimmy war schneller. Sein Fuß traf die Hand des Kochs und das Messer flog gegen die Wand. Dort blieb es mit der Spitze stecken. Jimmys anderer Fuß donnerte gegen die Brust des Mannes und raubte ihm die Luft. Der massige Koch klappte in sich zusammen. Rasch war Jimmy über ihm und stopfte ihm den Kohlkopf in den Mund. Das brachte den Schrei schon im Ansatz zum Ersticken. Der Kopf des Kochs schlug auf die Kacheln und er wurde ohnmächtig.

Die Aktion war fast lautlos über die Bühne gegangen. Nur das leise Ping, mit dem sich das Messer in die Wand gebohrt hatte, und das Klatschen, mit dem der übergewichtige Mann zu Boden sackte, waren zu hören gewesen.

Jimmy schlich sich zu der Tür, die ins Restaurant führte. Wie ein Schatten huschte er an den Bratpfannen, den Bergen von Salat und den Schüsseln mit Minze vorbei.

Christopher Viggo saß immer noch im Speiseraum, den Papierkram auf der einen Seite des Tischs, einen halb geleerten Teller auf der anderen. Er hob den Kopf, als die Tür aufflog.

»Yannick?«, sagte er. Aber angesichts des schwarz gekleideten Jungen wurde ihm sein Irrtum rasch klar.

Jimmy lutschte an einem Stengel Minze. Viggo war ganz offensichtlich verblüfft. Und sein Blick fiel sofort auf den grünen Streifen auf Jimmys Hemd.

»Bist du Mitchell oder James?«, fragte Viggo mit ruhiger, kräftiger Stimme.

Jimmy hatte sich eigentlich direkt auf den Mann stürzen und ihn erledigen wollen. Doch die Frage ließ ihn zögern.

»Ich heiße Jimmy«, sagte er schließlich. Er bekam die Worte kaum heraus, so heftig wogten die Energiewellen in ihm.

»Und du bist gekommen, um mich zu töten«, verkündete Viggo mit nachdenklich geneigtem Kopf.

»Es ist zum Besten unseres Landes«, erwiderte Jimmy.

Christopher Viggo stand langsam auf, legte seinen Stift beiseite und hob die Hände, um zu zeigen, dass er unbewaffnet war. Sein Stuhl scharrte über den Boden. Jimmy hatte ein wachsames Auge auf die Tür.

»Mir war klar, dass sie irgendwann einen Anschlag auf mich verüben würden. Aber eigentlich dachte ich, sie würden damit warten, bis ihr alle erwachsen seid«, sagte Viggo und ging langsam um den Tisch herum. Jimmy bemühte sich, seine Verwirrung zu verbergen. Woher kannte dieser Mann seinen Namen? Und warum war seine einzige andere Vermutung Mitchell gewesen? Ausgeschlossen, dass dieser Mann *den* Mitchell meinte …

Jimmy blieb reglos stehen, verfolgte aber, wie sein

Opfer sich langsam seitlich bewegte. Oben an seiner Hose hing eine Serviette, fast wie eine weiße Fahne der Kapitulation. Allerdings wirkte Viggo überhaupt nicht, als würde er aufgeben. In seinen Augen blitzte es.

»Wie gefällt es dir beim *NJ7*, Jimmy?«

»Sie wissen vom *NJ7*?« Jimmy konnte sich die Frage einfach nicht verkneifen. »Sie kennen *mich*?« So viel zum Thema Geheimhaltung. Aber noch bevor Viggo zu einer Erklärung ansetzte, dämmerte Jimmy bereits die Wahrheit.

»Früher war ich wie du – nur dass ich zu 100 Prozent Mensch bin. Auch ich habe den grünen Streifen getragen.« Ein merkwürdiges Lächeln umspielte Viggos Mundwinkel. War es die Erinnerung an gute Zeiten? Oder war er heilfroh, nicht mehr dabei zu sein? Schwer zu sagen. Plötzlich kamen Jimmy Zweifel. Warum hatte Miss Bennett nicht erwähnt, dass Christopher Viggo einmal *NJ7*-Agent gewesen war? Vermutlich hatten sie deshalb *ihn* für den Auftrag benötigt. Niemand sonst wäre Viggo gewachsen gewesen.

Die Zweifel mussten sich auf Jimmys Gesicht gespiegelt haben, denn genau in diesem Moment handelte Viggo. Er setzte quer durch den Raum zur Eingangstür des Lokals. Seine Serviette flatterte zu Boden. Er war in großartiger Form und schnell wie ein Sprinter, doch es reichte nicht. Jimmy sprang über die Tische und versperrte Viggo den Weg. Gläser fielen zu Boden und zersplitterten; ein Tisch blockierte den Hinterausgang – nun gab es keinen Fluchtweg mehr.

Jimmy hechtete sich auf Viggo, aufgepeitscht bis zur Raserei von dem Instinkt in seinem Inneren: *Töte!*

Doch es war nicht leicht, einen ehemaligen *NJ7*-Agenten zu erledigen. Viggo war stark und schnell. Er drehte sich blitzschnell zur Seite und brachte seine Schulter nach vorne. Jimmy prallte mit voller Wucht dagegen und segelte über Viggos Rücken hinweg. Krachend landete er auf dem nächsten Tisch.

»Hör zu, Jimmy«, sagte Viggo, während Jimmy sich die Brösel einer Brotstange vom Hemd bürstete. »Warum glaubst du, führe ich ausgerechnet ein türkisches Restaurant?«

Jimmy unterdrückte den Impuls, sich sofort wieder auf ihn zu stürzen. »Sie hätten lieber ein Chinarestaurant gewählt. Dann hätten Sie jetzt wenigstens Essstäbchen zu Ihrer Verteidigung.« Mit diesen Worten startete er eine weitere heftige Attacke, diesmal mit fliegenden Füßen gegen Viggos Knie.

Doch Viggo hatte den Angriff erwartet. Er glitt beiseite und trat einen Stuhl in Jimmys Weg. Jimmy polterte samt Stuhl zu Boden.

»Nein, Jimmy«, sagte Viggo und schlenderte zurück zu seinem Tisch. »Du vergisst da eine Sache.«

»Und was?«

»Kebab wird an Spießen serviert.« Blitzschnell packte Viggo einen der benutzten Fleischspieße auf seinem Teller. Dann ließ er sich gekonnt über den Boden abrollen, holte aus und bohrte den Spieß mit voller Wucht einen Millimeter neben Jimmys Ohr in die Wand.

Jimmy stieß den Mann mit einem einzigen gewaltigen Tritt von sich. Er sprang auf und setzte über die Tische hinweg zur Mitte des Raums. Dort beugte er sich hinab und schnappte sich den zweiten Spieß von Viggos Teller.

Jimmy wusste nicht einmal, dass er fechten konnte. Aber er konnte es. Das Wissen stieg einfach in ihm auf, genau wie beim Karate, beim Springen, beim Schwimmen und seinen ganzen anderen Fähigkeiten. Aber auch Viggo war vom *NJ7* trainiert worden. Sie waren einander ebenbürtig – Stoß für Stoß, Ausfallschritt für Ausfallschritt. Jimmy war erstaunt über die Schnelligkeit seiner Hände, von denen die eine den Spieß hielt und die andere für das nötige Gleichgewicht sorgte. Inmitten der Funken, die ihre improvisierten Schwerter schlugen, trieben sich Jimmy und Christopher Viggo durch das Restaurant, wichen den Tischen und den wechselseitigen Attacken aus. Wobei Jimmy unablässig nachdachte.

Irgendwann wirbelte er herum, wehrte einen Gegenangriff Viggos ab und nahm den Spieß in die linke Hand. Mit seiner Rechten riss er ein Tischtuch herunter. Das Gedeck schepperte zu Boden. Jimmy warf das weiße Tuch vor sich in die Luft. Es breitete sich aus und nahm beiden Duellanten den Blick. Dann hüpfte Jimmy auf einen Stuhl und sprang mit den Füßen voran gegen das Tuch.

Viggo wusste nicht, wie ihm geschah. Plötzlich verschwand sein Angreifer hinter einem Tischtuch und dann trafen ihn Jimmys Füße aus dem Nichts mit voller Wucht im Gesicht. Er taumelte rückwärts, stürzte aber nicht. Er fand Halt an einem Tisch hinter ihm. Jimmy war herumgewirbelt und sicher gelandet.

Genau in dem Moment flog die Tür zur Küche auf. Es war Yannick, der korpulente Koch mit seiner fettigen Schürze. In einer Hand hielt er den Kohlkopf, in der anderen ein riesiges Messer. Er ließ den Kohl fallen, strich sich über den Schädel und stürzte sich mit vorgereckter Klinge ins Gefecht. Aber Jimmy hatte ihn rechtzeitig bemerkt.

Jetzt hatte er es mit zwei Gegnern gleichzeitig zu tun. Doch seine Hauptaufmerksamkeit galt Viggo; er durfte ihn nicht entkommen lassen. Glücklicherweise war der Koch viel langsamer und ganz offensichtlich nicht so durchtrainiert wie er selbst und Viggo. Trotzdem stellte sein Messer eine ernst zu nehmende Bedrohung dar.

»Warum haben Sie keine Leibwächter, Viggo?«, fragte Jimmy, während er mit seinem einen Widersacher focht und die Attacken des anderen mit Tritten abwehrte.

»Mach dir keine Sorgen um mich. Ich kann mich gut selbst verteidigen«, kam die gelassene Antwort. »Aber ich hab keine Ahnung vom Kochen. Daher scheint es mir sinnvoller, einen Küchenchef zu beschäftigen.«

Jimmy duckte sich unter zwei aufeinanderfolgenden Messerhieben, dann macht er einen gewaltigen Satz. Er landete am anderen Ende des Raums auf einer Tischkante. In dem Moment schleuderte Viggo seinen Spieß nach Jimmy. Er sauste durch die Luft, das Metall vor Fett glänzend. Viggo hatte gut gezielt. Aber durch Jimmys Landung auf der Tischkante wurde das gesamte Möbel nach oben katapultiert. Viggos Waffe traf das Holz und blieb dort stecken. Doch der Tisch krachte nicht einfach zu Boden. Jimmy packte ihn im Fall und warf ihn quer durch den Raum. Er erwischte Yannick frontal. Der Koch krümmte sich, sackte zu Boden und verlor zum zweiten Mal an diesem Abend das Bewusstsein.

Viggo war jetzt unbewaffnet. Jimmy sah seine Chance. Er war seinen Instinkten nun völlig ausgeliefert. Sie hatten erneut die Kontrolle übernommen und sein Körper vibrierte förmlich vor Energie. Viggo rannte zur Küchentür. Jimmy warf sich bäuchlings auf die Kacheln. Er rutschte mit ausgestreckten Armen, den Kebabspieß fest umklammernd, quer übers Parkett. Kurz bevor er Viggo erreichte, hämmerte er den Spieß in den Boden und hielt sich daran fest. Sein übriger Körper wurde durch den Schwung weitergerissen. Seine Beine flogen in die Luft. Seine Füße trafen Viggo am Hinterkopf, und dann fiel Jimmy flach auf den Rücken, die Arme über dem Kopf ausgestreckt.

Viggo taumelte. Jimmys Attacke war massiv gewesen. Doch Viggo war noch nicht erledigt. Er stolperte weiter auf die Tür zu. Nur noch ein Schritt … doch um ihn herum drehte sich alles. Mit einem Fuß trat er auf Yannicks Kohlkopf. Dann stürzte er und knallte hart auf den Boden.

Jimmy beugte sich über Viggo, betrachtete ihn zum ersten Mal in Ruhe. Er war nicht tot und auch nicht völlig bewusstlos. Jimmy atmete tief durch, immer noch fassungslos, wie gut sein Körper diesen Kampf überstanden hatte.

In ihm vibrierte jede Muskelfaser. Jimmys altes Ich war nur noch ein entrückter Beobachter irgendwo in diesem wirbelnden Kraftfeld. Er beugte sich über Viggo. Jetzt war der Moment gekommen – bevor Viggo wieder ganz bei sich war und Yannick aus der Ohnmacht erwachte. Es war die perfekte Gelegenheit. Ihn beschlich das merkwürdige Gefühl, dass er Yannick wahrscheinlich auch würde töten müssen. Ein schreckliches Gefühl. Aber Jimmy konnte nicht anders, er war in seinem eigenen Kopf gefangen.

Jimmys rechte Hand spannte sich. Seine Finger pressten sich eng aneinander, bereit, den tödlichen Schlag auszuführen. Jimmy wollte schreien. Er war voller Hass auf alles, was man ihn zu tun zwang, und auf alle, die ihn in diese Lage gebracht hatten. Seine Wut wurde unterdrückt durch die Macht seiner Instinkte, aber weil sie sich nicht frei äußern konnte, schwoll sie umso stärker an.

Er sah die Gesichter von Dr. Higgins, Miss Bennett und das monströse Grinsen von Ares Hollingdale vor sich. *Würde es mir leichterfallen, einen von ihnen zu töten?*, fragte er sich. Sein Körper war entspannt, obwohl er panisch hätte sein sollen. Seine Hand war ruhig, obwohl sie hätte zittern müssen.

Das ist falsch, dachte er. *Ich darf nicht töten.* Aber zur gleichen Zeit wusste er: *Ich kann es nicht aufhalten.*

Gegen seinen Willen hob Jimmy den Arm. Seine Muskeln zuckten vor Verlangen, ein Leben zu beenden. »Ein einziger Schlag gegen den Hals.« Dieser Satz hallte in seinem Kopf. Viggos Hals war gestreckt, sein Kopf leicht nach hinten gebogen. Ein Hieb und er würde nie wieder atmen. Ein leises Stöhnen drang aus Viggos Kehle. Sein letztes? Jimmy musste es stoppen. Was auch immer die Konsequenzen waren, es war falsch.

Doch sein Körper gehorchte ihm nicht. *Übernimm die Kontrolle*, dachte er immer und immer wieder. Er versuchte es laut zu sagen, es zu schreien, aber es gelang ihm nicht. Er fühlte, wie sein Ellbogen sich streckte. Dann fuhr seine Hand herab – die mörderische Waffe. *Übernimm die Kontrolle*, schrie er in seinem Kopf.

Viggos Murmeln wurde lauter. Der Schatten von Jimmys Hand senkte sich über sein Gesicht. Dann klappten plötzlich Viggos Augen auf. Jimmy konnte seinen Arm nicht stoppen, er sauste mit der Gewalt einer Axt herab. Viggo sah sie kommen. Mit einem letzten Aufbäumen fing er Jimmys Hand einen Zentimeter vor seiner Kehle ab. Doch Jimmy, der Killer, gab nicht auf. Er riss sein Handgelenk aus Viggos Umklammerung. Jimmy, der Junge, schrie noch immer stumm: *Übernimm die Kontrolle.* Viggo wusste, was kommen würde, und war jetzt schutzlos ausgeliefert.

Jimmys Hand hatte wieder ausgeholt. Diesmal würde sie Viggos Verteidigungshaltung durchbrechen. *Übernimm die Kontrolle*, zuckte es erneut durch seinen Kopf. Aber seine Hand sauste durch die Luft, während Jimmy den Mund aufriss.

Viggo konnte sich nicht bewegen. Er blickte seinem Mörder in die Augen und entdeckte dort jemanden, den er vor langer Zeit einmal gekannt hatte. Dort war noch Menschlichkeit. Mit letzter Kraft stieß er hervor: »Helen …«

Als Jimmy den geflüsterten Namen seiner Mutter hörte, durchfuhr ihn plötzlich eine andere Art von Energie. »*Übernimm die Kontrolle!*«, schrie er laut. Plötzlich fühlte er sich wieder lebendig. Seine Hand traf hart auf den Boden und ließ das Parkett splittern.

KAPITEL 15

Beide brauchten eine ganze Weile, bis sie sich wieder erholt hatten. Jimmy zitterte. Alle möglichen Bilder wirbelten wild durch seinen Kopf, und er presste sich flach an den Boden des Restaurants; die Welt um ihn herum drehte sich und drohte aus den Fugen zu geraten. Er bekam nur am Rande mit, wie Christopher Viggo sich aufrappelte und aufzuräumen begann. Jimmy nahm den Mann nur schemenhaft wahr, der nun die Tische wieder zurechtrückte und die Gedecke sorgfältig ausrichtete. Irgendwann beugte sich der Schatten des Mannes über ihn, ruhig und kühl. Seine Silhouette berührte irgendetwas tief in Jimmys Erinnerung. Eine Hand legte sich auf seine Schulter. Und Jimmy wurde bewusst, dass sie Viggo gehörte, dem Mann, den er hätte töten sollen – und der nun vielleicht Jimmy töten würde.

Aber das war nicht seine Absicht. Stattdessen half er Jimmy auf die Beine und bot ihm seinen Arm als Stütze. Dann schlichen sie wortlos durch die Küche, durch eine weitere Tür und über die ausgetretenen Treppenstufen hinauf in seine Wohnung. Draußen war es dunkel, aber eine Straßenlampe warf ihr grelles Licht herein. Es gab keine Jalousien, daher wurde das Licht nur durch den Schmutz auf den Fenstern gedämpft. Jimmy blickte hinaus auf die goldenen Buchstaben, die er schon von der Straße aus gesehen hatte: *Izgaru*. Immer noch leicht benommen starrte er sie an, während Viggo durch die Wohnung humpelte – der Kampf war nicht spurlos an ihm vorübergegangen. Irgendwann seufzte er, rieb sich den Nacken und ließ sich in einen abgewetzten, alten Sessel fallen.

»Alles in Ordnung?«, erkundigte sich Viggo. Zum ersten Mal schwang ein leichtes Zittern in seiner sonst so gelassenen Stimme mit. Dann stieß er ein müdes Lachen aus. »Klar, dir geht's gut.« Er legte den Kopf in den Nacken und drückte sich einen Beutel mit gefrorenen Erbsen auf die Stirn. »Aber schau dir an, was du bei mir angerichtet hast.«

Jimmy fand einen Stuhl und setzte sich. Gebannt studierte er Viggos Bewegungen, als könne er damit ein Rätsel lüften. Noch nie war er einem derartigen Menschen begegnet. Viggo hielt die Augen geschlossen und den Kopf nach hinten gelehnt. Jimmy war froh, dass er keine solchen körperlichen Schmerzen hatte. Doch in seinem Inneren tobte ein Kampf. Sein Magen rebellierte und seine Gedanken waren umnebelt. Sein Instinkt gab einfach nicht auf; er wollte Viggo töten. Es erforderte Jimmys ganze Konzentration, um die Oberhand zu behalten.

»Woher kennen Sie meine Mutter?«, fragte er schließlich. Er hatte bisher nicht zu sprechen gewagt, aus

Angst, möglicherweise die Kontrolle zu verlieren und eine weitere mörderische Attacke zu starten.

»Wir waren Freunde, damals beim MI6«, erklärte Viggo. »Bevor du geboren wurdest.« Er richtete langsam den Kopf auf und nahm den Erbsenbeutel herunter. »Du hast eine Schwester, oder?«

»Ja. Georgie.«

»Natürlich. Ich erinnere mich noch, wie sie ein Baby war. Sie muss jetzt etwa fünfzehn sein, oder?«

»Sie ist vierzehn.«

»Vierzehn, richtig. Kurz nach ihrer Geburt bin ich beim *NJ7* ausgestiegen.«

Jimmy musterte Viggo neugierig. Vieles an ihm erinnerte ihn an seinen Vater, allerdings war er besser in Form. Er hatte auch mehr Bartstoppeln und längere Haare. Aber davon abgesehen hatten sie etwa die gleiche Größe und Statur.

»Warum sind Sie ausgestiegen?« Jimmy wurde mutiger, da sein innerer Aufruhr etwas nachließ.

»Ares Hollingdale ist ein machthungriger Fanatiker. Und das war er schon beim *NJ7* – lange bevor er Premierminister wurde. Ich habe das damals schon gespürt. Und in den letzten fünfzehn Jahren ist er mit jedem Tag mächtiger geworden.«

»Vierzehn«, verbesserte ihn Jimmy.

»Ja, vierzehn.« Viggo seufzte. Er wirkte plötzlich müde. Das Straßenlicht unterstrich die schweren Tränensäcke unter seinen Augen. »Jimmy, ist dir klar, warum man dich geschickt hat, mich zu töten?«

»Zum Besten des …« Jimmy verstummte. Er hatte keine Lust, den Satz zu beenden.

»Er ist an die Macht gekommen, indem er jede Opposition eliminiert hat. Er hat alle eingeschüchtert oder beseitigt, die ihm im Weg waren. Und wenn heute jemand seine absolute Autorität auch nur im Geringsten anzweifelt, so ist er gegen ihn absolut chancenlos. Er hat die Kontrolle über die Presse inklusive Fernsehen und Radio. Er entscheidet, wo und wann Wahlen stattfinden, und er legt ihren Ausgang fest. Und weißt du, wie er das macht, Jimmy?« Viggo sprach jetzt voller Leidenschaft und sein Blick bohrte sich in Jimmys Augen. Jimmy befürchtete, die Antwort auf Viggos Frage bereits zu kennen.

»Der Grüne Streifen«, erwiderte er mit einem Kloß im Hals.

»Richtig«, sagte Viggo, erhob sich und trat zum Fenster. »Er benutzt die militärische Stärke und die hoch entwickelte Technologie von *NJ7*, um sich an der Macht zu halten, während das ganze Land den Bach runtergeht.« Er starrte auf die Straße hinab. »Hollingdale muss gestoppt werden.«

Unten wurde das Restaurant langsam von hungrigen Kunden bevölkert.

»Dass das Land den Bach runtergeht, glaube ich nicht«, wandte Jimmy ein. »Das würden die Menschen doch niemals zulassen.«

»Die meisten Menschen erkennen nicht das wahre Ausmaß«, konterte Viggo. »Ich hab dir doch gesagt – er kontrolliert alle Informationen. In sämtlichen Sendeanstalten und Mediengesellschaften sitzen Regierungsagenten in den höchsten Gremien. Selbst Menschen, die über sein Vorgehen Bescheid wissen, sind zu eingeschüchtert, um aufzubegehren. Er ist ein Tyrann mit einer geheimen Armee, die sich seinen Befehlen widerstandslos fügt. Dafür hat er gesorgt, als er dich entwickelt hat.«

»Was? Nein, Dr. Higgins hat mich entwickelt.«

»Dr. Higgins war damals mit in dem Team, das dich konstruiert hat, Jimmy. Und jetzt ist er Chef der technologischen Abteilung bei *NJ7*. Aber wer war wohl damals der Chef? Wessen Visionen wurden vor vierzehn Jahren umgesetzt? Die von Ares Hollingdale natürlich.«

»Sie meinen vor zwölf Jahren – ich bin zwölf.«

»Ja, wie dumm von mir. Du bist erst zwölf.«

Viggo wandte sich ab und ging in die Küche. Doch seine letzte Bemerkung hatte nicht so geklungen, als hätte er sich erneut getäuscht. Es war seltsam: Jimmy hatte ihn gerade erst daran erinnert, wie viel Zeit in Wahrheit vergangen war. Und wenn Viggo *NJ7* vor vierzehn Jahren verlassen hatte, wie konnte er dann über *ihn* Bescheid wissen, Jimmy Coates, obwohl er doch erst vor zwölf Jahren entwickelt worden war? Irgendetwas passte da nicht zusammen.

Jimmy wollte Viggo gerade weiter dazu befragen, da klopfte es leise. Und gleich darauf öffnete die schönste Frau, die Jimmy je gesehen hatte, die Tür und blieb auf der Schwelle stehen. Sie glich einer griechischen Statue, nur war sie nicht aus weißem Marmor, sondern ihre Haut war von einem wunderbaren samtig schimmernden Schwarz. Und wenn die Statuen von Göttinnen hätten gehen können, dann hätten sie auf genau die Art den Raum betreten. Die Frau bewegte sich, als brauchten ihre Füße den Boden dazu nicht berühren, sie schwebte mehr, als dass sie ging. Eine Ringellocke aus schwarzem Haar tanzte elastisch auf ihrer Schulter und ihre Augen spiegelten das orangefarbene Licht.

»Ist das der Junge, vor dem Yannick mich gewarnt hat?« Ihre Stimme klang genauso, wie Jimmy es erwartet hatte – tief, mysteriös und musikalisch. Christopher Viggo kehrte aus der Küche zurück und wischte sich die Hände an einem Tuch ab. Er lächelte und die beiden begrüßten sich mit einem zarten Kuss.

»Jimmy«, sagte Viggo und ließ sich mit einem weiteren Paket gefrorenen Gemüses wieder in seinem Sessel nieder, »das ist Saffron.« Die umwerfende Frau näherte sich Jimmy und streckte ihm ihre grazile Hand hin.

»Ich bin Saffron Walden. Freut mich, dich kennenzulernen.«

»Hi, ich bin Jimmy«, krächzte er, ergriff ihre Hand und schüttelte sie kräftig.

»Saffron leitet das Restaurant für mich, Jimmy«, erklärte Viggo unter dem Beutel mit gefrorenem Blumenkohl hervor. »Und sie unterstützt mich auch bei meinen politischen Anliegen.«

Saffron schlenderte zu Viggo hinüber, wobei ihr

mitternachtsblaues Cocktailkleid beim Gehen leise raschelte.

»Yannick hat ziemlich was abbekommen«, sagte sie. »Aber ich konnte ihn trotzdem überreden, euch beiden etwas zu essen zu machen, sobald er Gelegenheit dazu hat. Heute Abend ist nicht allzu viel los im Lokal.«

Die beiden lachten ein wenig müde und Jimmy fühlte sich absolut fehl am Platz.

»Keine Sorge, Jimmy«, sagte Viggo grinsend. »Yannik ist ein hervorragender Koch.«

Jimmy hoffte nur, dass die Küche sauberer war als das übrige Lokal und die Wohnung. Überall türmten sich hohe Papier- und Bücherstapel, das Bett in der Ecke war ungemacht, und über allem lag eine dicke Staubschicht, farblich passend zu den verdreckten Fenstern.

»Was fangen wir jetzt mit ihm an?«, fragte Saffron und fixierte Jimmy. Sie hielt den Kopf leicht zur Seite geneigt, was den eleganten Schwung ihres Halses unterstrich.

»Ich glaube, die Frage muss eher lauten: Was hat er mit uns vor?«, erwiderte Viggo. »Wenn er wollte, könnte er uns beide auf der Stelle töten.« Die Bemerkung verletzte Jimmy. Vermutlich hatte Viggo recht, trotzdem übersah er offensichtlich, wie stark Jimmy sich zusammenriss. Seine Muskeln zuckten heftig und er presste die Kiefermuskeln zusammen. Sein Instinkt wollte immer noch die Herrschaft übernehmen und ihn zum Töten zwingen. Als Jimmy keine Antwort gab, wurde

Viggos Tonfall sanfter. »Wie viel Kontrolle hast du über deine Fähigkeiten?«

»Ich weiß nicht genau. Jedenfalls mehr als am Anfang. Ich gewinne jedes Mal etwas hinzu. Aber auch die Kräfte werden immer stärker.«

»Ja, das ist wohl der normale Ablauf. Wenn du achtzehn bist, soll der Killer in dir die übrige Person komplett ausgeschaltet haben. Bis dahin bist du in Gefahr.«

»In Gefahr?«, wiederholte Jimmy.

»Wenn Hollingdale herausfindet, dass du mich nicht getötet hast«, sagte Viggo und vermied dabei jeden Augenkontakt, »wird er dich beseitigen wollen. *NJ7* wird dich, deine Familie und deine Freunde jagen.«

»Aber«, Jimmy bekam kaum einen Ton heraus, »die haben meine Eltern doch schon.« Es fühlte sich an, als hätte eine eisige Kugel seine Lungen durchbohrt.

»Verstehe.« Viggo warf Saffron einen kurzen Blick zu. »Keine Sorge, wir können dir helfen. Und wenn du auf unserer Seite bist, stärkt uns das natürlich auch.« Jimmy blickte ihn beklommen an. »Es sieht ganz so aus, als würden wir deine Eltern retten müssen.«

Ein Lächeln huschte über Jimmys Gesicht. Er wusste, dass das ein ziemlich kühnes Versprechen war. Selbst wenn es ihnen gelingen sollte, seine Eltern aus den Fängen des *NJ7* zu befreien, würde die Regierung sie jagen und töten wollen.

Bevor Viggo fortfahren konnte, krachte es laut. Yannicks massige Gestalt füllte den Türrahmen. Er hatte die Tür mit dem Fuß aufgetreten und hielt in jeder

Hand einen gefüllten Teller. Er kam hereingestampft und knallte einen Teller vor Jimmy auf den Tisch, den anderen drückte er Viggo in die Hand. Auf beiden häufte sich irgendein grüner, schleimiger Fraß. Dann watschelte Yannick in die Küche und kehrte mit zwei Gabeln wieder. Wortlos warf er eine davon in Jimmys Richtung und sie landete direkt neben dem Teller. Mit der anderen schaufelte er sich einen Mundvoll von Viggos Teller und schlang ihn herunter.

»Kohl«, grunzte er, während er eine zweite Gabel mampfte. Jimmy stocherte lustlos in der grünen Matsche. Viggo und Saffron brachen in lautes Lachen aus.

»Eigentlich sind wir Besseres von dir gewohnt als Kohl, Yannick«, kicherte Viggo. »Als ich noch beim MI6 gearbeitet habe, war eine meiner kleinen Vergünstigungen das Mittagessen im Savoy Hotel.«

»Du warst der ungepflegteste Gast, für den ich je gekocht habe«, verkündete Yannick, als handle es sich um das Ergebnis einer Schönheitskonkurrenz. Er redete mit einem merkwürdigen Akzent. *Französisch?*, überlegte Jimmy. Oder vielleicht war es Türkisch? Aber ohne ein weiteres Wort zu verlieren, verzog sich Yannick zurück an seine Arbeit.

Viggos Miene nahm wieder einen ernsten Ausdruck an. »Meinst du, sie können dich orten?«, fragte er.

»Ich glaube nicht«, erwiderte Jimmy. »Sie hatten ja schon Probleme, mich bei meiner ersten Flucht aufzuspüren.«

»Das scheint logisch. Und schließlich, was wäre der

Sinn eines streng geheimen, hochmodernen, militärischen Projekts, wenn es ganz einfach zu orten ist? Und dir ist auch niemand gefolgt?«, hakte Viggo nach.

»Nein. Ich glaube nicht. Sie meinten, ich sei als Einzelkämpfer entwickelt worden.«

»Gut. Dann bleibt uns etwas Zeit. Du kannst heute Nacht hier schlafen. Vor morgen früh wird man beim *NJ7* nicht bemerken, was geschehen ist.«

Als die strahlende Sonne jeden weiteren Schlaf verhinderte, krabbelte Jimmy aus dem Bett und schüttelte die letzten Reste dumpfer Albträume ab. Viggo hatte auf dem Boden geschlafen, war aber bereits auf und nur mit einem alten T-Shirt und ein paar Boxershorts bekleidet. Sein Haar war ebenso zerdrückt wie sein Hemd und seine Bartstoppeln waren noch länger.

»Das Bad ist unten. Sorry, wenn es ein bisschen versifft ist.«

Jimmy hatte nichts anderes erwartet.

In der nächsten halben Stunde stellten sich auch Saffron und Yannick ein. Letzterer brachte eine Tüte voll frischer Brötchen mit, und Saffron räumte ein wenig im Zimmer auf, sodass sie sich alle gemeinsam hinsetzen konnten.

Den Rest des Tages verbrachten sie mit Pläneschmieden. Sie hockten zu dritt um den wackligen alten Tisch und Yannick versorgte sie immer wieder mit Erfrischungen. Jimmy mochte es, Christopher Viggo beim Denken zuzuschauen. Der Mann blieb nur selten lange auf seinem Stuhl sitzen. Immer wieder fuhr er sich mit den Händen durchs Haar, sprang auf, lief auf und ab, während die Ideen, Informationen und Instruktionen nur so aus ihm heraussprudelten. Seine Pläne wurden immer kühner und kühner, bis er sie plötzlich kopfschüttelnd wieder verwarf und sich dann auf die Keimzelle eines neuen Vorhabens stürzte. Er wollte jedes Detail über Jimmys Aufenthalt im unterirdischen Hauptquartier von *NJ7* wissen.

»Tja, sie haben die Anlage also erweitert«, sagte er mit ruhiger Stimme und konzentriertem Blick. »Und sie müssen alle Ein- und Ausgänge verlegt haben, gleich nachdem ich ausgeschieden bin. Also, Jimmy, die einzigen drei Eingänge waren jetzt der im Fluss, im Hinterzimmer des Schneiders und in Downing Street Nummer zehn, richtig?«

»Stimmt.«

»Dann nehmen wir das als Ausgangsbasis.« Er blieb am Fenster stehen und starrte hinaus.

Während seinem kontinuierlichen Redefluss hatte sich Saffron ständig Notizen auf einem dicken Papierstapel gemacht. Jetzt hielt sie einen Moment inne und legte den Bleistift an ihre Lippen.

»Der Schneider könnte einer von Tausenden in der Stadt sein. Wenn der unterirdische Komplex wirklich so groß ist, haben wir keine Chance, diesen Laden zu finden.« Sie starrte auf Viggos Rücken.

»Du hast recht. Trotzdem lohnt sich die Suche. Informiere Yannick, nach was er suchen soll, und schicke ihn dann los.« Saffron notierte sich rasch Viggos Anweisung. Er war bereits wieder bei etwas anderem: »Jimmy, wer außer deinen Eltern weiß, was dir zugestoßen ist?«

Jimmy musste an Felix denken, den ein Betäubungspfeil getroffen hatte, und das schlechte Gewissen nagte an ihm. Er hatte keine Ahnung, was anschließend mit seinem Freund geschehen war. Ebenso wenig wusste er, ob es seiner Schwester gut ging. War sie ebenfalls dem *NJ7* übergeben worden? Oder gaben die sich damit zufrieden, dass sie unter Aufsicht dieser entsetzlichen Doren-Familie stand?

»Georgie und Felix«, verkündete Jimmy. Er bebte innerlich, aber diesmal war es nicht sein Instinkt, der sich regte. Es war ein Gefühl, dem zu folgen ihn mehr als alles andere drängte. »Wir müssen sie finden, bevor der *NJ7* erfährt, was ich getan habe.«

KAPITEL 16

Viggo fuhr, als wäre jemand hinter ihm her, was aber gar nicht der Fall war. Er betätigte wild den Schaltknüppel, als würde er ein Orchester dirigieren, und flitzte durch die Nacht zum Haus der Dorens. Jimmy hockte auf dem Rücksitz und überprüfte nach jedem plötzlichen Richtungswechsel seinen Sicherheitsgurt. Die Straße schien plötzlich viele zusätzliche Kurven zu haben.

»Wie findest du den Wagen, Jimmy?«, rief Viggo vom Vordersitz und klang dabei ungewöhnlich aufgekratzt. Es war ein wunderschönes Auto, aber in einem erbärmlichen Zustand; ein alter indigofarbener Bentley – eigentlich viel zu elegant für Christopher Viggos sonstige Verhältnisse.

Jimmy musste die Stimme erheben, um den Motorenlärm zu übertönen: »Sehr schön. Ich bin noch nie in einem Bentley gefahren.«

Die dunklen Ledersitze waren beeindruckend, allerdings war Jimmy im Augenblick vorrangig mit Viggos Fahrstil beschäftigt. Saffron, die auf dem Beifahrersitz saß, schien an diese Tortur gewöhnt. Sie blinzelte nicht einmal, als Viggo mit dem Doppelten der zulässigen

Höchstgeschwindigkeit eine rote Ampel überfuhr; und sie zuckte kein bisschen zusammen, als das Heck des schleudernden Wagens an einer Ecke mehrere Mülltonnen umrasierte.

»Der Wagen hat früher mal dem französischen Botschafter gehört.« Für Jimmys Geschmack wandte Viggo den Blick einen Augenblick zu lange von der Straße ab, während er sprach. »Aber er wurde vom MI6 konfisziert.« Saffron griff korrigierend nach dem Lenkrad, während draußen die nächtlichen Londoner Straßen vorbeihuschten. »Sie hatten darin Geheimfächer entdeckt, in denen Dokumente über die Landesgrenzen geschmuggelt worden waren.«

»Ich dachte, die Franzosen sind unsere Verbündeten«, wandte Jimmy ein.

Viggo lachte grunzend. »Das sind sie auch«, schnaubte er, »aber Ares Hollingdale hat etwas gegen sie. Er hat ihnen die Dokumente absichtlich untergeschoben, um sie zu belasten.«

»Und wie hat die französische Regierung reagiert?«

»Was konnten sie schon groß tun?«, erwiderte Viggo achselzuckend. »Der alte Botschafter wurde nach Paris abberufen. Und seitdem wartet Hollingdale auf eine passende Gelegenheit, auch seinen Nachfolger zurückzuschicken. Er hasst alle Fremden, aber die Franzosen ganz besonders.«

Jimmy schwieg und versuchte, das Gehörte zu verarbeiten. Ihm fiel nichts ein, was dem widersprochen hätte. Doch dann schoss ihm eine Frage durch den

Kopf: »Und wieso haben Sie jetzt den Wagen, wenn er vom MI6 konfisziert wurde?«

Viggo antwortete nicht sofort, daher nutzte Saffron die Gelegenheit: »Er hat ihn geklaut.«

»Ich habe ihn nicht geklaut!«, protestierte Viggo ärgerlich und trat aufs Gaspedal, um die nächste Kurve noch rasanter zu nehmen als alle vorigen. Saffron blickte ihn mit gehobener Augenbraue an.

»Okay«, gab er schließlich zu und hämmerte den nächsthöheren Gang rein. »Als ich beim *NJ7* ausgestiegen bin, brauchte ich ein Auto. Außerdem dachte ich, vielleicht liegen noch ein paar Dokumente drin.«

»Aber Sie hatten doch gesagt, die Dokumente sind den Franzosen untergeschoben worden?«

»Das wurden sie auch. Trotzdem ließ Hollingdale seine Agenten den Wagen monatelang durchsuchen. Sie haben zwar nie etwas gefunden, aber offensichtlich gingen sie davon aus, dass tatsächlich etwas darin versteckt war.«

Jimmy hätte gerne noch weitere Fragen über den Wagen gestellt, doch in dem Moment bog das Fahrzeug mit kreischenden Reifen in eine schmale Gasse, in die es gerade eben noch passte. Saffron schaltete sich ein. »Weißt du eigentlich, wo du hinfährst?« Die Vibrationen des Wagens ließen ihre Stimme beben.

»Ich fahre direkt zu der Adresse, die Jimmy mir gegeben hat.«

Viggo hatte offenbar keine Zweifel über die richtige Route. Er schaute kein einziges Mal auf eine Karte und blieb an keiner Kreuzung stehen, um sich zu orientieren. Das Straßennetz ganz Londons schien in seinem Kopf abgespeichert. Und mehr als das – er benutzte sogar winzige Seitenstraßen, Gassen und Wege, die eigentlich gar keine echten Straßen waren. Er nahm Abkürzungen über Parkplätze, durch Einkaufspassagen und Fußgängerzonen. Auf Hauptstraßen fuhr er nur selten. Was vermutlich auch besser war, denn bei dieser Geschwindigkeit hätte ihn die Polizei sofort gestoppt.

Schneller als erwartet erreichten sie die Straße, in der die Dorens lebten. Viggo trat auf die Bremse, bis der Wagen nur noch langsam rollte und der Motor würdevoll schnurrte. Er schaltete die Scheinwerfer aus.

»Die Leute hier müssen echt Kohle haben; schaut euch nur diese Paläste an!«, staunte Saffron und drehte immer wieder den Kopf, während sie an den Villen vorbeifuhren.

Viggos Antwort kam prompt: »Allen Unterstützern von Hollingdale geht es ziemlich gut in diesen Tagen.«

Der Wagen hielt vor der Toreinfahrt der Dorens. Die Kiesauffahrt dahinter war von Flutlicht hell erleuchtet; und höchstwahrscheinlich war das Erdgeschoss bei Nacht mit einer Alarmanlage gesichert. Das Haus war eine private Festung.

»Zeit, deine Schwester zu entführen, Jimmy«, sagte Viggo leise.

Die unheimliche Atmosphäre der dämmrigen Vorstadt machte sich im Wagen breit. Viggo schaltete den Motor aus. Die drei Insassen hockten einfach nur da und starrten auf das gewaltige Anwesen der Dorens. Schließlich brach Viggo das Schweigen.

»Ihr beiden wartet hier«, flüsterte er. Er zog einen Schal aus der Tasche und wickelte ihn um seine Hand. Dann fischte er eine dicke schwarze Decke unter dem Sitz hervor. »Ich werde deine Schwester nicht verletzen, aber ich möchte auch nicht, dass sie schreit. In Ordnung?« Es war, als würde er Jimmys Erlaubnis einholen für etwas, um das Jimmy ihn doch eigentlich gebeten hatte.

Jimmy nickte zustimmend und Viggo tätschelte zärtlich Saffrons Arm. »Wenn ich in zwei Minuten nicht zurück bin, fahrt ihr sofort los. Dasselbe gilt, wenn ihr eine Alarmanlage hört. Und wenn irgendjemand außer mir und Georgie aus dem Haus kommt, fahrt ihr ebenfalls los. Alles klar? *Sofort losfahren.* Ich finde den Weg schon allein zurück.«

»Lassen Sie mich Ihnen helfen«, beeilte sich Jimmy zu sagen, aber da war Viggo bereits verschwunden, war nur noch ein Schatten, der in dunklere Schatten glitt. Saffron drehte sich zu Jimmy.

»Mach dir keine Sorgen«, sagte sie. »Er weiß, was er tut.«

Die Zeit verging quälend langsam. Auf der altmodischen Uhr des Wagens tickten die Sekunden und jedes Ticken war wie ein Stich in Jimmys Eingeweide. Saffron war ebenso nervös wie er. Beide starrten sie auf die Uhr. Zwei Minuten! Die Sekunden vergingen so unendlich langsam und gleichzeitig war es eine so kurze

Zeit. Jimmy war voller Zweifel. Er hatte Viggo alle Räume genau beschrieben, aber wenn er nun zufällig Evas Eltern über den Weg lief? Oder wenn einer von Evas Brüdern über Nacht nach Hause gekommen war?

Nur noch eine Minute. Jimmy konnte es kaum mehr ertragen.

»Wir können ihn da drinnen nicht alleine lassen«, japste er. »Er schafft es nicht. Er braucht mehr Zeit!« Noch fünfzig Sekunden. Saffron drehte sich zu ihm um. Ihr wunderschönes braunes Gesicht wirkte bleich in der Dunkelheit.

»Zwei Minuten, Jimmy. Hundertzwanzig Sekunden. Es war ihm ernst damit. Wenn wir länger hierbleiben, riskieren wir, entdeckt zu werden. Der *NJ7* kennt diesen Wagen und sie kennen dieses Haus. Wenn sie uns hier parken sehen und beides in Verbindung bringen, sind wir alle tot.« Noch dreißig Sekunden. Jimmy ließ die Uhr nicht aus den Augen. »Wenn Chris sie nicht innerhalb von zwei Minuten findet, dann kommt er wieder raus. Und wenn er nach zwei Minuten nicht wieder draußen ist, dann ist er tot.«

Noch zwanzig weitere qualvolle Sekunden. Nichts bewegte sich in der Nacht. Zehn Sekunden. Aus den Augenwinkeln nahm Jimmy eine Bewegung wahr. Sein Kopf fuhr herum. Ein Busch wackelte. Kehrte Viggo zurück? Hatte er es geschafft? Doch es war nur ein Fuchs, der über die Straße tippelte.

Saffron blickte auf die Uhr hinab. Dann öffnete sie die Tür, lief um den Wagen und schlüpfte auf den Fahrersitz. Der Schlüssel steckte im Zündschloss. Jimmy wollte sie aufhalten. Ihre zitternden Finger packten den Schlüssel. Jimmys Blick schoss vom Haus zu Saffron und dann zur Uhr.

»Es ist Zeit«, verkündete sie und ließ den Motor an.

»Warte!« Vor dem Lichtkegel eines Bewegungsmelders zeichnete sich eine kräftige Gestalt ab, die in ihre Richtung lief. Der Bentley rollte schnurrend los. Viggo begann zu rennen. Er trug etwas in seinen Armen – eine Person. Er hielt sie wie ein Ritter eine Prinzessin, die er aus den Klauen eines bösen Drachen befreit hat. Nur war seine Prinzessin in eine Decke gewickelt und hatte einen Schal fest um den Mund gebunden. Saffron langte hinüber und stieß die Beifahrertür auf. Viggo zwängte sich hinein, das Bündel auf dem Schoß.

»Los!«, keuchte er. Ruhig ließ Saffron den Wagen losrollen. »Sorry, dass es so lang gedauert hat«, fuhr Viggo fort. »Dieses Haus hat so verdammt viele Zimmer.«

Das Bündel in Viggos Armen strampelte. Jetzt, wo sie in Sicherheit waren, entschuldigte er sich und lockerte seinen Griff. Dann entfernte er den Schal.

»Hey! Lass mich los!« Das Schreien übertönte den sanft schnurrenden Motor.

Jimmy erkannte die Stimme sofort, fuhr in seinem Sitz hoch und spähte nach vorne – es war Eva Doren.

»Wo ist meine Schwester?«, rief er. Viggo starrte ihn an.

»Wie meinst du das?«

»Jimmy!« Nun hatte Eva ihn bemerkt. »Was machst

du denn hier?« Sie trat wild um sich, und der Wagen geriet kurz ins Schleudern, bevor Saffron ihn wieder unter Kontrolle bekam. Dann half Viggo Eva dabei, nach hinten auf den Rücksitz neben Jimmy zu klettern. »Was geht hier vor?« Sie wickelte die Decke um sich.

Jimmy antwortete ihr nicht. Stattdessen brüllte er Viggo an.

»Das ist das falsche Mädchen!«

»Was? Dort war kein anderes Mädchen.«

»Das ist nicht meine Schwester, das ist Eva Doren.«

»Du machst Scherze, oder?«

»Nein, er macht keine Scherze«, schrie Eva. Erneut musterte sie Viggo. »Hey, Sie kenne ich doch. Sie sind …« Urplötzlich schlug ihre Stimmung um. Ihre Gesichtsmuskeln entspannten sich und ihr ganzer Ausdruck bekam etwas Weiches. Sie wirkte wie benebelt. »Sie sind Christopher Viggo«, säuselte sie.

Jimmy war außer sich. Eva würde ohne Zweifel die Polizei verständigen, ihre Eltern oder sogar den *NJ7*. »Drehen Sie um, wir müssen Eva zurückbringen und Georgie holen.« Aber Saffron fuhr weiter, beschleunigte den Wagen sogar noch, bis sie fast so halsbrecherisch unterwegs war wie Viggo zuvor.

»Wenn du Georgie finden willst, hat es überhaupt keinen Sinn zurückzufahren«, blaffte Eva.

»Halt einfach deinen Mund.« Jimmy war stinksauer. »Du hast schon mal alles ruiniert. Es ist deine Schuld, dass man mich geschnappt hat.«

»Das ist Blödsinn. Damit hatte ich nichts zu tun.«

»Du hast mich in euer Haus gelockt, mich mit Drogen vollgepumpt und dann die Polizei gerufen.«

»Das war ich nicht, ich schwör's.« Evas Blick wanderte zwischen Viggo und Jimmy hin und her. »Glaubst du echt, meine Eltern hätten mich in ihr Vorhaben eingeweiht? Dann hätte ich doch Georgie vorher gewarnt. Und wenn sie davon gewusst hätte, hätte sie dich nie mit zu uns genommen.«

Das brachte Jimmy zum Schweigen. Aber er hatte immer noch Zweifel, ob er ihr wirklich trauen konnte. Sie erinnerte ihn einfach zu sehr an ihre Mutter.

Da sprach Saffron mit der Stimme der Vernunft: »Eva, sag uns, wo Georgie ist, dann lassen wir dich aussteigen, und du kannst zurück nach Hause und in dein Bett.«

»Nein!«, schrie Jimmy. »Sie wird ihren Eltern alles verraten und dann sind wir verloren.«

»Das würde ich niemals tun.«

Viggo hatte langsam genug von dem Hickhack.

»Seid still! Alle beide! Eva, als sie Jimmy entführt haben, wurde da auch Georgie mitgenommen?« Jimmys Mund wurde ganz trocken. »Oder ist Georgie noch in eurem Haus?«

Eva schüttelte wütend den Kopf. Dann straffte sie den Rücken und streckte das Kinn vor, bevor sie antwortete.

»Sie ist nicht bei uns zu Hause.«

Jimmys Hals war wie zugeschnürt. Ängstlich krächzte er: »Hat man sie auch entführt?«

»Sie haben es gerade mal geschafft, dich mitzunehmen, Jimmy, bei dem ganzen Aufstand, den sie gemacht hat.« Jimmy und Viggo musterten sie fragend. »Georgie hat echt eine gewalttätige Ader«, erklärte Eva. »Irgendwelche Männer mussten sie wegschleifen. Aber ich glaube, sie haben sie woanders hingebracht.«

Während der Bentley weiter mit Höllentempo dahinjagte, stellte Eva ihre Bedingungen: »Wenn ich mit Ihnen kommen darf, Mr Viggo, dann verrate ich Ihnen alles, was ich über Georgies Aufenthaltsort weiß.«

»Du meinst, du willst mit uns kommen, um Georgie zu holen?«, fragte Viggo. Sein Tonfall war jetzt wieder ganz entspannt.

»Klar, das auch. Jimmy sollte jetzt eigentlich irgendwo eingesperrt sein, trotzdem ist er hier, und das bedeutet, dass Sie ihm helfen. Und ich hab in den Nachrichten gesehen, was Sie tun. Sie sind eine Art Rebell.« Sie riss die Augen auf, so weit sie konnte. »Also hören Sie, ich will Georgie gemeinsam mit Ihnen befreien, aber danach möchte ich bei Ihnen bleiben und bei Ihren Plänen helfen.« Ihr Vorschlag rief sichtliche Verwunderung hervor. »Also, abgemacht?«

Eva grinste und war deutlich zu aufgekratzt für ein Mädchen, das gerade versehentlich entführt worden war.

»Hör zu, wir planen nichts, okay?«, sagte Viggo, ohne Eva dabei direkt anzuschauen. »Wir kümmern uns lediglich um Jimmy.«

»Fein. Dann helfe ich Ihnen, sich um Jimmy zu kümmern. Und um Georgie natürlich auch.« Und nach einer längeren Pause fuhr sie fort: »Aber ich geh auf keinen Fall wieder zurück nach Hause. Meine Eltern labern ständig über die Regierung, wie toll sie ist – diese *wunderbare* Regierung, dieser *fantastische* Premierminister, diese *supergenialen* Polizeikräfte. Ich kann's einfach nicht mehr ertragen!« Jimmy musste sich ein Lachen verkneifen angesichts von Evas perfekter Imitation ihrer Mutter.

»Erzähl uns einfach, was du weißt«, seufzte Viggo.

»Aber wir haben eine Vereinbarung, richtig?«, sagte sie, und ihre Stimme wurde plötzlich ganz sanft.

Jimmy konnte es einfach nicht mehr ertragen. »In Ordnung!«, platzte er heraus. »Du kannst mitkommen, aber nur wenn du endlich zu wimmern aufhörst.«

»Genial! Als diese Typen Georgie mitgenommen haben, wurde irgendwas vom Haus der *Miss Beckys* gequatscht. Das ist sicher der Codename für einen geheimen Ort.«

Wäre er nicht so beunruhigt gewesen, hätte Jimmy laut losgeprustet – *NJ7* hatte seine Schwester ganz offensichtlich zum Haus der Muzbekes gebracht. Er war so erleichtert, dass er Eva beinahe umarmt hätte.

»Sie geht nicht ans Handy und antwortet nicht auf meine SMS«, fuhr sie fort. »Tja, mehr weiß ich nicht.« Sie verschränkte die Arme, wickelte die Decke fester um sich und drehte mit blasiertem Gesicht den Kopf zum Fenster.

»Da wollten wir sowieso gerade hin!«, sagte Jimmy.

»Es ist das Haus der Muzbekes.« Offensichtlich waren Saffron und Viggo bereits selbst darauf gekommen, denn Saffron war keinen Moment vom Gas gegangen. »Dieser ganze blöde Streit war völlig umsonst«, rief Jimmy. »Wir sind ohnehin unterwegs, um Felix zu holen. Du bist so nervig.«

»Ach, echt, und woher sollte ich das bitte schön wissen?«

Saffron atmete tief aus. »Würdet ihr beide bitte zu streiten aufhören? Ich muss mich aufs Fahren konzentrieren. Hör zu, Eva, geht es Felix gut? Jimmy hat gesagt, er wäre von einem Betäubungspfeil getroffen worden.«

Eva setzte eine trotzige Miene auf. »Was? Woher soll ich denn das wissen? Ich kenn diesen Felix doch gar nicht. Bin ihm nie begegnet.«

Und für den Rest der Fahrt starrte sie beleidigt aus dem Fenster. Zum Glück brauchten sie bei dem rasanten Tempo nicht allzu lange, bis sie ihr Ziel erreichten.

Saffron verfuhr genauso wie Viggo beim Haus der Dorens. Als sie die Straße erreichten, schaltete sie die Scheinwerfer aus und ließ den Wagen nur noch langsam rollen.

»Es ist zu riskant«, flüsterte Viggo. »Wenn die beiden bei Felix' Familie sind, befinden sie sich in Sicherheit, und dann sollten wir sie nicht mitnehmen, oder?«

»Natürlich sollten wir das«, erwiderte Jimmy. »Sie können uns helfen.«

Viggo verdrehte die Augen. »Ich leite aber kein Sommercamp für Jugendliche, weißt du. Was soll ich mit einem Haufen Kids anfangen?« Er erhielt keine Antwort. »Nein. Wir sollten eigentlich gar nicht hier sein. Lass uns umdrehen.«

»Was?« Jimmy war entsetzt, doch Saffron schaltete bereits in den Rückwärtsgang.

»Das ist eine Schnapsidee und ich werde jetzt ganz sicher keine Dummheit begehen.« Damit war das Gespräch für Viggo beendet.

»Ich gehe.«

Das kam von Eva. Saffron stoppte den Wagen. Viggo drehte sich um. »Ich klingele bei ihnen. Das ist nicht verdächtig. Es ist zwar mitten in der Nacht, aber ich überlege mir irgendeine Ausrede – dass es bei uns gebrannt hat oder ich schlafwandle oder von zu Hause abgehauen bin. Was ja auch stimmt, oder?«

Die einzige Antwort war verblüfftes Schweigen. Sämtliche anderen Gehirne im Wagen überlegten, was wohl geschehen würde, wenn Eva an die Tür von Felix' Haus klopfte. Aber noch bevor sie zu einem Ergebnis kamen, war Eva bereits aus dem Wagen gehüpft. »Wenn alles okay ist, gebe ich euch ein Zeichen.« Sie schob zwei Finger in den Mund und stieß einen leisen Pfiff aus. »Nein, wartet«, unterbrach sie sich, »wenn alles okay ist, dann rufe ich einfach nur *Okay*. Und falls irgendwas nicht stimmt, *dann* pfeife ich.«

Sie ratterte ihre Anweisungen so schnell herunter, dass Viggo ihr nicht mehr mitteilen konnte, wie dämlich er ihre Idee fand. Die Wagentür knallte, und während

Eva barfuß die Straße entlanghopste, wickelte sie die Decke fest um sich. Ihr lilafarbener Schlafanzug flatterte in der nächtlichen Brise.

»Um Himmels willen, sie trägt immer noch ihren Schlafanzug!«, schnaufte Viggo.

Saffron war weniger entrüstet: »Also, von uns kann ja wohl keiner gehen, oder? Wir werden vom *NJ7* gesucht.«

Sie hockten alle drei im Wagen und sahen angespannt hinaus in die Dunkelheit. Viggo hörte nicht auf, sich zu beschweren: »Das ist keine Art, eine Operation durchzuführen. Wir haben nicht einmal eine Fluchtregelung vereinbart.«

Eva blieb vor der Gartenpforte stehen und drehte sich zum Wagen um. Sie deutete mit fragendem Blick auf das Haus, und als sie drei heftig nickende Köpfe sah, betrat sie den Weg zur Haustür. Alles war ruhig. Vermutlich überwachte niemand das Haus. Und falls sie es doch taten, dann waren sie gut versteckt. Eva drückte fest den Klingelknopf und drinnen ertönte ein entferntes *Ding Dong*. Das Flurlicht ging an. Die Eingangstür wurde geöffnet.

Vom Wagen aus konnte Jimmy nur schwer erkennen, was vor sich ging. Das Licht der Straßenlampen reichte nicht bis zur Hausfassade, außerdem wurde diese teilweise von einer Hecke verdeckt. Immerhin sah er, wie sich die Tür öffnete und Eva den Kopf hob und den Mund öffnete.

Das ist gut, dachte er. Sie fragt einfach, ob Felix und

Georgie da sind. Doch irgendetwas stimmte nicht. Jimmy konnte durch die Blätter der Hecke einen Anzug und eine Krawatte erkennen. Selbst in der Dunkelheit war das weiße Hemd unter dem dunklen Jackett deutlich zu erkennen. Warum sollte Neil Muzbeke mitten in der Nacht einen Anzug tragen? Jimmy erinnert sich noch genau, dass Felix' Vater letztes Mal im Morgenmantel seiner Frau an die Tür gekommen war.

»Das ist nicht Felix' Dad«, flüsterte Jimmy. Die Köpfe von Saffron und Viggo fuhren zu ihm herum. »Das ist der *NJ7*.«

KAPITEL 17

Saffron gab Vollgas. Offensichtlich wollte sie Eva alleine zurücklassen.

»Wir dürfen nicht wegfahren«, schrie Jimmy.

»Wir hätten nie kommen dürfen«, fauchte Viggo.

Für Jimmy war klar, was er zu tun hatte, und er wusste sich im Einklang mit seinen Instinkten. Die Wagentür flog auf. Während die Straße unter Jimmy vorbeirauschte, löste er seinen Sicherheitsgurt und ließ sich hinausfallen. Er knallte auf den Asphalt und rollte sich rasch vom Wagen weg. Während die Bremsen quietschten, klatschte er die Handflächen auf die Straße, um seinen Schwung zu stoppen. Dann sprang er auf. Sein Körper vibrierte. Seine Energiequelle reagierte. Hatte er sie selbst aktiviert? Oder war es der Sprung aus dem Wagen gewesen? Jimmy war sich nicht sicher

Er rannte los. Mit einem Höllentempo. Er flitzte direkt auf die Eingangstür der Muzbekes zu. Eva stand noch immer dort und plapperte fröhlich mit einem großen, kräftigen Mann in schwarzem Anzug. Dessen tief liegende Augen zuckten nach oben, und Jimmy wusste, dass er entdeckt worden war. Er konnte förmlich spüren, wie sich die Muskeln unter dem Hemd des Manns spannten.

Saffron wendete den Wagen, ohne Rücksicht darauf, wie viel Lärm sie dabei verursachte oder wie verdächtig sie sich dadurch machte. Sie schaltete die Scheinwerfer ein und donnerte über den Gehweg direkt auf das Haus zu. Der Mann im Hauseingang war für einen Augenblick geblendet und bedeckte seine Augen. Eva fuhr herum und stieß einen Schrei aus. Das war definitiv nicht das *Okay*-Zeichen.

Der Mann griff nach seiner Pistole, aber Jimmy bemerkte die rasche Handbewegung, machte einen letzten großen Satz und segelte durch die Luft. Eva schrie erneut auf, als Jimmy über sie hinwegsauste. Seine Schultern rammten das Gesicht des Mannes, gerade als dieser seine Pistole aus dem Halfter zog. Beide stürzten zu Boden. Krachend löste sich ein Schuss.

Eva schlug beide Hände über die Ohren. Viggo stürzte aus dem Wagen, packte Eva und klemmte sie sich unter den Arm. Jimmy war wieder auf den Beinen. Im Hausflur traf er auf einen zweiten Mann. Jimmy schwang die Arme wie rasende Pendel, um die Schläge des Mannes abzuwehren. Dann sauste Jimmys Fuß durch die Luft und trat die Pistole aus dem Halfter des Manns. Er stemmte den schweren Körper des zweiten Manns hoch über seinen Kopf und ließ ihn auf den ersten herabkrachen, der ihm nicht mehr ausweichen konnte. Beide Männer verloren die Besinnung.

Felix und Georgie standen mit offenem Mund auf der Treppe.

»Jimmy!«, schrien sie gleichzeitig. Beide drängten sich an Viggo vorbei und umarmten Jimmy.

»Was zum Teufel hast du da an?«, sagte Felix und lachte über Jimmys Seidenhemd. Viggo stand noch immer kampfbereit am Fuß der Treppe.

»Wer ist sonst noch hier«, rief er. »Sind noch mehr von ihnen im Haus?«

»Das waren alle«, antwortete Georgie. »Sie waren nur zu zweit.«

»Dann lasst uns hier verschwinden. Felix, sind deine Eltern da?«

»Nein«, sagte Felix, und sein Lachen wich plötzlich einer ungewohnt sorgenvollen Miene. Viggo stieg über die beiden *NJ7*-Agenten hinweg und führte die kleine Prozession aus der Tür.

»Setzen Sie mich ab!«, rief Eva unter Viggos Arm.

»Nicht, bevor wir beim Wagen sind.«

Viggo warf Eva unsanft auf den Rücksitz, was sie mit einem spitzen Schrei quittierte. Die anderen drängten sich hinter ihr auf die Rückbank, wo sie sich nun zu viert zusammenquetschen mussten. Viggo schlug die Fahrertür hinter sich zu.

»Vier Kids in Schlafanzügen. Ich fass' es nicht.«

»Ich trage Uniform«, stellte Jimmy verärgert klar.

»Du hättest niemals da reingehen dürfen, um sie zu holen!« Viggo war wütender, als Jimmy ihn bisher erlebt hatte. Aber auch Jimmy kochte innerlich.

»Sie wollten einfach abhauen!«

»Und das hätten wir auch tun sollen.«

»Und warum haben Sie's dann nicht getan? Das sind *meine* Freunde, Sie brauchen sich nicht um sie zu kümmern.«

»Hätte ich vielleicht zulassen sollen, dass du da drinnen umgebracht wirst?«

»Aber die drei hier in den Fängen des *NJ7* zu lassen, das ist in Ordnung, oder?« Jimmy fühlte immer noch die Gewalttätigkeit in sich pulsieren. »So wie es aussieht, hätten sie tot sein können.«

»Und dann hätten wir möglicherweise unser Leben für nichts und wieder nichts riskiert, richtig?« Viggo drehte sich nicht zu Jimmy um, doch es war offenkundig sein letztes Wort. Jimmys Instinkte summten in seinem Inneren. Er verspürte den Drang, Viggo den Arm um den Hals zu schlingen und ihn an Ort und Stelle zu erwürgen.

Doch stattdessen knirschte er nur mit den Zähnen, schüttelte den Kopf und wandte sich seinen Freunden zu. Seine Erregung war noch immer zu hören, als er sagte: »Gut, dass ihr da seid.«

»Danke, dass du uns da rausgeholt hast«, antwortete die strahlende Georgie und drückte zärtlich seine Schulter. Dann wand sich Eva auf ihrem Platz und wickelte die Arme um Georgie.

»Ich freu mich echt total, dich zu sehen!«, flötete sie. Viggo wirkte weniger entspannt.

»Saffron, du gibst jetzt besser Gas«, sagte er.

»Ich geb schon längst Gas.«

»Dann gib noch mehr Gas.«

Zwei Wagen waren hinter ihnen her. Saffron jagte den Bentley durch das Gewirr von Nebenstraßen. Auch sie schien haargenau zu wissen, wo sie abbiegen musste. Die vier Passagiere auf der Rückbank wurden jedes Mal zusammengequetscht, wenn der Wagen schleuderte. Obwohl sie immer schneller dahinjagten, blieben ihnen die beiden schwarzen Wagen dicht auf den Fersen.

»Sie holen auf«, schrie Viggo und öffnete sein Fenster, um den Seitenspiegel so einzurichten, dass er sie im Auge behalten konnte. »Zwei Wagen. Definitiv *NJ7*.«

»Wer sonst sollte uns folgen?«, schrie Saffron über den dröhnenden Fahrtwind hinweg.

Viggo zog eine Grimasse. »Das schaut gar nicht gut aus«, bellte er. »In Kürze werden sie Luftunterstützung kriegen. Den Helikoptern können wir nicht entkommen.«

Saffron warf ihm einen raschen Blick zu und lächelte. »Natürlich können wir das.« Sie riss das Lenkrad herum, bog mit kreischenden Reifen um eine Ecke, und Felix wurde sofort klar, wohin sie unterwegs waren.

»Wenn Sie den Helikopter entkommen wollen, dann müssen Sie nur zur …« Doch da lag sie bereits vor ihnen: die U-Bahn-Station. Der Wagen durchbrach krachend das Gitter der Schalterhalle und walzte die nicht sonderlich stabilen Drehkreuze nieder. Dann schossen sie auf den Bahnsteig. Doch es war eine Vorort-Station, also hatten sie ihr Ziel, die unterirdischen Tunnel, noch nicht erreicht.

Saffron gab Vollgas, bis sie das Ende des Bahnsteigs erreichten, dann riss sie das Lenkrad herum. Sie segelten über die Bahnsteigkante und landeten krachend auf den Gleisen.

Jetzt wurde die Fahrt erst richtig holprig. Zwei Räder rollten auf dem glatten Gleis, die anderen beiden holperten über die hölzernen Schwellen.

»Was, wenn ein Zug kommt?«, schrie Georgie, und die Erschütterungen des Wagens ließen ihre Stimme vibrieren.

»Nachts um diese Zeit fahren keine Züge«, brüllte Saffron zurück.

Viggo spähte immer noch im Rückspiegel nach ihren Verfolgern. Beide *NJ7*-Wagen waren ihnen durch die Station und auf die Gleise gefolgt.

»Können wir nicht schneller fahren?«, brüllte er.

»Dieses Auto war noch nie mit so vielen Menschen beladen, Chris«, entgegnete Saffron. Und dann mischte sich in das Rattern der hölzernen Bohlen ein rasches, aber gleichmäßiges *Flapp-Flapp-Flapp*. Viggo brauchte gar nicht nach oben schauen. Allein das Geräusch verriet ihm, dass sich ein ganzer Schwarm Helikopter zum Feuern bereit machte.

»Sie aktivieren ihre Raketen«, bellte er. »Wenn sie schießen, dann war's das.«

»Und was soll ich dagegen tun?«, erwiderte Saffron.

Die Nadel des Tachos war bereits am Anschlag. Der Tunnel kam auf sie zugeholpert.

Plötzlich war der Himmel von einem blassen Orange erleuchtet. Jimmy war klar, was das bedeutete. Er hatte selbst eine dieser Maschinen geflogen und Raketen abgeschossen. Ein durchdringendes Heulen erfüllte die Luft.

Gerade noch rechtzeitig verschluckte sie der Tunnel, doch ihre Verfolger waren immer noch dicht hinter ihnen. Eine Rakete traf die steinerne Tunneleinfahrt über ihnen und ein Meer goldener Flammen ergoss sich über das Gleis. Die Druckwelle der Explosion schleuderte einen der schwarzen Wagen hoch in die Luft. Er überschlug sich und landete mit einem hässlichen Knirschen auf dem Dach.

Der Bentley war jetzt für einen Augenblick ganz in Dunkelheit getaucht, solange, bis der zweite schwarze Wagen, der die Explosion überstanden hatte, seine Scheinwerfer einschaltete. Die höhlenartige Tunnelröhre verstärkte das Donnern der beiden Motoren.

Kurz darauf schossen sie am Bahnsteig der nächsten Station vorbei, so schnell, dass sie ihn kaum richtig wahrnahmen. Dann tauchten sie auch schon in den nächsten Tunnel und in einer sanften Kurve vereinigte sich hier die Victoria Line mit der Main Line. Der *NJ7*-Wagen war jetzt nur noch einen Steinwurf entfernt und kam immer näher, während sie mit halsbrecherischer Geschwindigkeit durch den Untergrund rasten.

»Haltet euch gut fest«, sagte Saffron, die so gelassen

klang wie sonst Viggo. Ihre Finger umfassten locker das Lenkrad, was ziemlich cool wirkte. Jimmy konnte die Lichter der nächsten Station erkennen, die im Tunnel vor ihnen aufblitzten. Saffron nutzte die recht enge Kurve der Einfahrt und legte den Wagen zur Seite, bis nur noch zwei Reifen die Gleise berührten, und trat dann kräftig auf die Bremse. Der Bentley rutschte über das Gleis in die Station. Der Wagen hinter ihnen rauschte mit voller Wucht unter ihr Heck und Saffron riss das Lenkrad in Richtung Bahnsteig. Ihre Vorderräder landeten auf der Kante, während ihr Heck nun auf dem Bentley lag.

Irgendjemand schrie, während Saffron Vollgas gab und den Wagen krachend auf dem Bahnsteig aufsetzte.

»Das war cool«, verkündete Felix und streifte sich das Haar aus dem Gesicht.

Der Fahrer des *NJ7*-Wagens begriff zunächst nicht, was geschehen war. Und als er gewendet hatte und zur Station zurückgekehrt war, hatte Saffron den Bentley längst mit höchster Präzision durch den Fußgängertunnel und hinüber zum anderen Bahnsteig manövriert. Dort nahmen sie wieder Tempo auf und landeten mit einem Satz auf dem anderen Gleis; sie fuhren jetzt zurück in die Richtung, aus der sie gekommen waren – zu den oberirdischen Stationen.

»Warten Sie einen Moment – das war Euston«, warf Felix rasch ein. »Also sind wir von der Victoria Linie rüber auf die Northern Line gewechselt.«

»Exakt«, grinste Saffron listig. »Die Helikopter warten am Ausgang des Tunnels auf uns, nur leider am falschen Ende. Und wir erreichen inzwischen Finchley auf einer größtenteils unterirdisch verlaufenden Strecke.«

Viggo streckte seinen Arm aus und drückte Saffrons Knie. »Gut gefahren«, lobte er mit einem leisen Lächeln.

Felix hüpfte in seinem Sitz auf und ab. »Jimmy, du hast uns gerettet«, sagte er. »Diese Männer waren von einer Art Geheimpolizei und sie …«

»Ja, ich weiß«, unterbrach ihn Jimmy.

»Sie sind letzte Nacht gekommen und haben meine Eltern mitgenommen.« Als Felix bemerkte, dass ihm alle aufmerksam zuhörten, unterließ er das Hüpfen und redete langsamer. »Sie sind in unser Haus eingedrungen und haben Mum und Dad in einem Lieferwagen abtransportiert.« Damit hatte Jimmy nicht gerechnet. »Die Männer haben gesagt, sie hätten ihre Loyalität gegenüber der Regierung beweisen und dich ausliefern müssen, Jimmy.« Während Felix sprach, wurde die Stille im Wagen immer drückender. »Sie haben sie als *Verräter* beschimpft.«

Nach längerem Schweigen drehte sich Viggo um und schaute Felix ins Gesicht. »Weißt du, wo man sie hingebracht hat?«, fragte er mit seiner tiefen, sonoren Stimme.

»Nein. Aber dann kamen diese beiden anderen Männer – die beiden, die du vermöbelt hast, Jimmy.« Die Spur eines Lächelns huschte über Felix' Lippen, verschwand aber rasch wieder. »Sie sagten, sie würden sich um mich und Georgie kümmern, bis sie ordentliche Eltern für uns gefunden hätten.« Er senkte den Blick und hielt ihn auf den Boden gerichtet.

»Ihnen war nicht mal klar, dass ich gar nicht seine Schwester bin«, fügte Georgie empört hinzu. »Und sie haben uns weder aus dem Haus gelassen noch durften wir telefonieren.«

Viggo blickte zu Saffron, und die Sorgenfalten auf seiner Stirn waren so tief wie das Gleisbett der U-Bahn, auf dem sie fuhren. Doch sie erwiderte seinen Blick nicht und konzentrierte sich ganz auf den Weg. Jimmy bemerkte eine Traurigkeit in ihren Augenwinkeln, die zuvor noch nicht da gewesen war.

Jimmy starrte aus dem Fenster. Doch seine Gedanken kreisten weder um Viggo, den *NJ7* noch um sich selbst. Er fragte sich, was wohl mit Neil und Olivia Muzbeke geschehen würde. Er hatte ihnen nie dafür gedankt, dass sie sich um ihn gekümmert hatten. Bei ihrer letzten Begegnung hatten sie mit dem Gesicht nach unten auf ihrem Flurteppich gelegen und Jimmy hatte sie für Verräter gehalten. Er erinnerte sich, wie wütend er gewesen war, weil er gedacht hatte, Felix' Mutter hätte die Polizei gerufen. Jetzt wusste er, dass sie ihm nicht nur geholfen, sondern auch einen hohen Preis dafür bezahlt hatten. Das Unheil breitete sich immer mehr aus, und er hatte das Gefühl, dass er die Schuld an allem trug.

»Ich hoffe, Yannick hat uns was Genießbares gekocht. Ich bin am Verhungern.« Viggo streckte die Arme und rollte den Kopf im Nacken. Saffron manövrierte den Wagen vorsichtig in eine versteckte Garage neben dem *Izgaru*. Das automatische Tor schloss sich hinter ihnen. Die nächtliche Straße war wieder so verlassen, als gäbe es sie nicht mehr.

Viggo und Saffron führten den Rest der Truppe in die Küche. Und natürlich war Yannick dort beschäftigt. Er sah aus wie immer. Seine Schürze schien komplett aus Fett zu bestehen und sein gewaltiger Bauch zeugte von der Liebe zu seinem Beruf.

Jimmys Blick wurde ebenso wie der von Felix, Eva und Georgie von der Arbeitsfläche der Küche angezogen. Yannick hatte ein fantastisches Buffet gezaubert. Selbst Viggo und Saffron waren baff bei diesem Anblick.

Da türmten sich Berge von Kebabspießen, daneben standen große Teller voller Shawarmas und gefüllter Weinblätter, und es gab Schüsseln voller Couscous, Bulgursalat, würziger Soßen und Oliven.

»Da warst du ja ausnahmsweise mal fleißig«, witzelte Viggo und stürzte sich sofort auf einen Lammspieß.

»Ich werde immer nervös, wenn ihr Typen irgendwo unterwegs seid, um Ärger zu machen«, sagte Yannick. »Also koche ich.«

»Es gab keinen Grund, *so* nervös zu werden, Yannick.«

Es war ein nächtliches Festgelage lange nach Mitternacht, und eines mit mehr Speisen, als je einer von ihnen in einem Raum gesehen hatte. Sie schlugen sich die Bäuche voll, als wäre es ihr letztes Mahl. Und sie tranken echte Cola. Die konnte nur vom Schwarzmarkt stammen.

Jimmy war erleichtert, als er sah, dass Georgie und Felix herumalberten und es ihnen gut ging. Jimmy und Felix aßen mehr als alle anderen, trotzdem brachte es Felix fertig, dazwischen noch blöde Witze über die Regierung zu reißen. Alle schienen mehr Ahnung von Politik zu haben als Jimmy. Felix kannte sogar ein Lied auswendig, dass er im Internet gefunden hatte; es drehte sich um Hollingdale und wie er sich wünschte, alles in der Welt solle britisch werden. Bei den weniger bösartigen Strophen stimmte auch Eva mit ein. Sie lachten und freuten sich, wieder vereint zu sein. Dann begann Felix mit Falafelbällchen zu jonglieren, woraufhin Yannick beschloss, ihn mit gefüllten Paprikas zu bombardieren.

Erst viel später, als die Morgendämmerung bereits an den Überresten ihres Festmahls leckte und alle auf den Küchenboden gesunken waren, um dort mit den Händen auf ihren prallen Bäuchen zu dösen, wurde Jimmy klar, dass etwas anders war an seinem Freund. Er war einfach eine Spur zu aufgedreht gewesen. Selbst für Felix' Verhältnisse hatte er es mit den Witzen und Späßen übertrieben, als ob er eine tiefe Traurigkeit verbergen wolle.

Jimmy öffnete mühsam die Augen und spähte zu ihm hinüber. Felix schlief, und das Lächeln, das für sein Gesicht so typisch war, war verschwunden. Träumte er von seinem Vater und seiner Mutter? Jimmy hatte in kürzester Zeit erfahren müssen, was es bedeutete, sich Sorgen um seine Eltern zu machen. Er griff nach einem trockenen Küchenhandtuch, faltete es und schob es seinem Freund unter den Kopf.

»Du musst mit uns kommen.« Jimmy erwachte, als Viggo in sein Ohr flüsterte.

»Wie spät ist es?«, stöhnte er.

»Später Nachmittag. Komm, wir müssen los.«

»Wohin?« Jimmy streckte sich. Sein Hals war ganz steif, weil er an die Küchenwand gelehnt geschlafen hatte. Neben ihm döste Felix. Auf der anderen Seite der Küchentheke waren Eva und Georgie aneinandergekuschelt eingeschlummert.

»Zum *NJ7*-Hauptquartier natürlich.«

Schlagartig war Jimmy hellwach. Die Reste seines Albtraums hatten sich wie üblich rasch verflüchtigt. *Weiteres Training*, fragte er sich, *oder war es nur das würzige Essen von vergangener Nacht?*

»Mach schon, Jimmy«, sagte Viggo. »Deine Freunde bleiben bei Yannick. Vielleicht können sie lernen, wie man kellnert.«

Die letzte Nacht schien keinerlei Spuren bei Viggo hinterlassen zu haben – er wirkte ausgeruht und überraschend gepflegt. Er hatte sein Haar zurückgebunden und seinen Stoppelbart minimal gestutzt. Sein frisches weißes Hemd betonte seine muskulöse Figur und die scharfen Bügelfalten seiner schwarzen Hose schienen wie mit dem Lineal gezogen.

Irgendetwas versetzte Jimmys Nervenkostüm in Alarmzustand. Viggo ging hinüber zur anderen Seite der Küche. Er kehrte Jimmy den Rücken zu und starrte in die spiegelnde Oberfläche einer Dunstabzugshaube. Sorgfältig legte er eine Krawatte um den Kragen seines Hemds. Es war eine lange, dünne, schwarze Krawatte. Als sie schließlich fein säuberlich gebunden herabhing, drehte sich Viggo um. Schweigend nahm er ein Jackett von der Küchentheke. Ein schwarzes Jackett.

KAPITEL 18

Jimmy stand der Mund offen. Viggo sah haargenau aus wie ein *NJ7*-Agent. Genau wie all diese Typen, vor denen Jimmy weggelaufen war. »Was ist los?« Viggo hatte den entsetzten Ausdruck auf seinem Gesicht bemerkt. Jimmy brachte kein Wort heraus. Seine Kehle war wie zugeschnürt und in ihm regte sich sein Killerinstinkt. »Jimmy, was hast du? Das ist in Ordnung, das ist nur mein alter *NJ7*-Anzug.«

Jimmy versuchte sich zu beruhigen. Viggo hatte ihm ja erzählt, dass er früher für den *NJ7* gearbeitet hatte. Trotzdem hatte er nicht erwartet, diese Uniform an ihm zu sehen. »Warum tragen Sie das?«, japste Jimmy und versuchte seine Kräfte im Zaum zu halten.

»Das erkläre ich dir unterwegs. Komm jetzt«, drängte Viggo, aber Jimmy rührte sich nicht. »Vertraue mir, das ist der beste Weg, um uns beim *NJ7* einzuschleichen. Falls wir aufgehalten werden, verschafft uns das ein paar Extrasekunden, bis die Agenten mich erkannt haben. Und das könnte uns das Leben retten.«

Viggo flüsterte immer noch. Er wollte die anderen nicht wecken. Jimmy atmete tief durch und versuchte das Hassgefühl abzuschütteln. Und damit nicht genug, musste er sich auch noch entscheiden: Sollte er Viggo trauen oder fliehen?

Dieser Mann war ihm ein Rätsel. Die Informationen von Miss Bennett hatten Jimmy nicht auf die Anziehungskraft von Viggos Persönlichkeit vorbereitet. Und mittlerweile schlug er Jimmy mit seiner ruhigen, gelassenen Art in den Bann. Viggo war in dieser neuen und gefährlichen Welt in verblüffend kurzer Zeit Jimmys einziger Orientierungspunkt geworden. Was sollte er nun tun?

»Ich komme nur mit, wenn die anderen auch dabei sind«, verkündete Jimmy kurz entschlossen.

»Dieses Trüppchen hier?«, stutze Viggo. »Das sind keine Kämpfer. Sie sind nicht trainiert, so wie du und ich. Wenn wir die mitnehmen, bringen sie uns nur in Schwierigkeiten.« Viggo fuhr sich mit der Hand durch sein geglättetes Haar. »Hör zu, nicht mal Yannick kommt mit uns. Selbst er wäre ein Risiko. Aber die hier, das wäre … reiner Selbstmord.«

»Wenn Sie nicht wollen, dass meine Freunde dabei sind, dann müssen Sie ja nicht mitkommen. Aber *ich* gehe und ich nehme sie mit.« Jimmy sprach entschlossen und blickte Viggo direkt ins Gesicht, allerdings schossen dabei tausend widersprüchliche Gedanken durch seinen Kopf.

»Jimmy«, flehte Viggo, »vertraust du mir denn nicht?«

Jimmy musterte Viggo. Diese Krawatte hing ein wenig schief von seinem Hals – wie ein Fragezeichen.

»Felix«, rief Jimmy laut, »wir brechen zu einer Mission auf.«

Innerhalb kürzester Zeit waren alle auf den Beinen. Eva, Georgie und Felix standen um ihn herum, streckten sich, brummten irgendwas von Frühstück und beschwerten sich, dass sie kein richtiges Bett zum Schlafen gehabt hatten. Jimmy fühlte sich sofort sehr viel stärker.

»Wenn ihr schon mit dabei seid, müsst ihr einer einzigen simplen Anweisung folgen«, verkündete Viggo, nachdem sie sich in der U-Bahn niedergelassen hatten. Er beugte sich verschwörerisch vor. »Gehorcht meinen Befehlen und verliert mich nie aus den Augen.«

»Das sind zwei Anweisungen«, bemerkte Eva.

Viggo drehte sich zu ihr. »Ich bin nicht verantwortlich für dich, in Ordnung? Ich war dagegen, dass du mitkommst.« Er sah kurz zu Jimmy, dann wandte er sich wieder den anderen zu. »Wenn ihr getötet werdet, dann ist das eure eigene Schuld.« Er lehnte sich zurück und Saffron warf ihm einen missbilligenden Blick zu. Er zuckte mit den Achseln und machte eine unschuldige Miene.

In den alten T-Shirts und den Hosen, die Viggo am Knie für sie abgeschnitten hatte, passten Georgie, Eva und Felix perfekt in den nachmittäglichen Passagierverkehr dieses unerwartet milden Tages. Jimmy dagegen fühlte sich wie auf dem Präsentierteller – er trug immer noch sein schimmerndes schwarzes Hemd. Wenn sich wenigstens anstelle des grünen Streifens das Logo einer coolen Modefirma oder das einer Fußballmannschaft darauf befunden hätte.

Felix war schweigsam. Irgendwann beugte er sich zu Jimmy hinüber und sprach ihm direkt ins Ohr, sodass er das Rattern des Zugs übertönte und die anderen ihn nicht hören konnten. »Glaubst du, meine Eltern werden auch dort sein?«

Jimmy starrte geradeaus auf seine merkwürdige doppelte Spiegelung im U-Bahn-Fenster. »Ich bin mir nicht sicher. Möglicherweise wird es schwierig, sie zu finden. Wir wissen allerdings, dass meine Mum und mein Dad dort sind, denn sie haben mal da gearbeitet, oder vielmehr tun sie es immer noch.«

»Deine Eltern arbeiten für die?« Felix klang nicht sonderlich überrascht. Jimmy nickte einfach nur ernst. Auch er hatte diese Tatsache noch nicht wirklich verarbeitet. Und es half ihm auch nicht, dass Felix so gelassen reagierte. Es wäre ihm lieber gewesen, sein Freund wäre auf und ab gehüpft und hätte es laut hinausgeschrien. Vielleicht wäre das dem außergewöhnlichen Umstand angemessener gewesen: Seine Eltern arbeiteten für den *NJ7*. »Weiß Georgie davon?«, flüsterte Felix und bemühte sich, dabei nicht in ihre Richtung zu sehen.

Jimmy konnte Felix kaum verstehen, ahnte aber, worauf er hinauswollte.

»Ich hab es ihr noch nicht gesagt.«

»Ist es nicht besser, du informierst sie, bevor wir

dorthin kommen? Es ist eine Sache, Gefangene zu befreien; eine ganz andere ist es, Gefängniswärter zu befreien.« Felix wirkte ziemlich stolz auf seine weise Einsicht. Er wiederholte sie noch einmal leise für sich, doch dann fiel ihm etwas ein. »Hey, vielleicht bewachen deine Eltern ja das Gefängnis, in dem meine Eltern einsitzen. Dann wäre alles bestens.«

Jimmy erlaubte sich ein kleines Lachen und schüttelte dann den Kopf über Felix' alberne Idee.

»Danke, dass du mitgekommen bist, Felix.«

An der Tottenham Court Road stiegen sie aus. Viggo und Saffron hatten den ganzen Weg über miteinander geflüstert. Versuchten sie immer noch, einen Plan auszuarbeiten? Jimmy vermutete, dass sie überlegten, was sie mit den zusätzlichen Kids anfangen sollten. Mittlerweile kam Jimmy sich albern vor, weil er auf der Anwesenheit der anderen bestanden hatte. *In Georgies Fall ist es möglicherweise in Ordnung*, dachte er. Schließlich hatte sie es geschafft, Paduk auf dem Polizeirevier zu entwischen. Und Felix war total scharf darauf gewesen mitzukommen. Immerhin gab es eine wenn auch geringe Chance, dass sie herausfanden, wo Neil und Olivia Muzbeke festgehalten wurden. Aber Eva? Sie war hier wirklich fehl am Platz.

Während sie die New Oxford Street hinaufmarschierten, beschwerte sie sich in einem fort: über die Kleider, die sie zu tragen gezwungen war, und wie endlos weit sie laufen mussten. Außerdem jammerte sie noch über alles Mögliche andere, was ihr eben in den Sinn kam.

Jimmy versuchte, ihre Stimme auszublenden. Aber es war nicht leicht, weil sie lauter redete als alle anderen.

»Sie ist *so* nervig«, flüsterte Jimmy Felix zu. Sie liefen hinter den Mädchen, die wiederum Viggo und Saffron folgten.

»Sie ist *deine* Schwester.«

»Nicht sie – Eva. Sie ist nur hier, weil sie nicht nach Hause will, wo sie sich mit ihren Eltern rumschlagen muss. Die sind nämlich noch nerviger.«

»Ich hab nix gegen sie, aber sie hat einen echt komischen Gang.« Eva, Georgie und Felix hatten sich Schuhe ausleihen müssen. Felix hatte sich ein paar von Viggos alten Trainingsschuhen ausgesucht, die ihm einigermaßen passten, nachdem er sie vorne ausgestopft hatte. Georgie hatte ohnehin ziemlich große Füße, daher waren ihr ein paar von Saffrons Schuhen nur ein oder zwei Nummern zu groß. Eva dagegen hatte Probleme, einen Fuß vor den anderen zu setzen. Sie hatte sich geweigert, ihre Schuhe auszustopfen, wie Felix es ihr geraten hatte.

Bald erreichten sie die U-Bahn-Station Holborn. Viggo blieb am Eingang stehen und stieß mit seiner Schuhspitze gegen einen Kanaldeckel. Als Saffron bemerkte, wie Jimmy Viggos Aktion neugierig beobachtete, trat sie zu ihm.

»Siehst du die Buchstaben auf dem Kanaldeckel?«

Jimmy betrachtete ihn eingehender, und tatsächlich, da waren sie. Er hatte schon oft solche Kanaldeckel gesehen. Und auf allen befanden sich Buchstaben, aber

Jimmy hatte ihnen nie sonderliche Aufmerksamkeit geschenkt.

»Es ist ein Code«, fuhr Saffron fort. »Die Buchstaben verraten, welche Einheit des Geheimdiensts in dieser Straße operiert. Und unter ihr.«

»Also führt dieser Einstieg nicht nur in die Kanalisation?«

»Einige von ihnen tun das, aber dieser hier definitiv nicht. Das ist Kingsway.« Sie deutete mit bedeutsamer Miene auf ein Straßenschild. Doch für Jimmy sah es nur aus wie jedes x-beliebige Straßenschild, auf dem sich jahrzehntelang Schmutz und Autoabgase abgelagert hatten. »Offenbar ist dieser Einstieg versiegelt worden. Wir müssen zurück zu denen im Untergrund.«

Viggo machte ein rasches Zeichen in Richtung U-Bahn-Eingang. Die anderen folgten ihm nach unten.

Während sie die Stufen hinuntertrabten, suchte Viggo Jimmys Nähe. Er redete mit ihm, ohne zu ihm hinabzuschauen, und Jimmy musste sich bemühen, sie zu verstehen.

»Unter uns verläuft ein stillgelegter U-Bahn-Tunnel. Er führt von Kingsway bis runter zur Station Embankment. Und wenn deine Angaben über die Ausdehnung des Hauptquartiers richtig sind, dann führt dieser Tunnel irgendwo ganz dicht daran vorbei.«

»Woher wissen Sie das?« Jimmy glaubte ein merkwürdiges Lächeln in Viggos Augen aufblitzen zu sehen.

»Bevor man den Kanaldeckel versiegelt hat …«, begann er, doch dann unterbrach er sich. »Ist nicht so wichtig.«

Jimmy blieb auf der Treppe stehen. »Es interessiert mich aber. Erzählen Sie mir, woher Sie das wissen.«

Viggo grinste breit. »Ich hab früher meine Freundinnen mit hierhergebracht.«

Jimmys Ungeduld wich einem Gefühl der Verlegenheit. Er versuchte es zu verbergen, indem er den Kopf senkte und einfach weiterlief.

Die U-Bahn-Station war überfüllt – wie alle U-Bahnhöfe um diese Zeit. Der Berufsverkehr war zwar schon vorbei, trotzdem standen die Menschen an den Fahrscheinautomaten Schlange und drängten sich vor den Drehkreuzen. Das laute Klacken der Drehkreuze und der allgemeine Lärm hätte jede von Viggos Anweisung übertönt. Daher bediente er sich ausschließlich einer simplen Zeichensprache. Im Gänsemarsch folgte ihm das Trüppchen durch ein Drehkreuz und die Rolltreppe hinunter. Überall glaubte Jimmy Menschen zu sehen, die ihn anstarrten. Doch das Augenpaar, das sein Gesicht vermeintlich so intensiv gemustert hatte, studierte in Wahrheit nur eine Werbung hinter seinem Kopf. Von jemandes Abendzeitung blickte ihn das faltige, grinsende Gesicht von Ares Hollingdale an. Darunter prangte eine weitere Schlagzeile, wie fantastisch er doch war.

Als sie den Bahnsteig erreichten, wirkte Viggo leicht irritiert.

»Ich hab diesen Weg noch nie benutzt«, erklärte er

Jimmy. »Früher haben wir immer die Einstiegsluken der Kanalisation benutzt.«

Jimmy machte sich nicht die Mühe, darauf zu antworten. Langsam wurde ihm klar, dass weder Viggo noch Saffron eine Ahnung hatten, wie man ins Innere des *NJ7* gelangte. Wegen der Sicherheitsmaßnahmen würden sie niemals die Metalltür in Downing Street Nummer zehn erreichen; und der Schneiderladen konnte einer von Hunderten in dieser Gegend sein. Yannick hatte sich intensiv danach umgesehen, aber es war wie die Suche nach der berühmten Stecknadel im Heuhaufen gewesen. Und was den Eingang unter der Westminster-Brücke betraf, oder besser gesagt im Fluss, so war Jimmy der Einzige, der dort atmen konnte. Und selbst wenn sie es ins Hauptquartier schaffen sollten, war keineswegs garantiert, dass seine Eltern tatsächlich dort waren. Er fühlte sich völlig entmutigt.

Vier Züge kamen, vier Züge fuhren wieder ab. Sie transportierten Fahrgäste weg und spuckten neue aus, die dann für ein oder zwei Minuten den Bahnsteig bevölkerten, bevor sie durch die Ausgänge verschwanden. Während der ganzen Zeit strömten weitere Menschen durch die Zugänge herein, standen herum und warteten. Es war ein beständiger Strom neuer Gesichter – bis auf die sechs, die blieben und die Wände untersuchten.

»Ich will einen Schokoriegel«, rief Felix. »Kann mir jemand fünfzig Pence leihen?« Er stand vor dem Süßigkeitenautomaten, und sein Gesicht hatte diesen vertrauten Ausdruck, der besagte: *Ich brauche Zucker*. Viggo versuchte gerade sich auf die blanken Kacheln der Wand zu konzentrieren. Da musste irgendwo ein Schwachpunkt sein oder eine Tür oder irgendetwas. Dann kramte er in seinen Taschen nach Kleingeld, irritiert über die Ablenkung.

»Willst du auch was, Jimmy?«, fragte Felix.

»Ja, meinetwegen.« Wenn sie schon seine Eltern nicht retten konnten, dann brauchte er wenigstens etwas Schokolade.

»Dann brauche ich ein Pfund, Viggs.« Felix hatte bereits seine Wahl getroffen und die Knöpfe gedrückt – was ohne den entsprechenden Geldeinwurf natürlich völlig sinnlos war.

»Ich hab kein Kleingeld. Kannst du nicht etwas warten?« erwiderte Viggo.

»Komm schon, nur ein Pfund, Viggy«, beharrte Felix. Jimmy lachte über seinen neuen Spitznamen für Christopher Viggo.

»Ehrlich, ich hab nichts. Man kann niemanden retten, wenn man die Tasche voller Kleingeld hat.«

Felix drückte jetzt hektisch die Knöpfe, als ob die richtige Kombination die Köstlichkeiten im Inneren freigeben und ihn mit einer Lawine von Gratisschokolade belohnen würde. Eva und Georgie stellten sich zu ihm, auch sie hatten Lust auf einen raschen Snack. Doch niemand hatte Kleingeld.

»So wird das nichts, Felix«, sagte Georgie. »Es gibt keine Zauberformel, um Schokolade aus diesen Dingern herauszukriegen. Ohne Bargeld hast du keine Chance.«

»Trotzdem ist es einen Versuch wert, oder? Was ist denn zum Beispiel, wenn einer der Zugführer Hunger hat? Haben die nicht vielleicht einen Geheimcode, oder so was?«

»Die bringen sich Sandwiches mit zur Arbeit. Und selbst wenn es einen Geheimcode gibt, wirst du ihn nicht rausfinden, indem du wahllos auf die Knöpfe hämmerst.«

Felix missfielen Georgies entmutigende Worte sichtlich. Seine Miene wirkte nur umso entschlossener. Er drückte jetzt mit allen Fingern zugleich, die Zunge zwischen die Zähne geklemmt. Und plötzlich …

KLACK!

Felix sprang von der Maschine zurück. Alle hatten das Geräusch gehört und drehten sich zu ihm. Auch einige der wartenden Fahrgäste waren aufmerksam geworden. Ein Mann im Nadelstreifenanzug kam näher. Felix spähte ungläubig in das Fach im unteren Teil des Automaten. Er tastete darin herum. Keine Gratisschokolade. Er zog eine enttäuschte Miene. Trotzdem hatten alle irgendetwas gehört.

»Welche Knöpfe hast du gedrückt, Felix?«, fragte Jimmy.

»Kann mich nicht erinnern. Spielt aber auch keine Rolle. Ich hab immer noch keine Schokolade.« Enttäuscht stieß er mit dem Fuß gegen den unteren Teil des Automaten. Es war kein richtig fester Tritt, mehr eine Art Schubser, aber es reichte aus. Langsam, als geschähe es bloß in ihrer Fantasie, löste sich der gesamte Süßigkeitenautomat ein kleines Stück von der Wand. Vorsichtig näherten sich alle dem schmalen schwarzen Spalt, der sich zwischen dem Gerät und den Kacheln aufgetan hatte. Eine Staubwolke wehte daraus hervor und stieg zur Decke hinauf.

»Wow! Überlegt mal, wie viel Schokolade dahinter sein muss!«, rief Felix aus.

»Sei nicht blöd. Das ist der Tunnel«, sagte Eva mit spöttischem Unterton.

»Rasch«, rief Viggo und setzte sich entschlossen in Bewegung. »Lasst uns durch den Spalt schlüpfen.«

Er schob seine Finger hinter den Automaten und öffnete den Zugang wie eine mit Schokolade gefüllte Tür. Eine kleine Öffnung reichte aus. Viggo winkte einen nach dem anderen durch das merkwürdige Schlupfloch. Saffron ging als Erste, um zu überprüfen, ob es auch sicher war. Dann machte sie den anderen ein stummes Zeichen, ihr zu folgen. Niemand sprach ein Wort. Viggo drängte sie mit heftigen Gesten und dem Ausdruck höchster Wachsamkeit zur Eile. Schließlich trat er selbst hindurch und schloss die Pforte wieder hinter sich. Jetzt standen sie im Finstern. Draußen begann der Mann im Nadelstreifenanzug mit verdutztem Gesicht auf den Süßigkeitenautomaten einzutippen.

»Bleibt ruhig stehen, bis sich eure Augen an die Dunkelheit gewöhnt haben«, sagte Viggo. »Eigentlich sollte es hier drin irgendwo elektrisches Licht geben.«

»Ich hab immer noch Hunger«, beschwerte sich Felix.

»Sei still, ja?«, schimpfte Georgie, musste dann aber wegen dem ganzen Staub in der Luft husten.

Langsam konnte Jimmy die Umrisse der anderen ausmachen. Es war hier unten gar nicht so finster. Und dann wurde langsam alles immer deutlicher. Er konnte Viggos Gesicht mit den zusammengekniffenen Augen erkennen. Er sah den Schmutz, der alles hier überzog – die Wände, die Kabel, die kreuz und quer verliefen, und dann konnte er auch seine anderen Begleiter ausmachen.

»Verdammt«, flüsterte Viggo. »Sie haben die Beleuchtung entfernt.«

»Nein, haben sie nicht«, erwiderte Jimmy. Er drehte sich zu Viggo und sah, dass dieser immer noch die Augen zusammenkniff und blinzelte. Für Jimmy wurde es jede Sekunde heller. »Ich kann bestens sehen.«

»Bist du das, Jimmy?«

»Natürlich bin ich das, ich stehe gleich hier.« Er winkte Viggo. »Sie schauen direkt zu mir; können Sie mich denn nicht sehen?«

»Nein, aber mach dir keine Sorgen. Wir tasten uns voran und kommen von hier aus zum *NJ7*-Hauptquartier.«

»Wir müssen uns nicht vorantasten. Hier gibt's ausreichend Licht. Was ist los mit euch?«

Jimmy drehte sich zu den anderen um; ihre Gesichter waren alle angespannt, und sie streckten die Hände aus, um nach etwas zu tasten, das nicht da war.

Ebenso langsam, wie er die Sicht wiedergewonnen hatte, dämmerte ihm nun nach und nach die Wahrheit.

Er war der Einzige, der etwas sehen konnte. Und das konnte nur eines bedeuten: In den letzten Tagen hatte er die Fähigkeit entwickelt, in der Dunkelheit zu sehen. Dann fiel ihm auf, dass in seinem Blickfeld alles merkwürdig bläulich schimmerte. *Es ist wie eine Nachtsichtbrille*, dachte er, *nur dass ich alles blau und nicht grün sehe.*

Jimmy hatte keine Ahnung wie solche Nachtsichtgeräte funktionierten, aber er hatte im Fernsehen und im Kino gesehen, wie Soldaten sie bei nächtlichen Operationen verwendeten. Er hätte niemals damit gerechnet, dass etwas Derartiges in ihm schlummern könnte.

»Alles in Ordnung, ich habe, äh«, Jimmy fühlte sich ein wenig albern, als er es laut aussprach, »ich habe Nachtsicht«.

»Was?«, kreischte Felix. »Du kannst hier sehen?«

»Ja, ich schätze schon.«

»Das ist so cool. Wie viele Finger halte ich hoch?« Felix zeigte ihm den Stinkefinger.

»Felix, lass das.«

»Oh mein Gott – du kannst wirklich in der Dunkelheit sehen!«

Der Tunnel erstreckte sich so weit in gerader Linie, dass man selbst bei hellstem Licht nicht bis zum Ende hätte blicken können. Die alten U-Bahn-Gleise waren von Müll übersät: verbogene Metalltrümmer, alte Maschendrahtzäune, zerbrochene Kacheln, Glas, und alle paar Schritte schimmerte eine Pfütze. Auch die Wände waren in marodem Zustand und auf den bröckelnden

Ziegeln befanden sich immer wieder mal Flecken einer abblätternden türkisfarbenen Bemalung.

Jeder hielt sich an der Person vor ihm fest, sodass sie sich in einer merkwürdigen Art Gänsemarsch voranbewegten. Jimmy mit seinen Schlangenaugen führte sie an. Hinter ihm kam Viggo, der sich nach vorne beugte und seine Hände auf Jimmys Schultern gelegt hatte. Jimmy konnte ihn atmen hören. Dann drang plötzlich ein gewaltiger Lärm aus den Wänden – das ohrenbetäubende Rattern eines Zuges. Sein Donnern klang so nahe, dass Jimmy einen Augenblick lang befürchtete, er würde durch die Wände des Tunnels brechen. Der Lärm schien sie von allen Seiten zu umgeben und es war extrem gespenstisch. Noch mehr Staub regnete auf sie herab. Als der Zug vorüber war, flüsterte Viggo: »Jimmy, kannst du Lampen an den Wänden erkennen?«

»Ja.« Alle vier oder fünf Meter war auf Augenhöhe eine nackte Glühbirne in die Wand geschraubt. Aber Jimmy konnte nirgendwo so etwas wie einen Schalter entdecken.

»Warum sie die Lichtanlage wohl abgeschaltet haben?«, überlegte Viggo leise. Doch Jimmy konnte ihn hören.

»Warum gab es hier überhaupt Licht? Der Tunnel ist doch stillgelegt, oder?«

»In früheren Tagen«, erwiderte Viggo, »hat der *NJ7* diesen Tunnel für Experimente genutzt.«

»Experimente? Was für welche?« Jimmy zweifelte, ob Viggo antworten würde, doch dann hörte er ihn langsam sagen: »Militärtechnologie.« Jimmys Nackenhaare stellten sich auf. Er wusste, was Viggo andeuten wollte. Er hätte es gar nicht laut aussprechen müssen: »Jimmy, hier haben sie die Technologie getestet, mit der du entwickelt wurdest.«

Während Viggos geflüsterte Worte in seinem Kopf widerhallten, blickte sich Jimmy in dem düsteren Korridor um. Dann wurde ihm klar, woher die türkisfarbenen Flecken stammten. Hätte Jimmy sie bei normalem Licht gesehen, wäre es offensichtlich gewesen: Es waren grüne Streifen. Ihr Trupp kam seinem Ziel näher.

Während sie auf das Ende des Tunnels zuschlurften, konnte Jimmy ein neues Geräusch ausmachen. Es war ein hohes Zischen, gemischt mit einem beständigen *Plop,* das durch den Tunnel hallte.

»Was ist das!«, kreischte Eva panisch. »Ist das eine Schlange?«

»Nein«, rief Jimmy. »Wie soll denn eine Schlange hier reinkommen?«

»Vielleicht war sie hinter der Schokolade her«, witzelte Felix.

Sie waren jetzt kurz vor dem Ende des Tunnels. Das Geräusch wurde immer lauter. Nun wusste Jimmy, woher es stammte. Er konnte die Ursache vor sich sehen.

»Ich denke, ich weiß, warum der *NJ7* in diesem Tunnel keine Experimente mehr durchführt, Viggo.«

»Ich glaube, das ist mir auch gerade klar geworden, Jimmy.«

KAPITEL 19

Jimmy blickte über die Schulter zu Viggo. Über sein staubiges Gesicht rann ein Tropfen Schmutzwasser und zog eine schwarze Linie. Vor ihnen zwängte sich die Themse gewaltsam durch die Tunnelwand. Ein schmaler Wasserstrahl schoss in ihre Richtung und erzeugte dabei das zischende Geräusch. Jimmy sah sich um. Wasser tropfte von der Decke und lief an den Wänden herab. An einigen Stellen plätscherten Rinnsale, unter denen schmierige Algen wuchsen. Ein kleiner Ziegelbrocken löste sich aus der alten Mauer und wurde vom Wasserdruck weggeschwemmt. Der eindringende Strahl wurde beständig stärker.

Christopher Viggo löste sich aus der Menschenkette und tastete sich blind an der Tunnelwand entlang. Seine Hände arbeiteten sich durch Wasserströme und tropfenden grünen Schleim.

»Jimmy«, rief er, »in dieser Wand muss es irgendwo einen Durchgang geben. Kannst du was erkennen?«

»Sie schaut aus wie der übrige Tunnel, mal abgesehen vom Wasser.« Jimmy trat zur Tunnelwand.

»Ich werde ganz nass!«, kreischte Eva. »Hilf mir, Chris!«

»Halt die Klappe, Eva.« Diesmal war es Georgie, die ihr über den Mund fuhr. »Natürlich wirst du nass.«

»Jimmy«, sagte Viggo, »hör mal.« Er klopfte mit einem Steinbrocken gegen die Wand. »Kannst du das hören?«

»Was?«

»Es klingt hohl. Sie haben den alten Durchgang zugemauert.«

»Heißt das, wir sind hier gefangen?« Evas Stimme klang diesmal anders – ernsthaft verängstigt.

Sie standen vom Spritzwasser durchnässt und mit Dreck verschmiert in der Dunkelheit und warteten. Jimmy fühlte ein Vibrieren in seinem Kopf. Es war sein Instinkt. In den Tagen, seit dieser zum ersten Mal durch eine Bedrohung geweckt worden war, hatte er sich wesentlich verfeinert. Es fühlte sich jetzt mehr wie ein Teil von ihm an.

»Aus dem Weg.« Jimmy holte tief Luft. Dann tauchte er mental tief hinab in sein Inneres und begann dort alle verfügbaren Kräfte zu mobilisieren. Es funktionierte. Kurz darauf pulsierte eine machtvolle Energie durch seine Muskeln. Er strich mit dem Finger über den Schnitt an seinem Handgelenk. Die Wunde war noch nicht verheilt, aber das war auch nicht notwendig. Sie erinnerte Jimmy immer an das, was an ihm nicht menschlich war. Und genau auf diesen Teil seiner Persönlichkeit konzentrierte er sich jetzt. »Zeit, durch Wände zu gehen«, sagte er.

Viggo trat beiseite und stolperte dabei beinahe über

einen kaputten Stuhl. Jimmy starrte auf die Seitenwand, während sich links von ihm die Themse durch das Tunnelende zwängte. Er machte zwei entschlossene Schritte, dann sprang er in die Höhe. Seine Füße hämmerten gegen die Wand. Mit der Gewalt eines Bulldozers durchbrach er die bröckelnde Ziegelmauer.

Sie gab nach wie ein mürber Keks und hinter ihr kam ein weiterer, nur etwa drei Meter langer Tunnel zum Vorschein. Jimmy wusste, dass er zum *NJ7*-Komplex gehörte. Er hatte die gleichen Betonwände und einfache Neonbeleuchtung. Und am Ende war er durch ein weiteres vertrautes Objekt versperrt: eine Metalltür.

Ziegelstaub wirbelte auf, mischte sich mit dem Schmutz und dem Spritzwasser in der Luft. Die anderen blinzelten in dem plötzlich eindringenden Licht.

»Los!«, rief ihnen Jimmy von dem Trümmerhaufen herab zu.

Eva schrie. Das Loch, das Jimmy in die Wand gebrochen hatte, war nicht sonderlich stabil. Immer wieder lösten sich Ziegelsteine. Doch Eva bereitete offenbar etwas anderes Sorgen: Sie blickte zum Ende des U-Bahn-Tunnels. Die Wand dort vibrierte. Die Erschütterungen von Jimmys Tritt hatte die Löcher, durch die das Wasser einströmte, größer werden lassen. Inmitten des ganzen Chaos bemerkte Jimmy neue Risse, die wie gezackte Blitze über die Wand zuckten.

»Kommt hier rüber!«, brüllte er, doch der Lärm war jetzt ohrenbetäubend – das Wasser, die einstürzende

Wand, die Risse. Ihnen blieben nur noch Sekunden, um durch die Tür zu gelangen. Viggo rannte voraus und stieß sie auf. Ebenso wie Jimmy wusste er, dass die Türen bei *NJ7* niemals verschlossen waren. Sie konnten es schaffen. Aber dann …

Das Getöse schwoll immer mehr an. Der Boden unter ihnen wackelte, sodass sie schwankten und kaum vorankamen. *Ein weiterer Zug.* Das war das Ende. Der Tunnel würde das niemals überstehen. Sie stürmten durch das Loch in der Wand. Einer nach dem anderen sprang über Jimmy hinweg, der immer noch auf dem Haufen zerbrochener Ziegel stand: Felix, Georgie, Saffron, alle sprinteten durch den Korridor und auf die Tür zu. Viggo hielt sie für sie auf. Doch Eva rührte sich nicht von der Stelle. War sie vor Schreck gelähmt? Um sie herum ertönte das Herandonnern des Zuges, unsichtbar, aber ganz nah.

Jimmy sprang auf. Er hechtete hinaus in den Tunnel. Eva drehte sich von den eindringenden Wasserstrahlen zu Jimmy und in ihren Augen kreisten Wirbel wie in den Tiefen der Themse.

KRACK!

Der Damm brach. Bruchstücke der Wand zwischen Tunnel und Fluss wurden mit der Gewalt herausgeschleudert. Ein Hagel von Ziegelbrocken prasselte gegen Jimmys Rücken. Er kam gerade rechtzeitig, um Eva vor ihnen abzuschirmen. Im Sprung packte er das verängstigte Mädchen um die Hüften. Er riss sie von den Beinen, prallte gegen die andere Seite des Tunnels und stieß sich dort sofort wieder ab. Das Wasser strömte jetzt mächtig herein. Mit einem dumpfen Schlag landeten die beiden im *NJ7*-Tunnel. Das Getöse war nun ohrenbetäubend. Die Themse hatte eine neue Öffnung gefunden. Sie schoss hindurch und riss die Trümmer der Ziegelmauer mit sich.

Jimmy packte Eva am Kragen, rannte los und schleifte sie hinter sich her. Die gewaltige Wasserflut war jetzt unmittelbar hinter ihnen. Dann erreichten sie die Metalltür. Viggo schlug sie hinter ihnen zu.

»Die wird niemals standhalten!«, schrie Georgie. Eine Pfütze aus faulig stinkendem Wasser umgab sie.

»Ist schon in Ordnung«, sagte Viggo und streckte die Hand nach einem verborgenen Schalter an der Seite der Tür aus. »Beim *NJ7* denkt man an alles.«

Jimmy hatte hier unten noch nie eine Tür mit so einem Schalter gesehen. »Es ist eine Flutsicherung. Sie verstärkt die Tür gegen einbrechende Wassermassen.«

»Natürlich«, murmelte Jimmy. »Alle Türen, bei denen Überschwemmung droht, müssen damit ausgestattet sein. Und wenn der *NJ7* den ganzen Komplex überfluten will, dann öffnet man einfach die Türen.«

»Hundertzwanzig Sekunden«, sagte Viggo und wandte sich dem Korridor zu, in dem sie sich jetzt befanden. »Mehr braucht es nicht, um diese ganze Anlage unter Wasser zu setzen.«

Schweigend marschierten sie einer hinter dem anderen den Flur entlang, folgten seinen Windungen, Steigungen und Senkungen. Jimmy übernahm wortlos die

Führung und versuchte verzweifelt, sein Gedächtnis zu aktivieren. Sie bewegten sich vorsichtig, hielten immer wieder inne, während Jimmy verzweifelt nach Anhaltspunkten suchte, die ihm verrieten, an welchem Punkt dieses gewaltigen Labyrinths sie sich befanden. Vergeblich. Alle Tunnel sahen gleich aus; keiner hatte irgendwelche Markierungen. Es waren einfach nur endlose Gänge aus grauem Beton mit denselben schlichten Lampen.

»Komm schon, Jimmy, denk nach«, hörte er Saffron hinter sich wispern.

»Tue ich ja!«, zischte er zurück.

»Warte«, das war Viggos beruhigende Stimme. »Nicht nachdenken.«

»Was?«

»Schalt einfach deine Gedanken ab. Vertraue deinem Instinkt. Du bist eine Maschine, oder etwa nicht?« Jimmy spürte, wie ihn diese Bemerkung kränkte.

»Nein. Ich bin zu 38 Prozent Mensch.«

»Gut, aber der Rest von dir nicht. Maschinen müssen nicht denken, oder?«

Genau dazu hatte ihn Dr. Higgins während des Trainings immer wieder aufgefordert. Er sollte seine Instinkte die Kontrolle übernehmen lassen. »Folge deiner Programmierung und nicht deinem Willen«, hatte er ständig wiederholt.

Jimmy schloss die Augen. Wenn es wenigstens hinten in seinem Nacken einen Schalter gegeben hätte, mit dem er seine Instinkte hätte einschalten können, dann wäre das Ganze wesentlich einfacher gewesen. Bereits wenige Sekunden später fühlte er, das mittlerweile vertraute Gefühl in sich aufsteigen. Doch er musste die absolute Kontrolle darüber behalten, denn sonst würde er töten, wer sich ihm in den Weg stellte.

Ein grauer Nebel umhüllte seinen Kopf. *Gleich beginnt es*, dachte er. Die Muskeln in seinem Nacken zuckten. Dann setzten seine Gedanken aus. Sie wurden irgendwo in seinem Gehirn zurückgehalten, blieben im Hintergrund seiner Aufmerksamkeit, wie eine kaum hörbare, sehr weit entfernte Stimme. An ihre Stelle trat ein pochendes Selbstvertrauen. Es tat nicht weh – vielmehr hatte Jimmy das Gefühl, als könnte ihm nie wieder etwas zustoßen.

»Da lang«, verkündete er. Er bewegte sich jetzt rasch, rannte beinahe.

Der Tunnel gabelte sich in regelmäßigen Abständen oder stieß auf Kreuzungen. Ohne Zögern schlug Jimmy jedes Mal die Richtung ein, die ihm sein Instinkt wies. Er war unbeirrbar wie ein Hund, der nach einem Knochen schnüffelt. Auf einmal waren die Tunnel vertraute Pfade, die Mauersteine waren seine Helfer; wenn er vorbeikam, schienen sie leicht zu beben und ihm mit ihren Vibrationen den Weg zu weisen. Die anderen folgten ihm, ohne zu fragen.

Noch eine Abzweigung und sie waren am Ziel. Jimmy hatte den Raum erreicht, in dem sein harmlos aussehender ehemaliger Nachbar Dr. Higgins ihm seine eigene Beschaffenheit erklärt hatte. Es war der Raum, in dem er kurzzeitig mit seinen Eltern wiedervereint gewesen war, bevor Paduk sie weggeschafft hatte. Hier standen die Computer und der altmodische Holzschreibtisch mit nichts als einem Stift darauf und hier saßen die sechs Techniker.

Und dann war da noch Dr. Higgins.

»Jimmy, willkommen zurück«, ertönte seine metallische Stimme, ohne dass er sich zu ihnen umgedreht hätte.

Jimmy schüttelte den Nebel in seinem Gehirn ab, bevor ihn ein merkwürdiges Gefühl zu überwältigen drohte. Es war beim Klang der Stimme des Doktors erwacht. *Was war das? Dankbarkeit? Liebe? Unterwerfung?* Jimmy unterdrückte es.

»Laufen Sie weiter und schauen Sie sich um. Nehmen Sie die anderen mit«, flüsterte Jimmy Viggo zu, der die Gruppe augenblicklich neu formierte und wegführte.

»Viel Glück, Jimmy«, rief Georgie, während sie um die Ecke bog. Doch als Jimmy sich zu ihr umdrehte, war sie bereits verschwunden.

»Ja, lass die anderen ruhig gehen«, sagte Dr. Higgins mit einem höhnischen Grinsen. »Ich will nur mit *dir* reden, Jimmy. Paduk hat sicher bald genug davon, sie wie verirrte Ratten herumrennen zu sehen. Dann wird er sich um sie kümmern.«

Plötzlich spürte Jimmy ein stechendes Schuldgefühl. Was hatte er getan? Viggo, Saffron, Georgie, Eva und Felix waren verschwunden und er konnte sie nicht mehr zurückholen. Wie konnte er nur so rücksichtslos sein und sie mit an diesen Ort nehmen? Es kam ihm plötzlich so kindisch vor, dass er Viggo misstraut hatte.

Jimmy umrundete den Schreibtisch. Er hielt den Blick auf Dr. Higgins gerichtet, der ihm noch wahnsinniger vorkam als beim letzten Mal.

»Sag mir, Jimmy«, zischte der Mann, »hat sich dein Training bemerkbar gemacht? Hat es die Kontrolle übernommen?«

Jimmys Kehle war wie zugeschnürt. Irgendetwas hielt die Worte gegen seinen Willen in ihm zurück. Doch dann stieß er hervor: »Ja, hat es.«

»Du musst lauter sprechen, ich bin wirklich ein wenig schwerhörig, weißt du.« Dr. Higgins zeigte sein hässliches Lächeln.

»Es hat funktioniert. Mein Training hat Wirkung gezeigt.«

»Aber Viggo ist nicht tot. Noch nicht. Doch es war richtig von dir, ihn hierherzubringen. Miss Bennett war sehr wütend auf dich. Sie hat vorgeschlagen, dich zu eliminieren. Erzähl mir, was schiefgelaufen ist? Warum hast du Viggo nicht getötet?«

»Ich wollte nicht.«

»Du *wolltest* nicht?« Dr. Higgins schwieg verdutzt. »Aber deine Programmierung, dein Auftrag …?«

»Ich will das alles loswerden«, verkündete Jimmy. »Ich will nicht für den *NJ7* arbeiten und ich möchte zusammen mit meinen Eltern von hier fortgehen.«

»Natürlich. Ich wusste es. Du bist erst zwölf – dein

Training ist noch nicht abgeschlossen.« Dr. Higgins murmelte so leise, dass er ebenso gut mit sich selbst hätte reden können. »Der Killer in dir ist noch nicht machtvoll genug. Wenn nur der andere schon … Aber nein, wir müssen geduldig sein; wenn du achtzehn bist, wird dich nichts mehr aufhalten können.« Er hob den Kopf und zwinkerte Jimmy zu. Jimmy lief ein kalter Schauer den Rücken hinunter.

»Ich will das nicht. Sie müssen mich wieder ent-programmieren, oder irgend so was.«

»War es aufregend, Jimmy?«

»Haben Sie mich verstanden?«, schrie Jimmy. Einige der Techniker hörten auf zu tippen, um dem Gespräch zu folgen. »Ich will es loswerden.«

»Oh, das wird leider nicht gehen, Jimmy. Du bist nur zu 38 Prozent menschlich. Du bist eine organische Maschine, und ohne die Maschine in dir wirst du, fürchte ich, sterben müssen.« Dr. Higgins klang ernsthaft enttäuscht. Doch dann hellte sich sein Gesicht auf. »Aber erzähl mir doch, wie wolltest du Christopher Viggo töten? Hast du versucht, ihn in die Luft zu sprengen? Hast du ihn in den Rücken gestochen? Oder vielleicht hast du eine zeitgemäße Variante gewählt und ihm einen tödlichen Virus injiziert? Ich hab dir doch gesagt: nur ein einziger Schlag gegen den Hals, Jimmy. Aber du wolltest kreativ sein, oder?« Jimmy schauderte angesichts der Liste abstoßender Tötungsarten. Er wollte es mit einem Lachen übergehen, doch es klang noch nervöser, als er ohnehin war.

»Wir haben gefochten«, erklärte er.

»Was?«

»Wir haben gefochten. Sie wissen schon, ein Schwertkampf«, führte Jimmy aus. »So hab ich gegen Christopher Viggo gekämpft, wenn auch nur mit Fleischspießen.«

»Ihr habt mit Fleischspießen gefochten? Das ist nicht Teil deines Trainings.« Dr. Higgins umklammerte seinen Stift so fest, dass er in der Mitte zu zerbrechen drohte. »Schwertkampf ist schon seit vielen Jahrhunderten nicht mehr Teil des Trainings von Geheimagenten.«

Jimmy senkte den Blick. »Trotzdem gab es einen Schwertkampf«, murmelte er. Sein Gehirn arbeitete auf Hochtouren. Wenn das nicht Teil seiner Programmierung war, dann ...

Dr. Higgins war außer sich. Er stieß seinen Stuhl um und rannte im Raum auf und ab. Oberhalb seines weißen Kittels schwollen seine Adern an. »Das ist ungeheuerlich!«, geiferte er. »Du musst deiner Programmierung folgen.«

»Aber ich *bin* ihr gefolgt«, schrie Jimmy zurück. »Und es hätte beinahe funktioniert, aber jetzt ...« Er wollte gerade wiederholen, dass er es loswerden wollte – dieses Killer-Dings in seinem Inneren. Doch Dr. Higgins' Antwort hallte noch in seinen Ohren. Zu viel an ihm war Maschine. Ohne diesen Teil seiner selbst würde er sterben. »Programmieren Sie mich um! Machen Sie aus mir jemanden, der nicht tötet!«

Bei diesen Worten brach der ganze Raum in schallendes Gelächter aus. Selbst die Techniker schüttelten den Kopf und schienen auf einmal bester Laune.

»Ich fürchte, das ist unmöglich, Jimmy.« Dr. Higgins' Adern schwollen wieder ab und nahmen die übliche graue Farbe seiner Haut an. »Du bist nicht so einfach konstruiert wie ein Computer. Es ist in deine DNA eingearbeitet. Du bist einfach so. Und du wirst auch für immer so bleiben.« Er gestattete sich ein kleines Lächeln. »Und es wird immer stärker.«

Jimmy wollte widersprechen, aber irgendetwas verriet ihm, dass es die Wahrheit war.

»Ich bin kein Computer, ich bin kein Roboter, und ich bin kein Mensch.« Dann schrie Jimmy plötzlich frustriert: »Was bin ich denn dann?«

»Du bist wie wir anderen auch«, verkündete Dr. Higgins nüchtern. »Du bist die Summe deiner Handlungen. Und deine Handlungen werden von dem bestimmt, was du bist. Und du bist nun mal ein Killer. Und jetzt komm zu uns zurück und töte für uns, Jimmy. Wir sind die Guten.«

Jimmy zitterte vor Ärger und Verwirrung.

»Wo sind meine Eltern?«

»Du darfst sie sehen, wenn du einwilligst, für uns zu arbeiten.« Dr. Higgins ließ sich wieder auf seinen bequemen Bürosessel fallen, drehte sich langsam hin und her und spielte mit dem Stift in seinen dürren Fingern. »Miss Bennett und Paduk ...«, er hielt inne und suchte nach den richtigen Worten, »... die beiden können noch viel überzeugender sein als ich.«

»Sie können mich nicht foltern.«

»Ha! Natürlich können wir das nicht. Du bist entworfen worden, um jeder Folter zu trotzen. Zumindest jeder *körperlichen* Folter.«

»Was meinen Sie damit?« Die Techniker hatten sich wieder ihren Computern zugewandt. Sie vermieden es, Jimmy anzublicken.

»Ich will damit sagen, dass sich inzwischen drei Mitglieder der Familie Coates im *NJ7*-Hauptquartier befinden. Und keiner von ihnen kann Schmerzen so gut überstehen wie du.«

Jimmy war sprachlos. Die Wut wogte in ihm empor wie ein Tsunami. Und mit ihr meldete sich auch der verhasste Killerinstinkt. Er wollte nur noch zuschlagen. Doch während er bereits sein Gewicht nach vorn verlagerte, bemerkte er aus den Augenwinkeln eine Bewegung. Ein paar Techniker wollten sich zwischen ihn und Dr. Higgins werfen. Zwei von ihnen sprangen von den Stühlen auf, einer auf jeder Seite. Offenbar waren sie nicht nur in Computerdingen ausgebildet.

Jimmy wirbelte herum und trat nach den beiden heranstürmenden Technikern. Sie taumelten nach hinten, was Jimmy gerade genug Zeit ließ, um auf den Schreibtisch zu hüpfen. Er packte Dr. Higgins am Kragen und stieß ihn zurück in seinen Bürosessel. Er hatte ihn mit solcher Wucht geschubst, dass der Bürosessel umkippte und Jimmy mit beiden Knien auf Dr. Higgins' Brust landete. Dann riss er Dr. Higgins den Stift aus den knochigen Fingern. Die Techniker stürmten heran, um ihre

Schlappe wieder auszuwetzen, aber Dr. Higgins stoppte sie mit hochgehaltener Hand.

»Ist schon in Ordnung«, zischte er direkt in Jimmys Gesicht.

Jimmy packte den Stift mit der Faust und drückte seine Spitze seitlich gegen Dr. Higgins' Hals. Der Doktor verzog keine Miene. Er blinzelte nicht mal.

»Töte mich, Jimmy«, flüsterte er. »Mach schon. Ich bin ein alter Mann. Ich bin froh, wenn ich auf diese Art abtreten kann: in Aufopferung für mein Land. Töte mich.«

Jimmy starrte in die blutunterlaufenen Augen seines ehemaligen Nachbarn.

»Komm schon!« Dr. Higgins brüllte jetzt. Sein Mund war nur wenige Zentimeter von Jimmys entfernt, Spuckeflocken tanzten auf seinen Lippen. Jimmy presste den Stift tiefer in seinen dürren Hals. Zum ersten Mal zuckte Dr. Higgins schmerzerfüllt. »Worauf wartest du noch? Töte mich!« Doch dann löste sich sein Gebrüll plötzlich in ein raues Gelächter auf. Erneut schwollen seine Adern rot und lila an. Jimmy schnappte verwirrt nach Luft. Was geschah hier? Er wollte niemanden töten, doch seine Instinkte hatten sich eingeschaltet und von ihm Besitz ergriffen. Durch seine Wut und seine Angst geweckt, hatte ihn seine Kraft überwältigt und dazu aufgepeitscht, Dr. Higgins zu töten. Doch warum zögerte er noch?

»Du kannst mich nicht töten«, höhnte Dr. Higgins. »Ein kleines, feines Detail, das ich bei der Entwicklung jedes Killers angelegt habe.« Jimmy öffnete seine Faust und der Stift fiel zu Boden. »Verstehst du jetzt endlich, Jimmy? Du *musst* für mich arbeiten. Weil du mich nicht töten *kannst*.«

Jimmy rollte sich von dem Doktor herab, richtete sich auf und klopfte die Hose ab, um seine zitternden Hände zu verbergen. Einer der Techniker half Dr. Higgins wieder auf die Beine. Sechs weitere bauten sich jetzt zwischen Jimmy und Dr. Higgins auf. Zwei von ihnen kamen mit gespannten Muskeln auf den Jungen zu, bereit, jederzeit zuzuschlagen. Sie kapierten offenbar nicht, dass Jimmy sich im Grunde so weit wie möglich von dem Doktor wegwünschte. Einen Augenblick lang starrte er seinem ehemaligen Nachbarn wütend in die Augen, dann wirbelte er herum und rannte hinaus in den dunklen Flur. Er musste die anderen finden, bevor sie in ernsthafte Schwierigkeiten gerieten.

KAPITEL 20

Viggo und Saffron hatten den Rest der Truppe durch das endlos scheinende Tunnelsystem geleitet.

»*Führen* diese Gänge denn nirgendwohin?«, rief Felix entnervt.

»Ich bin mir sicher, dass wir schon mal an dieser Metalltür hier vorbeigekommen sind«, bemerkte Eva so leise, dass nur Georgie es hören konnte. Sie wollte Viggo nicht noch mehr verärgern. Er hatte ihr schon ein paarmal wütende Blicke zugeworfen, als sie herumgejammert hatte.

»Nein, das ist eine andere Tür«, flüsterte Georgie zurück. »Das muss einfach so sein.« Sie klang jedoch nicht sonderlich überzeugt. Je mehr sie darüber nachdachte, desto wahrscheinlicher kam es ihr vor, dass sie im Kreis liefen. Und natürlich war nirgendwo eine Spur von ihren Eltern zu entdecken gewesen.

Auch Saffron, die vorne an der Spitze des Trupps marschierte, äußerte nun ihre Bedenken. »Bist du dir sicher, dass sie hier sind, Chris?«

»Natürlich sind sie hier«, erwiderte Viggo. »Sie sind schließlich keine Gefangenen, die man auf irgendeine abgelegene Insel schafft. Sie sind immer noch Agenten.«

»Aber Agenten, die man als Geiseln hält.«

»Ich weiß.« Er hatte über die Schulter geblickt, um direkt mit Saffron zu reden, doch dann war er plötzlich erstarrt. Er spähte an den erwartungsvollen Mienen von Saffron, Felix, Georgie und Eva vorbei. Da war noch ein weiteres Gesicht.

Direkt hinter Eva ragte die mächtige Gestalt Paduks empor. Eva hatte nicht einmal bemerkt, dass der Gigant hinter ihr stand. Auf seiner Uniform prangte stolz der grüne Streifen und er schenkte Viggo ein breites, falsches Grinsen. Wie lange folgte er ihnen schon heimlich und machte sich über ihre Ahnungslosigkeit lustig?

»Was ist?«, fragte Saffron.

»Warum starren Sie mich denn so an?«, piepste Eva.

Viggo antwortete nicht. Stattdessen stürzte er sich auf Paduk, wobei er die anderen unsanft beiseiteschubste. Sie prallten gegen die Wand des engen Korridors. Paduks lächelndes Gesicht nahm einen konzentrierten Ausdruck an und er knackte mit den Kiefern.

Als Viggo an Eva vorbeischoss, schrie sie auf. In dem Moment fuhr Paduks Arm nach oben. Er hielt eine Pistole direkt auf Viggos Kopf gerichtet. Der Agent nahm sich eine Sekunde Zeit zu zielen, doch das war genau eine Sekunde zu lang. Viggo war jetzt bei ihm und boxte gegen die Faust, in der Paduk die Pistole hielt.

PENG!

Ein Schuss löste sich direkt über Evas Kopf. Sie presste die Hände auf die Ohren. Die Welt um sie herum verstummte plötzlich. Die Kugel prallte von der Tunnelwand ab, während die Pistole zu Boden fiel. Bevor Saffron sich danach bücken konnte, traf sie etwas mit voller Wucht in die Seite. Überrascht fuhr sie herum und entdeckte eine Reihe von Agenten, die darauf warteten, es einer nach dem anderen mit ihr aufzunehmen. Ihr Trupp war jetzt von beiden Seiten eingeschlossen.

Eva blieb auf dem Boden hocken, sich weiter die Ohren zuhaltend, während Georgie sich an Felix wandte. »Ich steh hier nicht einfach so rum«, rief sie und stürzte sich auf Paduk, der auf dem Boden mit Viggo rang.

»Ich auch nicht«, verkündete Felix. Er duckte sich, rannte zu Saffron und rammte den *NJ7*-Agenten, der sie angegriffen hatte, wie ein wütender Schafbock. Er teilte Boxhiebe aus und versuchte es sogar mit Beißen, doch Saffron warf ihm einen missbilligenden Blick zu. Ihre eigene Nahkampftechnik war mindestens so gut wie ihre Fahrkünste. Sie kombinierte asiatische Kampftechniken mit Boxen und einer erstaunlichen Artistik. Die Agenten hatten ihre Pistolen gezückt und brannten darauf, sie mit einer Kugel niederzustrecken. Doch sie bewegte sich zu schnell und immer wieder verstellten sich die Agenten selbst die Schusslinie. Langsam bewegte sich das Kampfgetümmel den Korridor hinab in Richtung der Metalltür. Paduk und Viggo rangen um Paduks Pistole und schleuderten einander dabei immer wieder gegen die Tunnelwand. Saffron sicherte sie nach hinten. Und zwischen den Kampflinien kroch die verängstigte und halb taube Eva herum.

Paduk holte mit einer Hand zu einem Schlag gegen Georgie aus. Seine Augen funkelten bösartig. Schweiß strömte über seine Wangen und tropfte in seinen Kragen. Viggo behielt Georgie im Auge. Er musste sie beschützen. Sie schwankte – in den ungewohnten Schuhen hatte sie keinen ausreichenden Halt, um Paduks Schwingern auszuweichen. Eine gewaltige Faust schoss auf sie zu …

Aber Viggo war zur Stelle. Er warf sich in den Hieb, fing dessen ganze Wucht ab und stürzte dann rückwärts auf Georgie. Paduk nutzte die Gelegenheit. Er wirbelte herum und hob seine Pistole auf. Als er sich wieder umdrehte, lag Viggo hilflos am Boden und wartete auf den tödlichen Schuss.

»Das Mädchen brauch ich lebend«, triumphierte Paduk höhnisch, »aber dich wollen sie tot.« Er starrte Viggo böse an und zielte. Sein Finger zog den Abzug. Georgie schrie, Eva schrie, ja sogar Felix, obwohl er nichts von den Vorgängen mitbekommen hatte.

DOOOING!

Viggo zuckte zusammen. Doch es war nicht der Knall einer Pistole. Und es fühlte sich auch nicht an, als würde sich eine Kugel in seinen Schädel bohren. Der Wiederhall von vibrierendem Metall übertönte das Stöhnen der Agenten, die immer noch mit Saffron kämpften. Ein gewaltiger Schatten füllte den Raum hinter Paduk. Dann kippte Paduk langsam nach vorn. In seinen Augen stand immer noch die tödliche Wut, doch jetzt waren sie verschleiert. Mit einem letzten Knacken seines Kiefers stürzte er auf Viggo. Und dort, wo er eben noch gestanden hatte, erhob sich Yannick. Stolz reckte er die Bratpfanne, die gerade mit Paduks Kopf Bekanntschaft geschlossen hatte. In der anderen hielt er sein Lieblingsküchenmesser.

Hinter Yannick stand die Metalltür weit offen. Viggo wälzte den gewaltigen Körper des Agenten von sich herab und wollte den Koch umarmen. Doch Yannick stieß ihn beiseite und hob die Bratpfanne über den Kopf.

»Ducken!«, rief er und schleuderte die Pfanne den Flur entlang. Saffron hörte seine Warnung gerade noch rechtzeitig und warf sich auf den Boden. Felix war nicht so geistesgegenwärtig, doch glücklicherweise segelte die gewaltige Eisenpfanne knapp über seinen Kopf hinweg. Dann donnerte sie gegen die Brust eines *NJ7*-Agenten. Der sackte in den Armen des Kollegen neben ihm zusammen. Viggo nutzte diesen Bruchteil einer Sekunde, packte Georgie und stieß Yannick durch die Metalltür, durch die er gekommen war. Felix und Saffron schleppten Eva mit in Richtung Ausgang. Sie war völlig benommen. Plötzlich hörten sie einen entschlossenen Schrei: »Los! Los!« Alle hoben den Blick. Jimmy raste mit Höchstgeschwindigkeiten auf sie zu. »Raus hier. Sofort!« Jimmys Stimme war voller Autorität. Die anderen schlüpften durch die Tür und gleich darauf krachte ein Schuss. Jimmy war jetzt ganz nah. Er sprang auf sie zu, so schnell, dass seine Konturen in der Luft verschwammen. Dann gab es einen dumpfen Schlag und Jimmy stürzte zu Boden.

»Wartet vor der Downing Street Nummer zehn mit einem Fluchtfahrzeug auf mich«, rief er, während er sich wieder aufrappelte.

»Was für ein Fahrzeug?«, erwiderte Saffron, während die Tür zufiel.

»Irgendwas Schnelles.« Mit diesen Worten krachte die Metalltür endgültig zu und versperrte ihnen die Sicht auf Jimmy. Sie fanden sich vor dem mannshohen Spiegel eines Schneidergeschäfts wieder.

Das Schrillen einer Alarmanlage zerriss die Stille. Yannick brach in hektische Aktivität aus.

»Ich hab eine Ewigkeit gebraucht, um rauszufinden, welcher Spiegel es ist.«

»Was?«, fragte Viggo.

»Das ist das Schneidergeschäft, nach dem ich suchen sollte. Ich bin eingebrochen.«

»Aber woher wusstest du, dass es dieses hier ist?«

»Es ist das Atelier des *Savoy*. Wir befinden uns direkt neben dem Hotel.« Für Yannick schien es eine Selbstverständlichkeit zu sein. Doch da Viggos Gesichtsausdruck jede Frage überflüssig machte, fuhr Yannick fort: »Ich musste an die Zeit denken, als ich noch Koch im Savoy war. Da spazierten immer mehr Leute in diesen Laden rein, als nachher wieder rauskamen. Heute Abend ist mir klar geworden, dass dies der Ort sein muss.«

»Wieso wusste ich dann nichts davon?« Viggo wirkte plötzlich mürrisch.

»Wahrscheinlich hast du den Dienst quittiert, bevor sie es dir verraten haben.«

Immer noch leicht ungläubig bewegte sich der Trupp durch den Laden.

»Moment«, sagte Yannick und trat zu einem der Regale. »Ich will nur nachschauen, ob sie Hemden mit großer Kragenweite haben.«

»Das ist Ladendiebstahl, man wird dich verhaften!«, rief Georgie über das Schrillen der Alarmanlage hinweg. Yannick blickte leicht irritiert.

»Also, dann lass uns mal überlegen«, sagte er, während er Hemden auf seinen Arm stapelte. »Ich bin in das Hauptquartier der Geheimpolizei eingebrochen, wir wollen zwei Agenten des Premierministers entführen, und ich helfe bei der Flucht des Staatsfeinds Nummer eins.«

»Okay«, murmelte Georgie. »Aber Ladendiebstahl ist trotzdem nicht in Ordnung.«

Im Grunde war ihr egal, was Yannick in dem Laden anstellte. Sie musste an das denken, was sich abgespielt hatte, während sie aus dem Tunnel geflüchtet waren. Eigentlich dachten alle dasselbe, doch sie war die Erste, die es aussprach.

»Jimmy ist doch nicht ...« Sie zögerte und starrte in die Gesichter der anderen. »Er ist doch nicht *getroffen* worden, oder?«

Einen Augenblick schwiegen alle. Das Schrillen der Alarmanlage schien plötzlich noch lauter und durchdringender.

»Wir müssen hier raus«, sagte Viggo schließlich gepresst.

Während sie alle hastig das Schneidergeschäft verließen und sich draußen auf der Hauptstraße versammelten, suchte Georgie Felix' Blick. Dabei entgingen ihr die ganzen Passanten, die auf sie zeigten und über sie tuschelten. Polizeisirenen näherten sich. Felix erwiderte Georgies Blick, aber seine Miene wirkte verschlossen. Dann rannte Viggo los und alle folgten ihm.

Jimmy hatte den letzten verbliebenen *NJ7*-Agenten im Handumdrehen außer Gefecht gesetzt. Dann hörte er die lauten Schritte weiterer Agenten, doch er war jetzt so schnell, dass ihn niemand mehr aufhalten konnte. Die Welt um ihn herum schien sich in Zeitlupe zu bewegen. Sein Körper wirbelte nur so durch die Luft; und keiner seiner Gegner hatte ihm etwas entgegenzusetzen, während es sich für Jimmy so anfühlte, als würde er sich nach einer langen Nachtruhe gemütlich strecken.

Das einzig Gespannte an ihm war seine linke Faust. Sie war fest geballt. Und als im Tunnel niemand mehr außer ihm aufrecht stand, zog er seine Hand zu sich heran. Da war der vertraute Schnitt im Handgelenk. Er öffnete die Faust. Auf seiner Handfläche lag eine Kugel wie ein stählernes Bonbon.

Er ließ die Kugel in die Tasche gleiten und rannte los. Er kannte den Weg genau. Die Gänge des *NJ7* waren jetzt kein Rätsel mehr für ihn; ganz im Gegensatz zu seinem eigenen Körper. Ihn durchströmte eine Energie, die seine kühnsten Erwartungen überstieg. Seine Sinne überschwemmten ihn mit Informationen über jedes noch so kleine Detail, aber sein Gehirn war schnell genug, alles zu filtern und präzise zu verarbeiten. Trotzdem steckte irgendwo noch sein altes Selbst, verborgen in der Tiefe seines Kopfs. Seine Programmierung entwickelte sich mit jeder Sekunde weiter. Etwas in ihm war entfesselt worden.

Er sprintete weiter, sein Ziel fest vor Augen und jeden ausschaltend, der sich ihm in den Weg stellte. In kürzester Zeit hatte er die kleine Metalltür erreicht, die sich von den anderen nur durch die provisorisch aufgemalte *10* unterschied. Er stürmte hindurch, entschlossen, seine Eltern zu befreien, und überzeugter denn je, dass es ihm gelingen würde.

»Jimmy, da bist du ja wieder«, begrüßte ihn die heisere Stimme des Premierministers. »Ich hoffe, die von dir verursachten Probleme werden nun rasch gelöst werden.«

»Geben Sie meine Eltern heraus«, forderte Jimmy mit einer Stimme, die so ruhig klang wie sonst nur Viggos.

»Deine Eltern warten gleich dort.« Der Premier wies Jimmy mit einer gezierten Armbewegung die Richtung. Er wirkte fast ein wenig amüsiert über Jimmys entschlossene Miene. Nebeneinander schritten sie durch die Räume, an die Jimmy sich nur allzu gut erinnern konnte, und bald erreichten sie den prachtvollen Empfangssaal. Geblümte Tapeten umgaben sie und üppige Sofas flankierten den Kamin wie Wachposten. In ihren plüschigen Fängen hielten sie Ian und Helen Coates. Jimmys Miene entspannte sich zum breitesten Lächeln seines Lebens. Doch sie erwiderten es nicht.

Seine Eltern balancierten Teetassen – sie waren aus hauchdünnem Porzellan und klapperten leise in den vor Besorgnis zitternden Händen.

»Ich hoffe sehr, du bist gekommen, weil du in Zukunft für mich arbeiten willst, Jimmy.« Die Stimme des Premiers klang eine Spur erschöpft. »Denn sonst muss ich diese beiden Menschen töten, die du lange Zeit als deine Eltern angesehen hast.« Er wedelte nachlässig mit der Hand in ihre Richtung, ohne sich nach ihnen umzudrehen und sie anzuschauen. »Und das wäre eine Schande, weil ich sie immer noch für gute Agenten halte und sie sich für den weiteren Weg unseres Landes als durchaus nützlich erweisen könnten.«

Jimmy wusste nicht, worauf er als Erstes reagieren sollte. Er wollte vermeiden, dass die Todesdrohung gegen seine Eltern seine Handlungen beeinflusste. Natürlich hätte er den Premierminister mit Leichtigkeit ausschalten können, doch dann hätte er dem Killer in sich die Kontrolle überlassen. *Ich bin kein Auftragsmörder*, versicherte er sich selbst immer wieder. *Ich bin nicht hier, um den Premierminister zu töten.*

»Ich habe mich noch nicht entschieden, wie wir mit dir verfahren werden.« Hollingdale kniff die Augen zu schmalen Schlitzen zusammen und fixierte die Stelle zwischen Jimmys Augenbrauen. »Du warst sehr teuer. Dr. Kasimit Higgins möchte, dass wir sechs weitere Jahre abwarten, bis du vollständig entwickelt bist. Miss Bennett dagegen ist der Auffassung, dass wir aufgrund deines Versagens zu einem so frühen Zeitpunkt definitiv ausschließen müssen, dass du dich zu einem noch größeren Problem auswächst.«

Bei allem was ihm in der letzten Zeit zugestoßen war, war Jimmy trotzdem etwas schockiert: Seine ehemalige Klassenlehrerin wollte ihn töten lassen. Oder ihn *entsorgen*. Trotzdem schwieg er, aus Furcht vor dem, was möglicherweise aus seinem Mund kommen könnte. Er blickte auch nicht zu seinen Eltern. Sie da gehorsam und um ihr Leben bangend auf ihren Plätzen hocken zu sehen, hätte höchstwahrscheinlich seine Instinkte überreagieren lassen. Und er wollte um keinen Preis die Kontrolle verlieren.

»Also, wie sollen wir verfahren, junger Mann?«, sagte Hollingdale, bevor er laut von seinem Tee schlürfte. Es machte sich eine Stille breit, die nur von den leisen Geräuschen eines Aufruhrs irgendwo außerhalb des Gebäudes untermalt wurde. Jimmy schwieg. Vermutlich wussten sie ohnehin, wie seine Antwort lauten würde. Zumindest seinen Eltern musste klar sein, dass Jimmy niemals bereit wäre, als Auftragsmörder zu arbeiten. Dennoch verzogen sie keine Miene. Schließlich brach Hollingdale das Schweigen.

»Jimmy«, begann er und versuchte vergeblich, seine Stimme zu dämpfen. »Du könntest mir dabei helfen, jede Menge böser Menschen unschädlich zu machen.« Er klang jetzt so, als würde er aus einem Kinderbuch vorlesen, aber einem für die ganz Kleinen. »Du hast die Wahl zwischen dem Tod deiner Eltern, zwei entzückenden und fähigen Menschen, und dem Tod zahlreicher übler krimineller Elemente. Arbeite mit mir zusammen, Jimmy, und ihr könnt wieder glücklich als Familie zusammenleben!« Und wie um das Gesagte zu betonen, stand er aus seinem Sessel auf. »Gemeinsam können wir beide diese ganzen demokratischen Terroristen hinwegfegen, die unsere wertvolle Zeit damit verschwenden wollen, alle fünf Jahre die Regierung zu wechseln. Wenn das Land in Not ist, können wir es uns nicht leisten, über alles langwierig und umständlich zu diskutieren. Überleg doch, in nur wenigen Jahren könnten wir alle Fetten, Faulen und Franzosen komplett eliminiert haben!«

Zum ersten Mal schaute Jimmy zu seinen Eltern. Seine Mutter betrachtete ihn forschend und mit Tränen in den Augen. Sein Vater starrte einfach in seinen Tee. Was er wohl dachte? Der Premier war nach seiner Rede zum Kamin hinübergegangen, um Luft zu schöpfen. Genau in diesem Augenblick öffnete sich ein Türflügel und streifte leise über den dicken Teppich. Herein kam die einzige Person, die Jimmy jetzt um keinen Preis sehen wollte.

Miss Bennett lächelte, einen Mundwinkel nach oben gezogen. Ihre schwarzen Wimpern schienen endlos. Sie sprach, ohne den Blick von Jimmy zu wenden.

»Herr Premierminister ...«

»Pst, meine Liebe, ich will seine Antwort hören.«

»Aber Herr Premierminister …«

»Himmel, was ist denn los?« Wütend fuhr er herum. »Können Sie denn nicht sehen, dass er mir gleich antworten wird?«

»Ich fürchte, Christopher Viggo hat uns bereits seine Antwort gegeben.« Das Gesicht des Premiers fiel in sich zusammen. Die Tränensäcke unter seinen Augen schienen noch mehr anzuschwellen und die Furchen in seinem Gesicht sich noch tiefer einzugraben. Jetzt erst wurde Jimmy klar, was er die ganze Zeit über gehört hatte. Draußen heulten Sirenen, Schüsse krachten, und Menschen schrien. Und dann vernahm er das unverwechselbare Knattern von Hubschrauberrotoren – Viggo hatte ein Fluchtmittel aufgetrieben.

Hollingdale wandte sich wieder Jimmy zu und sah aus, als wäre er gerade von seinem besten Freund verraten worden.

»Und das bedeutet«, verkündete Miss Bennett mit mädchenhaftem Singsang, »es ist an der Zeit, euch alle drei zu eliminieren«. Sie stolzierte über den Teppich, wobei ihre Stilettoabsätze bei jedem Schritt zentimetertief versanken.

»Aber glauben Sie denn wirklich …?«

»Ich befürchte, ja, Premierminister. Diese Investition hat sich leider nicht ausgezahlt.«

In Jimmys Kopf drehte sich alles. Seine Eltern hockten immer noch reglos da. Warteten sie einfach tatenlos auf ihren Tod? Wenn sie *NJ7*-Agenten waren, warum sprangen sie dann nicht auf und unternahmen etwas? Dann dachte er an Viggo und Saffron. Sie würden ihn retten. Sie mussten jede Sekunde eintreffen, sobald sie sich durch das Gebäude gekämpft hatten. Draußen hämmerten Schüsse und das Schreien wurde lauter.

»Sie werden dich nicht holen kommen, Jimmy«, sagte Miss Bennett, als könnte sie seine Gedanken lesen. »In wenigen Minuten werden sie alle tot sein. Vor allem dieses nervige Mädchen, das nicht zu schreien aufhört. Aber auch unser gemeinsamer Freund Felix – schade um ihn, aber was will man machen – und natürlich«, sie hielt kurz inne und leckte sich genießerisch die Lippen, »deine Schwester.«

Beim Klang dieser Worte machte irgendetwas in Jimmy *klick*. Es war nicht wirklich hörbar, aber es fühlte sich so deutlich an wie kaum etwas zuvor in seinem Leben. Plötzlich hatte sich alles in seinem Kopf auf eine Seite verlagert und alles in seinem Körper auf die andere. Jetzt stimmte alles perfekt überein. Sein Herz schlug und sein Kopf reagierte. In den Korridoren des *NJ7* hatte er sich bereits eins mit sich gefühlt, doch jetzt spürte er, dass es keine Frage mehr war, wer hier wen kontrollierte. Zum ersten Mal trat ein einziges vereintes Bewusstsein in Aktion. Er war jetzt vollständig Jimmy Coates.

Er blickte zu Miss Bennett hinüber. Ihr Gesichtsausdruck verriet: Sie wusste, dass sie einen schweren Fehler gemacht hatte. Sie hätte Jimmy niemals auf diese Art drohen dürfen. Ihre Hände glitten langsam zu dem

Pistolenholster an ihrer Hüfte, aber Jimmy war schneller. Er sprang auf die Rückenlehne eines Sofas und von dort zu seiner Lehrerin. Das Sofa kippte nach hinten, und in dem Augenblick, als es zu Boden krachte, trat Jimmy die Pistole aus Miss Bennetts Händen. Die Waffe segelte gegen die Wand, ein Schuss löst sich und traf das Porträt Tony Blairs. Die Kugel hinterließ ein Loch, wo vorher einer seiner Schneidezähne gewesen war.

Miss Bennett bewahrte die Balance und wollte gerade um Hilfe rufen, als ihr Jimmy mit dem Fuß die Beine wegfegte und sie zu Fall brachte. Im Stürzen knallte sie mit dem Kopf gegen den Türgriff. Sie sackte ohnmächtig zusammen und bildete nun einen wenig glamourösen Haufen.

»Tu das nicht, Jimmy«, rief der Premierminister. »Du kannst nicht entkommen!«

Jimmy blickte zu ihm auf und bemerkte die Angst in seinem bleichen Gesicht. »Der Schuss hat meine Leibwächter alarmiert und sie werden blitzschnell hier sein.«

»Selbst wenn sie etwas gehört haben«, erwiderte Jimmy gelassen, »haben sie schätzungsweise mehr als genug mit der Verteidigung des Gebäudes zu tun.« Tatsächlich waren die Kampfgeräusche draußen weiter angeschwollen. Man konnte kaum noch das Geräusch einzelner Schüsse unterscheiden. Jimmy trat einen Schritt auf Hollingdale zu. Jimmys Eltern, die vorher an ihrem Sofa festgewachsen schienen, machten nun ebenfalls zögernd Anstalten, sich zu erheben.

»Jimmy«, begann sein Vater. »Tu nichts Unüberlegtes. Er ist der Premierminister.«

»Er ist ein Irrer«, schrie Jimmy zurück. *Fang jetzt bloß nicht an, mir Vorschriften zu machen,* dachte er.

»Richtig, Jimmy«, sagte Hollingdale und verkroch sich dabei beinahe in den Kamin. »Tu nichts, was du bereuen könntest. Lass es uns wie zivilisierte Menschen besprechen.«

»Ich werde Sie nicht töten«, zischte Jimmy. »Weil ich kein Killer bin.« Blitzartig hechtete er in die Raummitte zurück, rollte sich ab und sprang auf die Beine. Sobald er stand, schnappte er sich die Teetassen vom Tisch. Seine Handgelenke spannten sich, dann schleuderte er die beiden Untertassen in entgegengesetzte Richtungen. Tee spritzte überall durch den Raum. Eine Untertasse zischte zum Fenster und ließ es zersplittern. Die andere krachte wie ein sich unerbittlich drehender Frisbee gegen Hollingdales Stirn. Sie zerbrach in zwei Teile, die auf den Teppich fielen. Der alte Mann stand eine Weile absolut still, dann torkelte er drei Schritte nach links und klappte in sich zusammen.

»Los, verschwinden wir«, rief Jimmy und rannte zum Fenster. Die Schießerei auf der Straße wurde immer erbitterter geführt. Die Polizei hatte Maschinengewehre herbeigeschafft und der Helikopter röhrte immer noch.

Jimmys Mutter folgte ihm zunächst, hielt dann aber plötzlich inne. Ian Coates hatte sich nicht von der Stelle gerührt. Jimmy drehte sich um und sah, wie sich sein

Vater über den bewusstlosen Körper des Premierministers beugte.

»Lasst uns verschwinden!«, rief Jimmy erneut, während die Windböen des Helikopters sein Haar zerzausten.

»Du hattest einen Auftrag, Jimmy.« Ian Coates' Stimme klang hart, auch wenn seine Gefühle sie leicht beben ließen. »Ein Auftrag für dein Land. Und für deine Eltern.«

Jimmy traute seinen Ohren nicht. Er hatte seine Eltern vor dem sicheren Tod gerettet. Dies war ihre einzige Chance, zu entkommen, und mit ein bisschen Glück würden sie es lebend hier rausschaffen. Doch sein Vater stand da wie ein Ölgötze. Und zu allem Überfluss machte er ihm auch noch Vorwürfe.

»Tu mir das nicht an, Ian, nicht schon wieder«, hörte Jimmy seine Mutter sagen.

»Wir müssen los!«, schrie Jimmy. Durch das Fenster sah er bewaffnete Polizisten auf den Helikopter zustürmen, der nur wenige Meter über dem Pflaster schwebte. Im Cockpit erkannte er Viggo. Saffron feuerte in die Angreifermeute. Jimmys Vater redete, als herrsche draußen auf der Straße perfekte Ordnung und der einzige Kampf fände in diesem Raum statt. Von den Wänden starrten die ehemaligen Premierminister ernst auf sie herab. Zwei bewusstlose Körper störten das Muster des Teppichs.

»Helen, ich komme nicht mit dir«, sagte er. »Ich gehe nicht weg. Ich habe eine Pflicht meinem Land und meinem Premierminister gegenüber zu erfüllen.«

»Der Premierminister ist verrückt, Ian. Er ist böse.« Jimmys Mutter war kurz davor, in Tränen auszubrechen. »Hollingdale war schon immer böse. Wir wussten es bereits vor vierzehn Jahren und seither hat sich dieses Wissen wie ein Keil zwischen uns getrieben. Du musst mit mir kommen. Du kannst unmöglich hierbleiben. Es ist nicht wie beim letzten Mal.« Jimmy war zutiefst verwirrt.

»Mum, was soll das heißen?«, jammerte er. »Was meinst du mit *beim letzten Mal*?«

Seine Mutter wandte sich ihm zu. Ihre Tränen hinterließen dunkle Linien auf ihren Wangen, die von den Böen des Helikopters in alle Richtungen getrieben wurden. Sie sagte: »Jimmy, ich wollte *NJ7* schon vor vierzehn Jahren verlassen. Aber dein Vater wollte nicht.«

»Warum bist du nicht trotzdem gegangen?«

»Ja, warum bist du nicht gegangen, Helen?«, fragte Ian und blickte sehnsuchtsvoll zu seiner Frau.

»Du weißt, warum«, erwiderte Helen leise. »Weil ich dich geliebt habe. Aber diesmal muss ich gehen.« Sie wandte sich von ihm ab und trat zum Fenster, wo Jimmy wartete. Sie drehte sich nicht mehr nach ihrem Mann um.

»Nein, Dad!«, schrie Jimmy. Auch in seinen Augen standen jetzt Tränen; doch sie hätten auch von den harten Windböen stammen können, die fiese Staubwolken in sein Gesicht peitschten. »Dad! Komm mit uns! Komm schon!«

»Raus hier!«, rief sein Vater. »Raus hier, bevor ich Alarm schlagen muss.«

»Nein! Ich bin gekommen, um dich zu retten!« Jimmy hätte am liebsten die Zeit angehalten.

Ian schwieg einen Moment, dann wandte er sich ab.

»Ich lasse euch gehen, aber ich komme nicht mit euch«, sagte er, ohne aufzublicken.

Für einen Augenblick fühlte sich Jimmy aller seiner Kräfte beraubt. Er blickte zu seiner Mutter. Sie kletterte bereits durch die zersplitterte Glasscheibe. Jimmy musste hinterher. Das Letzte, was er beim Sprung aus dem Fenster sah, war sein Vater, der sich hinkniete und ein Kissen unter den Kopf des Premierministers legte.

KAPITEL 21

Auf der Straße herrschte totales Chaos. Hunderte von Polizisten schrien, rannten umher und feuerten aus sämtlichen verfügbaren Waffen. Die Armee war mit schwereren Maschinengewehren und sogar mit einem Raketenwerfer angerückt. Alle versuchten, den Helikopter und die Personen darin zu treffen. Doch Viggo war ein routinierter Pilot, der darauf trainiert war, Schüssen auszuweichen.

Den meisten auf der Straße war entgangen, dass die Scheibe zum Wohnsitz des Premierministers zersplittert war. Die wenigen, die es bemerkt hatten, waren wohl von einem Querschläger oder durch die Windböen herumgewirbelten Stein als Ursache ausgegangen. Und so nahm auch niemand Notiz davon, wie ein zwölfjähriger Killer und seine Mutter auf die Straße hinauskletterten.

Niemand bis auf Felix.

»Da ist er!«, schrie er. Aber keiner hörte ihn. Alle im Helikopter trugen Kopfhörer, um sich vor dem Lärm zu schützen. Viggo und Saffron trugen sogar Pilotenhelme.

Der Helikopter war größer als der, den Jimmy geflogen hatte. Im Inneren des Rumpfs befanden sich zu beiden Seiten Sitzbänke. Felix, Eva, Georgie, und Yannik hatten sich dort angeschnallt. Viggo hatte das Steuer übernommen und lenkte die Maschine souverän. Sie stand kaum einen Augenblick still in der Luft. Währenddessen feuerte Saffron unterbrochen auf die bewaffneten Truppen unter ihnen.

»Da ist Jimmy und seine Mum!«, schrie Felix erneut. Viggo hörte immer noch nichts, folgte aber der Richtung von Felix' aufgeregt zeigendem Arm. Er entdeckte zwei im Wind geduckte Gestalten, die sich ihren Weg durch die abgelenkten Soldaten bahnten.

Felix beobachtete eine Veränderung in Viggos Gesicht. Es nahm einen weichen Zug an; als hätte er etwas gesehen, wonach er sich gesehnt hatte – etwas, von dem er geglaubt hatte, er würde es nie wiedersehen. Doch ebenso rasch nahmen seine Augen wieder ihren stählernen Ausdruck an und er zeigte Felix einen entschlossen emporgereckten Daumen.

»Zeit, das Baby hier auf Touren zu bringen«, knurrte Viggo. Doch nur Saffron konnte ihn durch die Kopfhörer in ihrem Helm hören.

Felix grinste Eva und Georgie breit an, während der Hubschrauber steil nach oben schoss, außerhalb der Reichweite der Schützen unter ihnen. Dann wendete der Helikopter, um sie frontal zu attackieren.

Jimmy sah die Umrisse seiner Freunde in der Maschine immer kleiner werden. Er blieb stehen.

»Warte«, sagte er und hob eine Hand, um seine Mutter aufzuhalten. Er blickte sich um. Hunderte von Menschen, die alle den Auftrag hatten, ihn zu töten, starrten hinauf in den Himmel. Dabei entging ihnen völlig, dass der von ihnen am meisten Gesuchte sich mitten unter ihnen befand und ungehindert seine Mutter durch ihre Reihen eskortierte.

In dem Moment setzte der Helikopter zum Sturzflug an. Wie ein Raubvogel stieß er auf die kleinen, ängstlich zitternden Mäuse am Boden herab. Jimmy war völlig klar, was Viggo vorhatte. Er hätte an seiner Stelle genauso gehandelt. Die Raketen an der Seite des Helikopters wurden ausgelöst. Mit zwei großen Stichflammen fauchten sie los.

»Halt den Blick auf den Helikopter gerichtet«, brüllte Jimmy seiner Mutter zu. »Und egal was passiert, renn einfach drauf zu.«

Helen Coates nickte. Sie wirkte ruhig, ja fast heiter. »Ich habe so was schon öfter getan, als du glaubst.«

Ihm blieb keine Zeit, über die Antwort seiner Mutter zu staunen, denn er hatte definitiv eine andere Reaktion erwartet.

Diesmal richteten die Raketen erheblich mehr Schaden an als damals Jimmys Schüsse in die Themse. Die alten Gemäuer dieser Londoner Straßen waren nicht dazu gebaut, Raketenangriffen aus nächster Nähe standzuhalten. Selbst die verstärkten Eingangspforten der Downing Street wurden bis zur Unkenntlichkeit zerstört. Qualmwolken wälzten sich durch die Straße und verdunkelten alles.

Jimmy und Helen hielten aneinander umklammert.

Sie wurden umgerissen, doch die Einschläge waren so weit entfernt, dass sie sich als Erste wieder aufrappelten. Hinter ihnen fielen die zerstörten alten Glasfenster der Downing Street klirrend aus ihren hölzernen Rahmen. Nachdem die beiden ihre Benommenheit abgeschüttelt hatten, rannten Jimmy und seine Mutter nebeneinander auf den großen Schatten zu, der aus dem Qualm auftauchte.

Der Helikopter vertrieb mit dem Wirbelwind seiner Rotorblätter den dichten Qualm und schwebte so tief wie möglich in die schmale Straße hinab. Einige der Straßenlampen waren durch die Explosion verbogen worden, sodass Viggo noch tiefer als erwartet fliegen konnte. Trotzdem hielt Saffron das Seil bereit. Nur wenige Meter vor Jimmy fiel es auf die Straße herab. Sein Anblick war eine Riesenerleichterung, und als Jimmy daran hochsprang und sich festklammerte, hatte er das Gefühl, es nie wieder loslassen zu wollen. Dennoch begann er fast augenblicklich, daran emporzusteigen. Mit einem Blick nach unten vergewisserte er sich, dass seine Mutter ebenfalls das Seil fest gepackt hielt. Sie kletterte ebenso schnell wie Jimmy, ihre weiße Bluse schwarz vom Qualm. Jimmy staunte über ihre Kraft und ihre Beweglichkeit.

Die dichten Rauchwolken nahmen den Soldaten unten in der Straße die Sicht. Selbst denen, die wieder standen und ihre Waffen aufgesammelt hatten, bot sich kein Ziel. Und als sie endlich wieder freie Sicht hatten, war der Feind längst nicht mehr zu sehen. Mit zwei neuen Passagieren an Bord surrte der Helikopter durch die Nacht davon.

Georgie war die Erste, die es nicht mehr auf ihrem Sitz hielt. Sie sprang auf und umarmte ihren Bruder stürmisch.

»Oh, Jimmy, ich dachte schon, du wärst angeschossen worden!«

»Wurde ich auch«, keuchte er, während seine Lungen von ihrer festen Umarmung zusammengepresst wurden. Er löste sich von ihr, schob die Hand in seine Tasche und hielt seiner Schwester die Pistolenkugel hin. Sie war sprachlos. Als Eva die Kugel sah, stieß sie einen spitzen Schrei aus.

»Danke, dass du uns da rausgeholt hast«, sagte Jimmy zu Viggo gewandt, der sich immer noch auf seine Aufgabe als Pilot konzentrierte.

»Mission erledigt«, rief Viggo, ohne sich umzudrehen.

Jimmy fühlte etwas auf seinen Schultern lasten, und er wusste nur zu gut, was es war. Er war aus den Fängen des *NJ7* entkommen, hatte aber nur die Hälfte derjenigen gerettet, wegen denen er gekommen war: seine Mutter, aber nicht seinen Vater.

»Wo ist Dad?«, rief Georgie, die soeben in der Umarmung ihrer Mutter versank. Niemand antwortete ihr. Helen blickte rasch hinüber zu Viggos Hinterkopf, dann begrub sie das Gesicht in den Haaren ihrer Tochter.

»Hast du *meine* Eltern gefunden, Jimmy?« Felix hatte ein Lächeln im Gesicht, aber Jimmy konnte sehen, dass es aufgesetzt war. Mit ernster Miene schüttelte Jimmy den Kopf.

»Deine Eltern sind Helden«, sagte Saffron, die neben Felix saß und jetzt einen Arm um ihn legte. »Und sie wären sehr stolz auf dich.«

Felix krümmte die Schultern. Er fühlte sich unbehaglich unter Saffrons beschützender Umarmung.

»Sie sagen das so, als wären sie tot«, schnaufte er. Doch Saffron beruhigte ihn rasch wieder.

»Natürlich sind sie nicht tot – du hältst sie am Leben.«

»Was?« Felix musterte die Gesichter der anderen im Helikopter, während Saffron fortfuhr. »Wenn Jimmy sich gut versteckt, wird der *NJ7* ihn vermutlich niemals finden können. Aber sie wissen, dass du bei ihm bist. Und sie wissen, dass es etwas gibt, mit dem sie Jimmy aus seinem Versteck locken können: Er wird versuchen, deine Eltern zu retten. Also wird Hollingdale dafür sorgen, dass deine Eltern am Leben bleiben. Und er wird vermutlich auch kein Geheimnis daraus machen, wo er sie festhält.«

»Wollen Sie damit sagen, dass meine Mum und mein Dad eine Art Köder für Jimmy sind?«

»Für Chris vermutlich auch. Und nur ein lebendiger Köder hat einen Wert.«

Felix ließ sich ihre Aussagen durch den Kopf gehen, doch dann verdüsterte sich sein Gesicht wieder.

»Wird der *NJ7* sie foltern?«, krächzte er.

»Warum sollten sie das tun?«, erwiderte Saffron

rasch. »Es gibt ja keine Geheimnisse, die sie preisgeben könnten.«

Jimmy beobachtete, wie sich Felix' Gesicht etwas entspannte. »Wir finden sie, keine Sorge«, rief er, so entschlossen er konnte. In seinem Herzen fügte er hinzu: *aber es wird einige Zeit dauern.*

Eva schlurfte an der Sitzbank entlang, um sich neben Felix zu setzen.

»Du vermisst sie, oder?«, murmelte sie, sodass nur Felix sie hören konnte. Sie erhielt keine Antwort. »Ich vermisse meine auch.« Felix blickte auf und sah die Traurigkeit in Evas Augen. »Meinst du, wir werden so wie unsere Eltern, wenn wir erwachsen werden? Egal, was wir dagegen unternehmen?«, fragte sie mit zitternder Stimme.

Bald darauf hatten sie London verlassen und flogen mit hohem Tempo gen Süden. Viggo ging tiefer und flog über freies Feld. Sie schwebten so tief über der Landschaft, dass sie die Kühe auf den Weiden riechen konnten.

»Unterhalb des Radars«, erklärte Saffron, als Jimmy Viggo fragen wollte, warum sie so tief flogen. »Wir müssen in dieser Höhe bleiben, bis sie die Luftraumüberwachung abblasen. Dann fliegen wir an einen sicheren Ort.« Ohne Zweifel donnerten in diesem Augenblick Armeehelikopter und Kampfjets durch den Himmel über ihnen.

»Können wir nicht landen?«, stöhnte Yannick, der dank zunehmender Übelkeit immer mehr wie ein Alien aussah. Viggo ignorierte ihn. Der Helikopter schwebte kaum einen Meter über dem Boden, verborgen durch eine dichte Ansammlung von Bäumen.

»Hallo, Mrs Coates, ich bin Saffron Walden«, gurrte Saffron, so sanft es beim Höllenlärm der Maschine möglich war.

»Schön, Sie kennenzulernen. Und danke, dass Sie uns gerettet haben.« Helen warf einen beiläufigen Blick zu Viggo. »Ich danke Ihnen allen.« Viggo schien bemüht, ihrem Gespräch zu folgen. Er drehte sich um, sah Helen einen Moment lang in die Augen und wandte sich dann wieder ab.

»Wo habt ihr den Helikopter aufgetrieben?«, fragte Jimmy, um das peinliche Schweigen zu durchbrechen. Es war Georgie, die ihm antwortete.

»Es war der Wahnsinn. Wir sind in die französische Botschaft und einfach mit dem Ding wieder rausgeflogen!«

Saffron erklärte: »Dort warfen sie nur einen kurzen Blick auf Chris in seinem *NJ7*-Anzug und folgten dann allen seinen Anweisungen. Sie sind inzwischen daran gewöhnt, von Agenten des Grünen Streifens herumkommandiert zu werden.« Jimmy war immer noch verwirrt. Die französische Botschaft wäre nicht unbedingt der erste Ort gewesen, an dem er nach einem schnellen Fluchtvehikel gesucht hätte. Schon eher hätte er die Scheibe eines Ferrari-Showrooms eingeschlagen.

»Wozu hatten die in der französischen Botschaft einen Militärhubschrauber?«, brüllte Jimmy, so laut er konnte. Viggo antwortete vom Pilotensitz aus: »Nachdem Hollingdale den französischen Botschafter zurück nach Frankreich geschickt hatte, begannen sie Vorsichtsmaßnahmen zu ergreifen.« Jimmy erinnerte sich an den Bentley. Viggo kicherte, während er den Hubschrauber geschickt über eine Kette geschwungener Hügel und jäher Anstiege steuerte. »Sie haben ein paar ziemlich raffinierte Militärtransportmittel in ihren Gebäuden versteckt, tja, und dann habe ich dieses eine mal eben konfisziert.« Bei diesen Worten brachen alle in Lachen aus. Selbst Yannick gluckste, bevor er erneut stöhnend die Augen schloss.

»Er hat ihr Auto gemopst, und jetzt hat er sich auch noch ihren Helikopter geschnappt!«, grölte Felix.

Viggo brachte die Maschine auf Hochtouren. Er zog den Helikopter aus dem Tiefflug hoch, schoss knapp über ein Farmhaus hinweg und dann mit rasenden Rotoren steil hinauf in die Wolken.

»Es wird Zeit, zu neuen Ufern aufzubrechen«, sagte er.

»Wohin?«, fragte Jimmy, der plötzlich wieder ernst war.

»Wir bringen dieses Ding seinen rechtmäßigen Besitzern zurück.«

»Der französischen Botschaft?«

»Nein, den Franzosen.«

Sie flogen gleichmäßig und in einer Höhe, in der sie nicht allzu viel Aufmerksamkeit auf sich zogen. Es war nicht sonderlich schwer, im nächtlichen Himmel unsichtbar zu bleiben. Und es dauerte nicht lange und sie befanden sich über dem offenen Meer. Jimmy entspannte sich ein wenig. Die Kämpfe der letzten Tage waren vorüber. Das Land, das es auf ihn abgesehen hatte, lag hinter ihm. Allerdings hatte er dort auch seinen Vater zurückgelassen.

Er erwähnte den anderen gegenüber mit keinem Wort, was im Empfangssaal passiert war. Und auch sonst sprach niemand darüber. Jimmy dachte, es würde seine Mutter nur schmerzen; und alle anderen vermuteten wohl, es würde Jimmy aufregen. Möglicherweise hatten sie ja recht. Aber Jimmy wusste, dass es jemanden gab, mit dem er jetzt unbedingt reden musste.

Er setzte sich auf den Platz neben Georgie.

»Ich muss dir etwas sagen«, erklärte er über den Lärm hinweg. »Über Mum und Dad. Und über mich.«

»Ist schon in Ordnung, Jimmy«, rief sie zurück. »Mum hat mir schon alles erklärt.«

»Also weißt du Bescheid?«

»Ja. Ist cool. Also zumindest das meiste davon.« Ein kleines, nervöses Lächeln zeigte sich auf ihren Lippen.

»Aber das bedeutet vermutlich auch, dass ich nicht dein Bruder bin.«

»Oh, Jimmy.« Georgie seufzte und das Lächeln breitete sich über ihr ganzes Gesicht aus. »Natürlich bist du mein Bruder.« Und dann umarmte sie ihn länger und fester als je zuvor.

Miss Bennett richtete den Verband um ihren Kopf und blickte von Dr. Higgins zu Paduk, der ebenfalls großflächig bandagiert war.

»Wo sind sie?«, bellte sie hinter ihrem Schreibtisch sitzend.

»Wir vermuten, dass sie nach Frankreich unterwegs sind«, erwiderte Paduk. »Aber sie fliegen unterhalb des Radars. Und wir können nicht in den französischen Luftraum eindringen, ohne einen größeren Zwischenfall zu provozieren.«

»Paduk, das hier *ist* ein größerer Zwischenfall.«

Sie wollte gerade fortfahren, da tauchte in der Tür ihres Büros ein großer, dünner Schatten auf. Miss Bennett, Paduk und Dr. Higgins nahmen augenblicklich Haltung an.

Ares Hollingdale trat langsam ein und bewunderte dabei Miss Bennetts Bemühungen, den kargen *NJ7*-Raum zu verschönern. An den Wänden hingen Postkarten mit einigen von Stubbs schönsten Pferdegemälden. Allerdings wurden diese in den Schatten gestellt von der riesigen britischen Flagge, die hinter Miss Bennetts Schreibtisch hing. Das Rot und das Blau waren kräftig und strahlend, doch direkt in der Mitte der Flagge hob sich ein grüner Streifen wie ein Leuchtfeuer ab.

»Ich war schon Ewigkeiten nicht mehr hier unten in diesen Gängen«, begann der Premierminister. Als ihm lediglich nervöses Schweigen antwortete, fuhr er fort: »Was werden wir in dieser Sache unternehmen?« Er bemühte sich, Ruhe zu bewahren, aber unter seiner gleichmütigen Fassade brodelte der Zorn. Dr. Higgins antwortete als Erster.

»Ares, wenn Sie mir gestatten, dann sehe ich eine mögliche Lösung.«

»Nein«, unterbrach ihn Miss Bennett. »Das ist *keine* Lösung.«

Der Premierminister warf ihr einen bösen Blick zu und bewahrte nur mühsam die Fassung.

»Fahren Sie fort, Kasimit«, knurrte er.

Dr. Higgins schaute kurz zu Paduk, bevor er fortfuhr.

»Ich meine Mitchell.«

Als Hollingdale den Namen hörte, fuhr er herum und starrte den Doktor an. Dr. Higgins erläuterte: »Paduks Team hat ihn vor einigen Nächten zufällig entdeckt, als sie Jimmy verfolgten. Seither haben sie ihn beschattet.«

Paduk nickte ernst und bestätigte Dr. Higgins' Geschichte: »Nach all den Jahren hatten wir die Suche fast schon aufgegeben. Aber der Junge war dumm genug, in das Viertel zurückzukehren, aus dem er damals verschwand. Natürlich hatten wir in dieser Nacht mehr Agenten dort postiert als üblich. Wir wissen jetzt genau, wo er ist, und können ihn jederzeit herbringen.«

»Wie alt ist er inzwischen?«, flüsterte der Premierminister erstaunt.

»Er ist vierzehn, Sir«, erwiderte Paduk.

»Natürlich. Und sind Sie ganz sicher, dass er es ist?«

»Dr. Higgins zufolge entspricht sein Äußeres genau dem, was die Daten seiner Programmierung erwarten lassen.« Auf der Suche nach Bestätigung blickte Paduk sich um. Dr. Higgins nickte weise mit dem Kopf. »Und wir haben ihn rennen sehen«, fügte Paduk hinzu. »Wer sonst könnte so schnell rennen wie Jimmy?«

»Und weiß er Bescheid?« Der Premierminister strich sich mit dem Zeigefinger über die Unterlippe.

»Er weiß, dass seine Eltern bei einem Autounfall ums Leben gekommen sind. Aber er hat keine Ahnung, dass sie *NJ7*-Agenten waren.«

»Aber weiß er, wozu er imstande ist?« Hollingdale zitterte förmlich vor Aufregung.

»Soweit wir das beurteilen können«, zögerte Paduk kurz und straffte sich, »weiß er nichts«.

»Premierminister«, schnappte Miss Bennett, »ich möchte dem Plan, den sie möglicherweise erwägen, vehement widersprechen. Woher wollen Sie wissen, dass Mitchell nicht genauso unberechenbar ist wie Jimmy?«

»Miss Bennett«, konterte Hollingdale scharf, »vor einigen Jahren ist eine Waffe im Wert von 30 Millionen Pfund seinen vermeintlichen Pflegeeltern davongelaufen. Heute Nacht ist eine weitere 30 Millionen Pfund teure Waffe in einem französischen Helikopter geflohen. Doch jetzt haben wir immerhin Mitchell. Und vergessen Sie eines nicht: Er ist Jimmy in seiner Entwicklung zwei Jahre voraus. Bringen Sie ihn her. Wir müssen diesmal einfach nur vorsichtiger sein.«

Miss Bennett stand die Verzweiflung ins Gesicht geschrieben. Ihre ganze Coolness war wie weggeblasen.

»Ich wusste, Sie würden in dieser Angelegenheit eine große Dummheit begehen!«, rief sie.

»Miss Bennett«, schrie Hollingdale sie an. »Sie reden mit Ihrem Premier! Die Situation ist folgende: Jimmy wird nicht für immer in Frankreich bleiben. Früher oder später werden ihn die kranken Ideen Christopher Viggos infiziert haben und er wird unsere Regierung stürzen wollen. Sofern ihn nicht zuvor die französische Armee entdeckt und ihn zu irgendwelchen widerwärtigen antibritischen Aufträgen einsetzt. Kurz gesagt, Miss Bennett, *Jimmy muss sterben.*« Hollingdales Lippen bebten vor Zorn.

Miss Bennett suchte mit der Hand Halt an ihrem Schreibtisch.

»Wo ist Jimmys Vater?«, keuchte sie.

»Ian Coates hat bemerkenswerte Loyalität bewiesen. Ich werde ihn für einen Posten in der Regierung vorschlagen.« Einen Augenblick lang herrschte Schweigen und Miss Bennett schüttelte langsam den Kopf.

»Miss Bennett«, sagte Dr. Higgins schließlich, »wenn wir die Konfrontation mit Jimmy aufschieben, wird er mit jedem Tag stärker. Wir müssen jetzt zuschlagen. Und der Einzige, der ihm gewachsen ist, ist Mitchell.«

»Paduk«, schnarrte Hollingdale und wandte sich zum Gehen. »Sie schaffen Mitchell hierher. Unterziehen Sie ihn einem kurzen Training. Und dann soll er Jimmy töten.«

Das Dröhnen des Helikopters schloss die übrige Welt aus und die Passagiere an Bord gaben einer nach dem anderen ihrer Erschöpfung nach. Während die übrigen bereits schliefen, schlüpfte Jimmy auf den Sitz neben Viggo. Er setzte Saffrons abgelegten Helm auf und starrte hinaus in die Nacht.

»Ich möchte kein Killer sein«, murmelte er in sein winziges Mikrofon. Die Antwort kam knisternd über seine Kopfhörer.

»Du musst auch keiner sein.« Viggo blickte ihn beim Sprechen nicht an. Seine Stimme schien irgendwo aus dem Nichts zu kommen. »Du hast bisher erfolgreich dem Drang widerstanden, jemanden zu töten – sogar bei Menschen, die den Tod verdient hätten.« Jimmy bot alle seine Kräfte auf, um seine Angst beiseitezuschieben.

»Aber was ist …«, seine Kehle war wie zugeschnürt, und er brachte die Worte kaum heraus, »… wenn ich achtzehn werde?«

»Wer weiß das schon? Du bist ein erstaunlicher Junge, Jimmy. Und es ist nicht der programmierte Teil in dir, der so außergewöhnlich ist. Es ist der Mensch. Und vergiss eines nicht: Beide Anteile in dir werden heranwachsen.«

Jimmy blickte auf das Wasser hinaus, das jetzt von dem blassen Lichtschimmer erhellt wurde, der dem Sonnenaufgang vorausgeht. Das Meer war tiefer als die Themse und rauer. Er sah das Gesicht seines Vaters vor sich. Seine harte Miene. Was war aus dem Mann geworden, nach dem er früher immer Schokoladenpapierkügelchen geschnipst hatte?

Jimmy nahm seinen Helm ab und ging wieder nach hinten zu den anderen. Alle schliefen an die Schultern ihres jeweiligen Nachbarn gelehnt. Georgie und Eva hatten sich zusammen unter eine Decke gekuschelt, nur ihre Köpfe ragten noch heraus. Felix saß neben ihnen, in Viggos wärmendes Jackett gehüllt; sein Gesicht wirkte ernst. Vermutlich träumte er von seinen Eltern. Auf der gegenüberliegenden Sitzbank hatte Saffron ihren Kopf auf eine Decke gebettet und ihre Mandelaugen entspannt geschlossen. Yannick hatte einen Arm um ihre Schultern gelegt, und entweder schlief er, oder er versuchte, sich möglichst ruhig zu halten, um die Übelkeit zu unterdrücken. Er trug ein ziemlich schickes neues Hemd.

Jimmy fuhr mit dem Finger über den Schnitt in seinem Handgelenk. Er tat das inzwischen aus reiner Gewohnheit und ohne dass es ihm selbst noch aufgefallen wäre. Vielleicht erinnerte es ihn unbewusst an seine neue Identität. Ihm entging völlig, dass seine Mutter ihn dabei beobachtete. Sie staunte über das neue Verhalten ihres Sohnes, den sie einmal so gut gekannt hatte.

»Lass mich das anschauen«, rief sie zu ihm hinüber.

»Oh, das ist nichts.« Jimmy blickte auf und verbarg rasch die Hand hinter dem Rücken. »Ich hab mich nur zu Hause am Fenster geschnitten.«

»Du hast das Fenster zerbrochen?«

»Ja, tut mir leid. Ich musste noch mal zurück ins Haus. Ach, und dann hab ich mit dem Messer reingestochen, um Felix' Eltern zu beweisen, dass ich nicht, du weißt schon … normal bin.«

»Du hast ein Messer in dein Handgelenk gestoßen?«, rief sie. »Was in aller Welt hat dich dazu getrieben?« Jetzt erhob sie sich, kniete sich zwischen die Sitzbänke und zog Jimmys Hand ins Licht. »Himmel, Jimmy, das muss sofort verbunden werden. Warte.«

Sie nahm einen grünen Kasten aus der Halterung an der Bordwand und war sofort wieder bei Jimmy. Sie durchsuchte den Erste-Hilfe-Kasten, wobei sie sorgfältig jedes Päckchen studierte.

»Nein, ist schon in Ordnung. Schau, es tut gar nicht weh.« Jimmy drückte mit dem Finger fest auf den Schnitt, um es ihr zu demonstrieren.

»Jimmy, du hast in deinem Handgelenk eine Wunde so tief wie der Grand Canyon. Und sie hat noch nicht einmal zu heilen begonnen. Das ist schrecklich. Die Verletzung könnte sich infizieren – sie muss unbedingt versorgt und verbunden werden.« Sanft nahm sie Jimmys Hände in ihre und drehte die Handflächen nach oben. Während Jimmy weiter protestierte, träufelte sie irgendeine antiseptische Lotion auf den Schnitt. Sogar das schmerzte kein bisschen, obwohl es eigentlich wie die Hölle hätte brennen müssen.

»Mum, das ist nicht nötig, echt. Es ist alles in bester Ordnung.«

»Jimmy.« Sie hielt kurz inne und blickte ihm in die

Augen. Einen Moment lang kam es ihm so vor, als hätte er sie noch nie so traurig gesehen. »Lass mich das tun. Bitte.«

Er entspannte seinen Arm. Sie saßen schweigend da, ohne den Lärm um sie herum wahrzunehmen. Helen Coates wickelte eine Bandage um die Wunde ihres Sohnes. Jimmy wandte sich ab und spähte vorne aus dem Helikopter. Am Horizont zeigte sich eine schmale Linie, wo Meer und Land aufeinandertrafen. Jimmy konnte sehen, wie die Morgensonne die grauen Strände in goldfarbenes Licht tauchte. Als Jimmys Mutter den einfachen Verband gut befestigt hatte, hob sie sein Handgelenk an ihre Lippen, um es zu küssen. Eine ihrer Tränen hinterließ einen schwachen Fleck darauf.

Der punktförmige Schatten des Helikopters flog weiter. Die Küstenlinie Europas glitt unter ihnen hinweg, und die erwachenden Felder Frankreichs schienen bereits gespannt darauf, wo sie landen würden.

[illegible]

[illegible]

[illegible] den Lärm um sie herum wahrzunehmen. [illegible]
Conna wickelte eine Bandage um die Wunde ihres Sch[illegible]
ner, Timmy wandte sich ab und sprach [illegible]
[illegible]

[illegible]

© privat

Joe Craig, geb. 1981 in London, arbeitete als erfolgreicher Songwriter, bevor er seine Leidenschaft für das Schreiben von Jugendbüchern entdeckte. Mit »J. C. – Agent im Fadenkreuz« schaffte er den internationalen Durchbruch. Wenn er nicht schreibt, liest er an Schulen, spielt Klavier, erfindet Snacks, spielt Snooker, trainiert Kampfsport oder seine Haustiere. Er lebt mit seiner Frau, Hund und Zwergkrokodil in London.

Von Joe Craig bereits erschienen:

J. C. – Agent auf der Flucht (Band 2; 17394)
J. C. – Agent in höchster Gefahr (Band 3; 17461)
J. C. – Agent in geheimer Mission (Band 4; 16507)
J. C. – Agent unter Beschuss (Band 5; 16521)
J. C. – Agent zwischen den Fronten (Band 6; 16544)
J. C. – Agent gegen den Rest der Welt (Band 7; 16551)

Chris Bradford

BODYGUARD

Der 14-jährige Martial-Arts-Experte Connor Reeves entspricht nicht gerade dem, was man sich unter einem typischen Bodyguard vorstellt – und genau deshalb ist er so hervorragend geeignet für seinen neuen Job: Er wird für eine geheime Einheit hochprofessioneller junger Bodyguards angeworben, die jugendliche Stars und die Kinder superreicher Eltern begleiten sollen. Denn wer könnte sie unauffälliger beschützen als ein Gleichaltriger? Nach einem gnadenlosen Training heißt es dann für Connor Reeves bei seinen brandheißen Aufträgen:
Und Action!

Die Geisel
Band 1, 480 Seiten,
ISBN 978-3-570-40275-7

Das Lösegeld
Band 2, 480 Seiten,
ISBN 978-3-570-40276-4

Der Hinterhalt
Band 3, 448 Seiten,
ISBN 978-3-570-40315-0

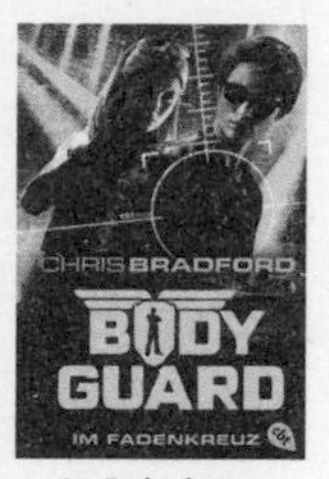

Im Fadenkreuz
Band 4, 480 Seiten,
ISBN 978-3-570-40316-7

Der Anschlag
Band 5, 350 Seiten,
ISBN 978-3-570-40350-1

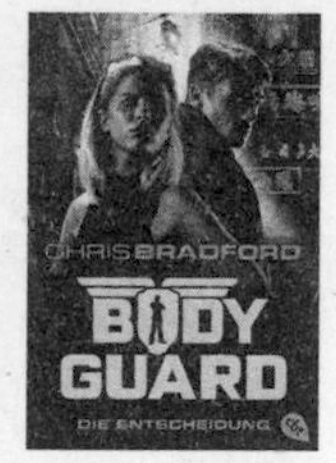

Die Entscheidung
Band 6, ca. 350 Seiten,
ISBN 978-3-570-31205-6

www.cbj-verlag.de

30344_6